10/18

12, avenue d'Italie — Paris XIIIe

Sur l'auteur

Anne Perry, née en 1938, à Londres, est aujourd'hui célébrée dans de nombreux pays comme une « reine » du polar victorien. C'est en 1979 qu'elle publie la première enquête du couple de détectives Charlotte et Thomas Pitt, *L'Étrangleur de Cater Street*, une série qui compte aujourd'hui vingt romans. Forte de ses premiers succès, elle publie en 1990 *L'Étranger dans le miroir*, qui inaugure une seconde série victorienne, menée par l'inspecteur William Monk. *Funeral in Blue*, la douzième enquête de William Monk va paraître prochainement en Angleterre. Anne Perry a par ailleurs écrit plusieurs romans fantastiques – *Tathea, Shadow Mountain*. Elle vient de publier aux États-Unis *The One Thing More*, un roman qui a pour cadre, cette fois, le Paris de la Révolution française. Elle vit au nord d'Inverness, en Écosse.

L'ÉGORGEUR DE WESTMINSTER BRIDGE

PAR

ANNE PERRY

Traduit de l'anglais
par Anne-Marie CARRIÈRE

10|18

INÉDIT

« Grands Détectives »
dirigé par Jean-Claude Zylberstein

Du même auteur
aux Éditions 10/18

Série « Charlotte et Thomas Pitt »

L'ÉTRANGLEUR DE CATER STREET, n° 2852
LE MYSTÈRE DE CALLANDER SQUARE, n° 2853
LE CRIME DE PARAGON WALK, n° 2877
RESURRECTION ROW, n° 2943
RUTLAND PLACE, n° 2979
LE CADAVRE DE BLUEGATE FIELDS, n° 3041
MORT À DEVIL'S ACRE, n° 3092
MEURTRES À CARDINGTON CRESCENT, n° 3196
SILENCE À HANOVER CLOSE, n° 3255
► L'ÉGORGEUR DE WESTMINSTER BRIDGE, n° 3326
L'INCENDIAIRE DE HIGHGATE, n° 3370
BELGRAVE SQUARE, n° 3438

SÉRIE « William Monk »

UN ÉTRANGER DANS LE MIROIR, n° 2978
UN DEUIL DANGEREUX, n° 3063
DÉFENSE ET TRAHISON, n° 3100
VOCATION FATALE, n° 3155
DES ÂMES NOIRES, n° 3224
LA MARQUE DE CAÏN, n° 3300
SCANDALE ET CALOMNIE, n° 3346
UN CRI ÉTRANGLÉ, n° 3400

Titre original :
Bethlehem Road

ISBN 2-264-03526-9

Pour Ruth.
pour les nombreux cadeaux
qu'elle m'a faits

1

Hetty, debout à l'extrémité sud de Westminster Bridge, remarqua, de l'autre côté du sombre tablier du pont, un homme bizarrement appuyé contre l'un des réverbères à trois branches qui l'éclairaient. Un cab passa entre eux, en direction du nord, vers le palais de Westminster. Les sabots du cheval martelèrent la travée. Tout au long de Victoria Embankment, les lampadaires électriques installés depuis peu brillaient comme des lunes dorées.

L'homme n'avait pas bougé depuis l'arrivée de Hetty. Un gentleman si bien habillé, avec haut-de-forme, écharpe de soie blanche et fleurs à la boutonnière, ne devait pas traîner dans les parages à minuit passé pour attendre une connaissance ! Un client, sans doute, sinon pourquoi resterait-il là ?

Hetty se dirigea vers lui d'un pas nonchalant, faisant élégamment virevolter ses jupons jaunes.

— Bonsoir, mon lapin, dit-elle en inclinant la tête d'un air engageant. On cherche un peu de compagnie ?

L'homme ne bougea pas. Il aurait tout aussi bien pu dormir debout, à voir le peu d'intérêt qu'il lui portait.

— On est timide, hein ? insista-t-elle, pleine de bonne volonté.

Certains messieurs perdaient leur langue, dans ces moments-là, surtout s'ils n'étaient pas des habitués.

— Faut pas, ajouta-t-elle. Y a pas de mal à vouloir de la compagnie par une nuit pareille. Je m'appelle Hetty. Pourquoi vous viendriez pas avec moi ? On pourrait aller boire une goutte de gin et puis faire connaissance tous les deux, hein ? Ça coûte pas grand-chose !

L'homme n'eut aucune réaction.

— Hé ! Qu'est-ce qui va pas ?

En l'observant plus attentivement, elle remarqua qu'il se tenait penché en arrière, un peu raide, les mains pendant sur les côtés. Par une nuit de printemps aussi froide, elles auraient dû être enfoncées dans ses poches !

— Vous êtes malade ? s'inquiéta Hetty.

L'homme ne fit pas un geste.

Vu de près, il était plus âgé qu'elle ne l'avait cru, et allait sur la cinquantaine. La lumière tombait sur sa chevelure argentée ; ses traits étaient inexpressifs, et il fixait sur elle un regard étrange.

— Ma parole, il est soûl comme un cochon ! s'exclama Hetty, mi-apitoyée, mi-dégoûtée.

L'ivrognerie ne la dérangeait pas, mais tout de même ! Un gentleman, au beau milieu d'une voie passante !

— Vous devriez rentrer chez vous avant que les roussins vous mettent la main dessus. Allez, ouste ! Vous allez pas passer la nuit ici !

Un client de moins. Tant pis, elle s'était bien débrouillée ce soir. Ces messieurs de Lambeth Walk s'étaient montrés généreux.

— Vieil idiot ! ajouta-t-elle à voix basse, à l'adresse de la silhouette appuyée contre le réverbère.

C'est alors qu'elle s'aperçut que l'écharpe blanche qu'il portait autour du cou passait aussi derrière la fourche en fer forgé du lampadaire. Grand Dieu ! Il y était accroché ! L'horrible vérité la frappa : ce regard vitreux n'était pas dû aux vapeurs de l'alcool, mais à... *la mort* !

Son cri traversa la nuit et se répercuta dans l'immensité noire. Sur le pont désert, chaque réverbère renvoyait trois flaques de lumière. Hetty poussa un autre hurlement, puis un autre encore, comme s'ils devaient s'éterniser jusqu'à ce qu'elle obtienne enfin l'explication de ce cauchemar.

À l'autre bout du pont, des silhouettes se retournèrent. Une voix lui répondit ; on s'élança dans sa direction. Des pas résonnèrent sur le pavé.

En reculant pour fuir, Hetty buta sur le rebord du trottoir et tomba lourdement sur la chaussée. Elle resta là un moment, à la fois ahurie et furieuse ; puis se sentit soulevée par les épaules.

— Ça va, ma jolie ? fit une voix masculine, bourrue mais amicale.

Elle sentit un tissu de laine humide effleurer sa joue. Comme elle regrettait de s'être comportée comme une idiote ! Elle aurait dû garder son calme et poursuivre paisiblement son chemin, en laissant à un autre imbécile le soin de découvrir le cadavre ! Un petit attroupement commençait à se former autour d'elle.

— Bon Dieu ! s'écria une voix horrifiée. Regardez ! Il est mort ! Raide mort, le pauvre diable !

— Vous feriez mieux de ne pas y toucher, fit une autre voix, autoritaire celle-là, distinguée et sûre d'elle. Il faut prévenir la police. Vous là-bas, allez-y. Il doit bien y avoir un agent qui fait sa ronde sur l'Embankment.

Quelqu'un partit en courant. On entendit le bruit de

ses pas se perdre dans le lointain. Hetty tenta de se relever; l'homme qui la soutenait l'aida gentiment à se remettre sur ses pieds. Il y avait maintenant cinq personnes autour d'elle, frissonnantes et inquiètes. Elle tenait à s'éclipser avant l'arrivée de la police. Franchement, qu'est-ce qui lui avait pris de crier comme une perdue, au lieu de tenir sa langue! À l'heure qu'il était, elle serait déjà à cinq cents mètres de là et personne n'en aurait rien su.

Elle regarda le cercle des curieux attroupés; les lampes jaunes du réverbère créaient sur leurs visages d'étranges jeux d'ombre et de lumière; leur haleine s'élevait en minces filets de vapeur dans la nuit glaciale. Ils se montraient si attentionnés qu'elle ne parviendrait pas à leur fausser compagnie; en revanche, elle pourrait peut-être arriver à se faire payer un verre.

— Oh, là, là! Quelle frousse j'ai eue! dit-elle d'une voix tremblante, mais avec une certaine dignité. J'ai froid et je tiens plus sur mes jambes.

Quelqu'un sortit une flasque d'argent ciselé qui étincela à la lueur du réverbère. Un bien bel objet.

— Une gorgée de brandy?

— Ah, c'est pas de refus, merci.

Hetty prit la flasque sans rechigner, la vida jusqu'à la dernière goutte, puis suivit du doigt le tracé de la ciselure avant de la rendre, un peu à contrecœur, à son propriétaire.

On alla chercher l'inspecteur Thomas Pitt chez lui à une heure cinq du matin. Moins d'une demi-heure plus tard, il arrivait à Westminster Bridge. En grelottant, il examina le corps : un homme d'âge moyen, vêtu d'un pardessus noir d'excellente qualité et coiffé d'un haut-de-forme. Il était attaché au réverbère par une écharpe blanche passée autour de son cou. Il avait été égorgé ; l'entaille était profonde, la veine jugulaire droite sectionnée. Le plastron de sa chemise était ensanglanté, mais le pardessus le cachait presque entièrement. L'écharpe qui le maintenait debout, légèrement renversé contre le pilier, dissimulait la plaie à la gorge.

Une demi-douzaine de personnes étaient groupées sur le trottoir d'en face. L'agent de service se tenait à côté de Pitt, sa lanterne sourde à la main, bien que les lumières des lampadaires éclairassent suffisamment la scène pour le peu qu'il leur restait à faire.

— La personne qui l'a trouvé s'appelle Hetty Milner, expliqua-t-il. Pensant qu'il était malade, elle lui a demandé comment il allait. Enfin, c'est ce qu'elle dit. Entre nous, je crois plutôt qu'elle lui a fait des avances, mais cela ne change rien à l'affaire. Pauvre diable. Il a encore de l'argent dans ses poches et sa montre de gousset en or. Apparemment, on ne lui a rien volé.

Pitt regarda à nouveau le corps, ôta ses gants et effleura les revers du manteau pour s'assurer de la texture du tissu : de la belle laine, douce et solide. Des primevères fraîches étaient accrochées à la boutonnière. À la lueur du réverbère, le spectacle paraissait irréel : de légères traînées de brouillard flottaient comme des écharpes de mousseline au-dessus des eaux sombres et bouillonnantes de la Tamise. L'homme portait des boutons de manchette en cornaline à monture d'or et des gants en peau de porc. Pitt souleva les pans de l'écharpe, qui laissèrent entrevoir la chemise maculée de sang — les boutons du col n'étaient pas défaits —, puis les laissa retomber.

— Nous avons son identité ?

— Oui, monsieur.

La voix de l'agent perdit de sa clarté.

— Je le connais, je suis du commissariat du secteur. Sir Lockwood Hamilton, député au Parlement. Il habite sur la rive sud. J'imagine qu'il rentrait chez lui, après une séance de nuit, comme d'habitude. Beaucoup de ces messieurs rentrent à pied, lorsque leur domicile est proche, quelle que soit leur circonscription.

Il s'éclaircit la gorge, comme si quelque chose le gênait, le froid sans doute, mais aussi la pitié et l'horreur.

— Les élus des circonscriptions de province ont tous un pied-à-terre à Londres, pendant les périodes de sessions parlementaires. Plus ils sont haut placés, plus ils passent de temps dans la capitale, sauf pour les vacances, bien sûr.

Pitt se força à sourire. Il connaissait les habitudes des parlementaires, mais il savait que l'agent essayait de se rendre utile ; de plus, parler meublait le silence et empêchait de penser au cadavre.

— Merci. Où est cette Hetty Milner ?

— Là-bas, la fille aux cheveux blonds, monsieur. L'autre fille à côté d'elle fait le même métier, mais elle est là par simple curiosité.

Pitt traversa le pont et s'approcha du groupe de badauds. Il observa Hetty, son visage fardé, creusé d'ombres par la lumière dure, le décolleté profond de sa robe, sa jolie peau de blonde qui ne tarderait pas à se faner, ses jupons bon marché aux couleurs voyantes. Le bas de sa robe s'était déchiré lors de sa chute, révélant des chevilles minces et un mollet joliment galbé.

Il se présenta.

— Inspecteur Pitt. Est-ce vous qui avez trouvé le corps attaché au réverbère ?

— Ouais !

Hetty n'aimait pas les représentants de la loi. Ses relations avec eux avaient toujours tourné à son désavantage. Les risques du métier! Elle n'avait rien contre celui-ci en particulier, mais tenait à tout prix à rectifier sa bourde et avait décidé d'en dire le moins possible.

— Avez-vous aperçu quelqu'un sur le pont?

— Non.

— Quel chemin suiviez-vous?

— Je venais du sud et je rentrais chez moi.

— Vers Westminster?

Elle le soupçonna de se moquer d'elle.

— Ouais, c'est ça!

— Où habitez-vous?

— Près de la prison de Millbank.

Elle releva le menton.

— Tout près de Westminster, au cas où vous le sauriez pas.

— Je le sais. Et vous rentriez chez vous toute seule?

Il n'y avait aucun sarcasme dans l'expression du policier, pourtant elle le dévisagea, incrédule.

— Ben, qu'est-ce qui vous prend? Vous êtes cinglé, ma parole! Bien sûr que j'étais toute seule!

— Que lui avez-vous dit?

Elle faillit demander: « À qui? », mais se rendit compte que cela ne rimerait à rien. Elle avait virtuellement avoué qu'elle était là pour vendre ses charmes. Ce maudit argousin l'avait presque obligée à le dire!

— Je lui ai demandé s'il était malade.

Elle était satisfaite de sa réponse. Même une femme du monde pouvait s'inquiéter de la santé d'un passant.

— Avait-il l'air malade?

— Ouais... non!

Elle jura entre ses dents.

— Bon, d'accord, je lui ai demandé s'il voulait un

peu de compagnie... Il m'a pas répondu ! ajouta-t-elle avec une grimace qui se voulait ironique.

— L'avez-vous touché ?

— Moi ? Je suis pas une voleuse !

— Êtes-vous sûre de n'avoir vu personne ? Des gens qui rentraient chez eux, des marchands ambulants ?

— À cette heure-là ? Ils vendraient quoi ?

— Je ne sais pas, des friands chauds, des sandwichs, des fleurs...

— Non, j'ai vu personne. Seulement un cab qui est passé sans s'arrêter. Mais je l'ai pas tué ! Juré, il était déjà mort. Pourquoi je l'aurais tué ? Je suis pas folle !

Pitt la croyait volontiers. C'était une prostituée ordinaire, comme des milliers d'autres à Londres en cet an de grâce 1888. Une fille publique, peut-être un peu voleuse, qui propagerait involontairement des maladies vénériennes et qui mourrait jeune. Mais qui n'irait jamais jusqu'à tuer un éventuel client au beau milieu de la rue !

— Vous donnerez votre nom et votre adresse à l'agent, là-bas, lui dit-il. Et je vous conseille de dire la vérité, Hetty, sinon on reviendra vous chercher, et ce ne sera peut-être pas bon pour votre commerce.

Elle lui lança un regard furibond, puis tourna les talons et partit vers le trottoir d'en face. Elle buta à nouveau contre la bordure, mais cette fois se rattrapa à temps et poursuivit son chemin, la tête haute.

Pitt entreprit d'interroger les autres passants, mais personne n'avait rien vu ; ils étaient tous accourus en entendant les cris d'Hetty. N'ayant plus rien à faire là, il fit signe au fourgon mortuaire qui attendait à l'autre bout du pont de venir chercher le corps. Il avait bien observé la façon dont l'écharpe était nouée : le genre de double nœud que l'on fait machinalement. Le poids de l'homme l'avait tellement resserré qu'il était impossible de le défaire. Les hommes de la morgue le coupèrent au couteau puis ramassèrent le corps et le déposèrent délicatement dans le fourgon. Celui-ci s'éloigna, ombre noire dans la lumière, traversa le pont, tourna au pied de la grande statue de Boudicca debout dans son chariot tiré par de fiers coursiers, puis suivit l'Embankment et disparut dans la nuit. Pitt retourna auprès de l'agent et de l'autre policier en uniforme qui l'avait rejoint.

À présent venait le moment qu'il haïssait le plus, à l'exception peut-être du dénouement de l'affaire, lorsqu'il comprenait enfin les passions qui avaient engendré une tragédie. Il devait aller informer les membres de la famille du défunt, être témoin de leur émotion, de leur douleur, puis, à partir de paroles, de gestes, d'expressions fugitives passant sur les visages, tenter de démêler les fils lui permettant d'obtenir quelques renseignements. Très souvent il découvrait à cette occasion de noirs et douloureux secrets de famille sans lien avec le crime, des turpitudes ou des faiblesses que l'on désirait à tout prix cacher, quitte à lui mentir.

Sir Lockwood Hamilton, lui dit l'agent, vivait à sept ou huit cents mètres de là, au numéro 17, Royal Street, rue qui donnait sur le jardin de Lambeth Palace, résidence officielle de l'archevêque de Cantorbéry.

Pitt jugea inutile de chercher un cab ; par une nuit claire, il serait plus agréable de faire le trajet à pied ; c'était certainement ce qu'avait prévu de faire Lockwood Hamilton en quittant le Parlement. De plus, cela lui donnerait un peu de temps pour réfléchir.

Dix minutes plus tard, il actionnait le heurtoir de cuivre d'une magnifique porte en acajou. Il attendit un bon moment, puis frappa de nouveau. Quelque part, dans les étages supérieurs, une lumière s'alluma, puis celle du premier et enfin celle du vestibule. La porte s'ouvrit sur un majordome endormi qui avait enfilé une veste en toute hâte. Il cligna des yeux, s'aperçut qu'il avait affaire à un inconnu et s'apprêta à protester. Pitt le devança.

— Inspecteur Thomas Pitt, du commissariat de Bow Street. Puis-je entrer ?

L'homme devina dans la voix ou sur le visage du policier une certaine gravité, mêlée de compassion : son expression irritée s'effaça aussitôt.

— Quelque chose ne va pas ? Est-il arrivé un accident ?

— Navré d'avoir à vous annoncer une très mauvaise nouvelle, fit Pitt en lui emboîtant le pas. Sir Lockwood Hamilton est décédé. J'aimerais éviter de vous expliquer les circonstances de sa mort, mais étant donné qu'elles seront publiées dans les journaux du matin, il vaudrait mieux que Lady Hamilton soit prévenue, ainsi que les autres membres de la famille.

Le majordome déglutit, puis recouvra peu à peu son sang-froid, tandis que toutes sortes d'images de scandale et de déshonneur lui venaient à l'esprit. Il se redressa et fit face à Pitt.

— Que s'est-il passé ? dit-il d'une voix neutre.

— Je crains qu'il n'ait été assassiné. Sur Westminster Bridge.

— Vous voulez dire... qu'on l'a jeté du haut du pont ? fit l'homme, incrédule, comme si l'idée lui paraissait farfelue.

Pitt prit une inspiration.

— Non. On l'a attaqué avec un rasoir ou un couteau. Désolé. Tout s'est passé très vite. La mort a dû être rapide. Je pense que vous devriez demander à la cariste d'avertir Lady Hamilton et de lui faire préparer une tisane, un cordial ou ce que vous jugerez approprié.

— Oui, monsieur, bien sûr.

Le majordome introduisit Pitt dans le petit salon ; les braises de la veille rougeoyaient encore dans l'âtre. Il lui laissa le soin d'allumer les lampes à gaz et de se trouver un siège, tandis qu'il partait accomplir sa pénible tâche.

Pitt embrassa la pièce du regard. Son aménagement l'aiderait à mieux connaître les occupants qui résidaient là pendant les sessions du Parlement. Le salon était spacieux et étonnamment dépourvu de fioritures. À l'inverse de la vogue du moment, canapés et fauteuils n'étaient pas recouverts de tissus frangés ni de pièces de coton brodé ; les lustres n'avaient pas de pendeloques de cristal ; on ne voyait ni traditionnels modèles de broderie ni portraits de famille, à l'exception d'une photographie aux tons sépia représentant une femme âgée au visage sévère coiffée d'un bonnet de veuve blanc. Réminiscence d'une époque révolue, elle détonnait dans cette pièce. Si celle-ci avait été décorée par les soins de Lady Hamilton, le portrait devait être celui d'une parente de Sir Lockwood, peut-être sa mère.

Aux murs étaient accrochés des tableaux romantiques inspirés des préraphaélites : femmes au visage énigmatique et à la chevelure opulente, chevaliers en armure, fleurs entrelacées. Des pièces d'étain très anciennes ornaient les guéridons.

Il attendait depuis une dizaine de minutes quand la porte s'ouvrit sur Lady Hamilton. Une femme de haute taille, aux traits intelligents, qui, plus jeune, avait dû être fort belle. Pitt lui donna environ quarante-cinq ans. Le temps lui avait volé la fraîcheur de la jeunesse, mais l'avait remplacée par des rides de caractère, qui lui conféraient, de l'avis du policier, un charme certain. Elle avait noué en hâte ses cheveux noirs en chignon bas et portait une robe d'intérieur bleu roi.

Elle fit un immense effort pour rester digne.

— D'après ce que l'on m'a dit, vous êtes venu m'avertir que mon mari a été tué, déclara-t-elle à voix basse.

— Oui, Lady Hamilton. Vous m'en voyez navré. Je m'excuse par avance de vous bouleverser avec des détails fort pénibles, mais j'imagine que vous préférerez les entendre de ma bouche plutôt que de les lire dans les journaux.

Elle devint si pâle que Pitt craignit un instant de la voir s'évanouir. Mais elle prit une profonde inspiration, expira lentement et parvint à recouvrer son calme

— Vous devriez vous asseoir, suggéra-t-il en tendant la main vers elle.

Ignorant le geste, elle alla prendre place sur le canapé et lui fit signe de s'asseoir. Ses mains tremblaient. Elle gardait les poings serrés dans son giron, de façon à les dissimuler à la vue du policier, et peut-être à la sienne.

— Je vous en prie, poursuivez...

Pitt rageait d'avoir à ajouter à sa douleur, face à laquelle il se sentait impuissant.

— Apparemment, Sir Lockwood rentrait chez lui après une séance de nuit au Parlement. Alors qu'il abordait l'extrémité sud de Westminster Bridge, il a été attaqué au couteau ou au rasoir. Une seule blessure, fatale, lui a été infligée. Si cela peut vous apporter un certain réconfort, je vous assure que tout s'est passé très vite. Il n'a pas souffert.

— Lui a-t-on dérobé quelque chose ? s'enquit-elle, luttant pour conserver son sang-froid.

— A priori, non. À moins qu'il n'ait eu sur lui un objet particulier. Il avait encore son argent, sa montre de gousset et ses boutons de manchette. Bien sûr, le voleur a pu être dérangé avant de pouvoir s'en emparer. Mais cela paraît improbable.

— Pourquoi ?

Sa voix se brisa. Elle avala sa salive.

— Pourquoi pas ?

Pitt hésita. Tôt ou tard, elle saurait la vérité ; s'il ne la lui disait pas, quelqu'un le ferait à sa place, même si elle refusait de lire les journaux. D'ici au lendemain, tout Londres serait au courant. Devait-il la regarder en face ou détourner les yeux ? Éviter son regard lui semblait bien lâche.

— Il... il était maintenu contre un réverbère par son écharpe. Le criminel n'aurait pas eu le temps de l'attacher de la sorte s'il avait été dérangé.

Elle le dévisagea en silence.

Pitt ajouta, très vite, car il n'avait pas d'autre choix

— Je dois vous demander, madame, si Sir Lock wood avait reçu des menaces dernièrement. Avait-il des rivaux ? S'était-il attiré des ennemis ? Il peut s'agir, bien entendu, de l'acte d'un déséquilibré, mais il est également possible que l'assassin fût connu de lui

— Non ! nia-t-elle instinctivement, comme il l'avait prévu.

Qui s'imaginerait qu'une telle atrocité n'était pas le fruit d'un malheureux concours de circonstances ?

— Rentrait-il souvent à pied, après une séance de nuit ?

Elle se ressaisit avec difficulté. Il devinait la vision d'horreur qu'elle se représentait : le pont, les ténèbres, le meurtre.

— Oui, quand le temps était clément. Le trajet ne dure que quelques minutes. Les rues sont bien éclairées et...

— En effet. Je viens de faire le chemin à pied. Donc, beaucoup de gens pouvaient prévoir qu'il rentrerait ainsi chez lui.

— Oui, je suppose, mais seul un malade mental aurait pu...

— La jalousie, la peur, la cupidité peuvent réveiller des pulsions proches de la folie...

Elle ne répondit pas.

— Voulez-vous que j'informe moi-même les autres membres de votre famille ? s'enquit Pitt avec sollicitude. Si je peux vous épargner de pénibles moments...

— Non, merci. J'ai déjà demandé à Huggins, mon majordome, d'appeler mes frères.

Une expression douloureuse et tendue se peignit sur ses traits.

— Et aussi Mr. Barclay Hamilton, le fils de mon mari, d'un premier lit.

— Appeler, dites-vous ?

Elle cligna des yeux, puis comprit le sens de la question.

— Oui, nous possédons tous un téléphone ; personnellement, ces instruments ne me plaisent guère. J'estime impoli de parler aux gens sans voir leur visage. Je préfère écrire, lorsqu'une visite s'avère impossible. Mais Sir Lockwood juge... jugeait l'appareil très pratique.

— Gardait-il des documents de travail dans cette maison ?

— Oui, dans la bibliothèque, mais je ne vois pas en quoi ils vous seraient utiles. Il ne conservait ici aucun papier confidentiel.

— En êtes-vous sûre ?

— Absolument certaine. Il me l'a dit à plusieurs reprises. Mon mari était le secrétaire parlementaire[1] du ministre de l'Intérieur. Il savait se montrer discret.

1. Parlementaire attaché à un ministre, assurant la liaison avec les autres parlementaires. *(N.d.T.)*

À ce moment, on entendit du bruit dans le vestibule. La porte d'entrée s'ouvrit et se referma ; on distingua très nettement deux voix masculines qui s'élevaient au-dessus des protestations feutrées du majordome. À la porte du salon apparut un bel homme aux tempes argentées, au nez puissant, au front dégagé, assombri par l'inquiétude et la stupéfaction.

Ignorant Pitt, il vint placer un bras protecteur autour des épaules de sa sœur.

— Amethyst, ma chère, c'est épouvantable ! Les mots me manquent pour te dire à quel point je compatis à ton chagrin. Nous ferons tout notre possible pour te protéger, bien sûr. Il faut éviter que se répandent toutes sortes de suppositions idiotes. À mon avis, tu devrais quitter la capitale quelques jours. Si tu le désires, tu es la bienvenue dans ma maison de campagne d'Aldeburgh. Personne ne te dérangera. Un séjour en bord de mer te fera du bien.

Il pivota sur lui-même.

— Jasper, pour l'amour du ciel, ne reste pas planté là ! Entre ! Tu as amené ta trousse avec toi. N'as-tu pas quelque chose qui puisse l'aider ?

— Je n'ai besoin de rien, merci, répliqua Lady Hamilton, en se détournant de lui, la tête rentrée dans les épaules. Lockwood est mort. Personne ne peut y changer quoi que ce soit. Et je te remercie, Garnet, mais pour l'instant je préfère rester ici. Plus tard, peut-être...

L'homme se tourna enfin vers Pitt.

— Je suppose que vous êtes de la police ? Je me présente : Sir Garnet Royce, le frère de Lady Hamilton. Exigez-vous que ma sœur reste à Londres ?

— Non, monsieur, répondit Pitt calmement. Mais j'imagine que Lady Hamilton désire nous aider dans toute la mesure du possible à retrouver le responsable de cette tragédie.

Garnet le dévisagea de ses yeux froids et clairs.

— Je ne vois pas comment. Elle ignore tout du malade qui a commis pareille monstruosité. Si je parviens à la persuader de quitter Londres, puis-je être certain que vous ne vous y opposerez pas ?

Il y avait une note d'avertissement dans sa voix, celle d'un homme habitué à voir non seulement ses ordres exécutés mais aussi ses désirs exaucés sur-le-champ.

Pitt soutint son regard sans ciller.

— Il s'agit d'une enquête criminelle, Sir Garnet. Jusqu'à présent j'ignore l'identité de l'assassin et son mobile. Mais étant donné que Sir Lockwood était un personnage public important, il est possible que quelqu'un ait éprouvé à son égard une violente hostilité, pour une raison précise ou imaginaire. Il serait irresponsable de ma part de tirer des conclusions hâtives.

Jasper s'avança dans la pièce. Il ressemblait à son frère, en plus jeune, avec des yeux marron et des cheveux bruns ; mais il était loin de posséder sa force et son charisme.

— Il a raison, Garnet

Il posa la main sur le bras de sa sœur.

— Tu devrais retourner au lit, ma chère, et demander à ta camériste de te préparer une infusion de ces herbes.

Il lui tendit un sachet de feuilles séchées.

— Je repasserai dans la matinée.

Lady Hamilton prit le sachet.

— Merci, Jasper. Mais tu ne dois pas négliger tes patients pour moi. Tout ira bien. J'aurai beaucoup à faire ici : préparer l'enterrement, prévenir l'entourage, rédiger les faire-part... Non, je n'ai pas l'intention de quitter Londres pour le moment. Plus tard, je serais heureuse d'aller à Aldeburgh. C'est très gentil à toi de me l'avoir proposé, Garnet. Maintenant, si vous n'avez plus rien à me demander...

Elle lança un regard interrogateur au policier.
— Inspecteur Pitt, madame.
— Si vous voulez bien m'excuser, inspecteur, j'aimerais me retirer.
— Je vous en prie. Me permettrez-vous de revenir demain, pour m'entretenir avec votre majordome ?
— Certes, si vous le jugez nécessaire.
Alors qu'elle s'éloignait, un bruit se fit entendre dans le vestibule ; un homme apparut sur le seuil, très grand, mince et brun. Pitt lui donna environ trente-cinq ans. Blême, les traits tirés par le chagrin, manifestement sous le choc de la nouvelle, il avait l'expression fixe et hallucinée de quelqu'un soumis à une grande tension.
Amethyst Hamilton se figea, vacilla un peu ; le sang reflua de son visage. Garnet, debout derrière elle, tendit un bras dans sa direction ; elle eut un petit geste pour le repousser, mais la force lui manqua.
Le nouveau venu se tenait lui aussi très raide, luttant pour contenir son émotion. La crispation de sa bouche trahissait sa douleur. Hébété, le regard absent, il cherchait des paroles appropriées à la situation, sans y parvenir. Finalement, ce fut Lady Hamilton qui se ressaisit la première.
— Bonsoir, Barclay, dit-elle avec un effort visible. Je vois que Huggins vous a mis au courant du décès de votre père. C'est très gentil à vous d'être venu, surtout à une heure pareille. Je crains qu'il n'y ait rien à faire cette nuit, mais je vous remercie de votre présence.
— Je vous prie d'accepter mes condoléances, dit-il avec raideur. Si je peux me rendre utile, prévenir des gens, régler les affaires courantes...
— Je m'occuperai de tout, intervint Garnet Royce, apparemment inconscient de l'émotion du jeune homme — à moins qu'il préférât l'ignorer. Merci de

votre offre, Barclay. Bien entendu, je vous tiendrai au courant.

Durant un long moment, personne n'osa bouger ni ouvrir la bouche. Jasper paraissait impuissant, Garnet perplexe et agacé, Amethyst au bord de l'évanouissement et Barclay Hamilton si angoissé qu'il ne trouvait rien à ajouter.

Enfin, Amethyst eut un signe de tête courtois, mais si glacial qu'en d'autres circonstances il eût paru grossier.

— Merci, Barclay. Vous devez avoir froid. Huggins vous apportera du brandy. Vous voudrez bien m'excuser, mais je préfère me retirer.

— Bien sûr, je... je... bégaya-t-il.

Elle attendit, mais Barclay ne trouvant pas ses mots, elle passa devant lui en silence, Jasper à ses côtés, et sortit dans le vestibule. On entendit dans l'escalier le bruit de ses pas, qui décrût ensuite lorsqu'elle s'éloigna sur le palier.

Garnet Royce se tourna alors vers Pitt.

— Merci, inspecteur, de votre... civilité.

Il avait choisi le mot avec soin.

— L'enquête ne doit pas attendre, aussi nous ne vous retiendrons pas. Huggins va vous raccompagner.

Pitt ne bougea pas.

— En effet, monsieur, l'enquête ne doit pas attendre. Plus tôt elle commencera, plus augmenteront mes chances de succès. Pouvez-vous me parler des affaires de votre beau-frère ?

Garnet haussa un sourcil incrédule.

— Grand Dieu ! Maintenant ?

Pitt tint bon.

— Oui, s'il vous plaît. Cela m'éviterait d'avoir à déranger Lady Hamilton demain matin.

Garnet le dévisageait avec un mépris grandissant.

— Vous n'allez tout de même pas imaginer qu'un

associé de Sir Lockwood ait pu commettre pareille horreur ! Vous devriez ratisser le quartier et chercher des témoins plutôt que vous prélasser au coin du feu à poser des questions stupides !

Pitt maîtrisa sa colère ; l'homme était peut-être encore sous l'effet du choc. Le chagrin qu'il éprouvait, sans doute plus pour sa sœur que pour lui-même. pouvait excuser ses paroles.

— Nous avons déjà commencé à recueillir des témoignages, monsieur, mais pour cette nuit, nous ne pouvons en faire davantage. Bien. Pouvez-vous me parler de la carrière de Sir Lockwood, tant dans ses affaires qu'au Parlement ? Nous gagnerons ainsi un temps précieux et épargnerons à votre sœur bien des questions désagréables.

Les traits de Sir Garnet s'adoucirent ; il n'y subsistait qu'une grande fatigue et des cernes sombres traduisant son émotion.

— Oui, oui, bien sûr, concéda-t-il avant de prendre une inspiration. Lockwood était député d'une petite circonscription du Bedfordshire, mais il passait la plupart de son temps à Londres, en raison des sessions parlementaires et aussi parce qu'il préférait de beaucoup la vie citadine. Ses affaires n'avaient rien d'exceptionnel. Il avait investi dans une usine de fabrication de wagons de chemins de fer, quelque part dans les Midlands. Où précisément, je l'ignore. Il était en outre l'actionnaire principal d'un cabinet immobilier, ici à Londres. Son associé est un certain Charles Verdun, dont je ne peux vous donner l'adresse ; il vous sera sans doute facile de la trouver.

« Sa carrière politique a été jalonnée de succès. Tout homme qui réussit se crée des ennemis, souvent moins compétents ou moins fortunés, mais je ne connaissais dans les relations de Sir Lockwood aucune personne au caractère violent ou à l'esprit dérangé.

Royce fronça les sourcils et porta son regard au-delà de Pitt, vers les rideaux fermés, comme s'il cherchait à voir au travers.

— Il règne en ce moment une certaine instabilité dans certains milieux. Des gens qui, comme toujours, cherchent à attiser l'insatisfaction populaire et à assouvir leur soif de pouvoir en utilisant des agitateurs dépourvus de moralité ou de bon sens. Oui, le meurtre pourrait avoir un mobile politique : l'acte d'un anarchiste isolé ou membre d'une bande de conspirateurs...

Il regarda Pitt.

— Si tel est le cas, vous devez les appréhender rapidement, avant que des manifestants n'envahissent les rues et que certains éléments ne saisissent l'occasion de créer du désordre. Vous ne voyez sans doute pas à quel point l'affaire peut être sérieuse, mais je vous assure que s'il s'agit d'anarchistes, nous avons de bonnes raisons de nous inquiéter. Il est de notre devoir d'hommes responsables de nous soucier du sort des plus défavorisés. Ils comptent sur nous, comme ils en ont le droit. Vos supérieurs vous confirmeront que j'ai raison. Pour le bien de tous, cette affaire doit être étouffée dans l'œuf avant qu'elle n'aille plus loin.

Cette idée avait déjà traversé l'esprit de Pitt. Il fut surpris que Garnet Royce soit au fait de l'agitation qui régnait dans les taudis et les docks de l'East End, où depuis quelques mois circulaient des rumeurs d'émeute et de révolution. Pitt pensait que le Parlement était aveugle à cette réalité. Les réformes étaient certes lentes et difficiles à mettre en œuvre, mais ce n'était peut-être pas ce qui motivait les agitateurs dont parlait Royce. Il n'y a pas de pouvoir à prendre lorsque le peuple est satisfait.

— J'ai parfaitement conscience de tous ces problèmes, monsieur, répondit-il. Toutes nos sources d'information seront exploitées. Merci de votre aide. À présent, je dois retourner au commissariat voir s'il y a du nouveau, avant d'aller faire mon rapport à Mr. Drummond.

— Vous parlez de Micah Drummond ?

— Oui, monsieur.

Garnet hocha la tête.

— Un brave homme. Je vous serai très obligé de me tenir informé du déroulement de l'enquête, autant pour Lady Hamilton que pour moi. Quelle terrible affaire !

— Oui, monsieur. Je vous prie d'accepter mes condoléances.

— Très aimable à vous. Huggins va vous raccompagner.

C'était un renvoi en bonne et due forme, et il ne servait à rien de chercher à en savoir plus pour le moment. Barclay Hamilton, blême et amorphe, était assis sur le canapé dans un état proche de l'hébétude, comme drogué. Jasper était redescendu et attendait dans le vestibule le moment opportun pour partir. Il aurait beau prescrire sédatifs et tisanes, il ne pourrait alléger la souffrance qui ne manquerait de submerger Lady Hamilton le lendemain, une fois passé le choc de la nouvelle. Pitt les remercia et gagna le vestibule. Le majordome, la veste toujours de travers et la chemise de nuit maladroitement fourrée dans son pantalon, lui ouvrit la porte sans un mot et la referma avec un soupir de soulagement.

Aucun cab n'étant en vue à cette heure avancée de la nuit, Pitt partit d'un pas rapide, tourna à gauche dans Stangate Road, traversa le pont, longea la statue de la reine Boudicca, laissant sur sa gauche la haute tour de Big Ben et la masse gothique du palais de

Westminster. Sur l'Embankment, il trouva enfin un cab qui l'emmena au commissariat de Bow Street. Il était trois heures du matin.

Le policier de service leva les yeux vers lui et prit une expression de circonstance.

— Du nouveau ? demanda Pitt.

— Rien de très utile, monsieur. On n'a pas retrouvé de cocher. Les filles ont rien à dire, sauf Hetty Milner, qui peut plus revenir sur sa déposition. Pourtant, elle hésiterait pas à le faire, si elle pouvait ! Un gentleman nous a dit avoir traversé le pont dix minutes avant qu'Hetty se mette à crier. Il se souvient pas avoir vu quelqu'un accroché à un réverbère. Mais évidemment, il a pas dû faire très attention. Un autre gentleman aurait vu un poivrot à peu près à la même heure, mais il l'a pas regardé de près. On sait pas s'il s'agit de ce pauvre Hamilton. Et puis il y a Fred, qui vend des friands en bas des marches qui mènent à la Tamise, mais il a pas pu voir grand-chose, étant donné que son étal est de l'autre côté du pont.

— Rien d'autre ?

— Non, monsieur. On continue les recherches.

— Bon, dans ce cas, je vais faire un somme dans mon bureau, répondit Pitt d'un ton las. Je n'ai pas le temps de rentrer chez moi. Ensuite, j'irai voir Mr. Drummond.

— Une tasse de thé, monsieur ?

— Volontiers. Je suis mort de froid.

— Et le temps ne va pas en s'arrangeant.

— En effet. Apportez-moi du thé, s'il vous plaît.

— Tout de suite, monsieur. C'est parti !

À six heures et demie, Pitt héla un cab et, à sept heures moins le quart, il se trouvait dans une rue paisible de Knightsbridge. Un pâle soleil de printemps éclairait les pavés. Les seuls bruits à la ronde provenaient des cuisines où l'on préparait les petits déjeuners ; des valets allaient chercher les journaux à la porte pour les repasser avant de les porter à la table de leur maître. Depuis longtemps, les grilles des foyers avaient été nettoyées et passées au noir, les feux rallumés, les tapis sablés et balayés pour raviver leurs couleurs.

Pitt monta les marches du perron et frappa à la porte. Il était glacé, fourbu et affamé, mais les nouvelles ne pouvaient attendre.

Le domestique qui vint lui ouvrir détailla sa silhouette dégingandée et ses vêtements en désordre. Pitt avait enroulé deux fois son écharpe en laine autour de son cou. Ses cheveux, qu'il n'avait jamais le temps d'aller faire couper, étaient trop longs et ébouriffés. Ses bottes en cuir souple, bien cirées — un cadeau de sa belle-sœur —, étaient impeccables, mais l'état de sa redingote laissait à désirer, avec ses poches gonflées de ficelle, d'un canif, de menue monnaie et de bouts de papier.

— Monsieur ? fit le domestique étonné.

— Inspecteur Pitt, de Bow Street. Je dois parler à Mr. Drummond de toute urgence. Un député a été assassiné cette nuit sur Westminster Bridge.

— Oh...

L'homme resta un instant interloqué, mais il ne fut pas vraiment surpris ; le commissaire était souvent dérangé pour des urgences, à toute heure de la journée.

— Bien, monsieur. Entrez, je vais prévenir Mr. Drummond de votre arrivée.

Micah Drummond apparut dix minutes plus tard, lavé, rasé et habillé en toute hâte ; un homme de haute taille, très maigre, au teint blafard, au grand nez droit ; les petites rides qui entouraient sa bouche reflétaient son sens de l'humour. Il approchait la cinquantaine et la calvitie le guettait. Indifférent à l'accoutrement de Pitt, il remarqua seulement son extrême fatigue et le considéra avec bienveillance.

— Venez prendre le petit déjeuner avec moi.

C'était autant un ordre qu'une invitation. Il le précéda dans une pièce hexagonale au parquet ciré, avec une porte-fenêtre ouvrant sur un jardin où des rosiers anciens grimpaient le long d'un mur de brique. Au centre de la pièce, la table était dressée pour une personne. Drummond déplaça les flacons de condiments pour faire de la place et, du doigt, fit signe à Pitt de s'asseoir.

— Si Cobb a bien compris le sens de vos paroles, un député a été assassiné sur Westminster Bridge ?

— Oui, monsieur. À l'entrée sud du pont. Une mise en scène macabre. L'homme a eu la gorge tranchée, puis on l'a attaché au réverbère à l'aide de son écharpe.

Drummond fronça les sourcils.

— Comment cela, « attaché » ?

— Par le cou, avec son écharpe en soie.

— Comment diable peut-on attacher quelqu'un à un réverbère ?

— Ceux de Westminster Bridge ont trois branches, expliqua Pitt, avec des pointes décoratives, un peu comme les dents d'une fourche ; elles sont juste à hauteur de la nuque d'un homme de taille moyenne. La tâche n'a pas dû être compliquée pour quelqu'un possédant une certaine force physique.

— Donc, l'assassin n'est pas une femme... conclut Drummond, tendu et concentré, cherchant à visualiser la scène.

Cobb apporta un poêlon contenant des œufs, du bacon et des rognons aux pommes de terre, ainsi que deux assiettes. Il déposa le tout sur la table, sans un mot, et partit chercher le thé et les toasts. Drummond se servit puis passa le plat à Pitt. Un délicieux fumet, riche et parfumé, s'en échappait. Pitt en prit autant que les bonnes manières l'y autorisaient, puis répondit avant de commencer à manger :

— À moins qu'elle n'ait été exceptionnellement robuste.

— Et le défunt ? Un député en position délicate ?

— Sir Lockwood Hamilton. Secrétaire parlementaire du ministre de l'Intérieur.

Drummond soupira, mangea quelques bouchées, puis reprit :

— Navrant. C'était un type bien. Je suppose que nous ignorons si le crime est d'ordre politique ou personnel, ou s'il s'agit d'une tentative de vol ayant mal tourné ?

Pitt termina une bouchée de rognon et de bacon.

— Le vol paraît improbable. Sir Lockwood avait sur lui tous ses objets de valeur — montre en or, clés, mouchoir en soie, boutons de manchette, boutons de chemise en onyx — et même son argent. Si l'on avait voulu le voler, pourquoi l'avoir auparavant attaché à un réverbère ? Pourquoi le voleur se serait-il enfui sans son butin avant même que l'alarme soit donnée ?

— En effet, acquiesça Drummond. Comment a-t-il été assassiné ?

— La gorge tranchée net, par un rasoir, probablement. Nous n'avons pas encore le rapport du médecin légiste.

— Depuis combien de temps était-il mort quand il a été découvert ? Peu de temps, j'imagine.

— Quelques minutes. Le corps était encore tiède. De plus, s'il avait été là depuis longtemps, un passant l'aurait aperçu plus tôt.

— Qui l'a trouvé ?

— Une prostituée nommée Hetty Milner.

Une étincelle d'amusement éclaira le regard de Drummond.

— J'imagine qu'elle a essayé de lui vendre ses charmes, avant de découvrir que ce client potentiel était un cadavre.

Pitt se mordit la lèvre pour dissimuler un sourire.

— Oui. À quelque chose malheur est bon. Si elle n'avait pas été aussi surprise, elle n'aurait pas crié; elle aurait poursuivi son chemin et nous n'aurions découvert le corps que beaucoup plus tard.

Drummond se pencha en avant; toute ironie avait déserté son visage; une ride d'inquiétude barrait son front.

— Que savons-nous au juste, Pitt?

Ce dernier lui résuma succinctement les événements de la nuit, l'enquête sur le pont, la visite à la famille et son retour au commissariat.

Drummond se cala contre le dossier de sa chaise et s'essuya les lèvres avec sa serviette.

— Sale histoire, grommela-t-il. Toutes sortes de mobiles ont pu entrer en jeu : rivalité professionnelle, hostilité politique, complot anarchiste... Ou alors nous avons affaire à un malade mental, auquel cas il se peut que nous ne retrouvions jamais le coupable. Qu'en pensez-vous? Vengeance personnelle due à la jalousie, à un différend financier, à un désir de revanche?

Pitt se souvint du visage éprouvé de la veuve et de ses efforts courageux pour garder son sang-froid. La civilité glaciale dont elle avait fait preuve à l'égard de son beau-fils pouvait cacher toutes sortes de vieilles blessures.

— C'est possible, répondit-il. Mais, tout de même, drôle de façon de se venger...

— Un accès de folie, pourquoi pas? Plaise à Dieu que nous puissions résoudre l'affaire au plus vite, sans avoir à entrer dans une sordide tragédie familiale.

– Je l'espère, acquiesça Pitt d'une voix ensommeillée.

Il avait fini de déjeuner et la tiédeur de la pièce l'engourdissait.

Cobb entra avec les journaux et les tendit sans un mot à Drummond. Celui-ci ouvrit le premier et lut le gros titre à haute voix :

— « Un député assassiné à Westminster Bridge. »

Puis il passa au second :

— « Horrible meurtre : un cadavre accroché à un réverbère... »

Il leva les yeux vers Pitt.

— Rentrez vous coucher, ordonna-t-il, et revenez cet après-midi, quand nous aurons réussi à recueillir quelques témoignages. Vous commencerez par se associés et ses relations politiques.

Il jeta un coup d'œil aux journaux posés sur la table.

— Ils ne nous laisseront guère de temps...

2

Charlotte Pitt n'avait pas encore entendu parler du meurtre de Westminster Bridge ; à cette minute, son esprit était totalement absorbé par le meeting auquel elle assistait. C'était sa première participation à ce genre de réunion. La plupart des femmes rassemblées là n'avaient entre elles rien de commun, excepté un même intérêt pour leur représentation au Parlement. La grande majorité n'avait d'ailleurs aucune opinion politique précise ; seule les intéressait l'idée, inconcevable quelques années plus tôt, que les femmes puissent effectivement obtenir le droit de vote. Jusqu'à ce jour, seules quelques figures de proue du mouvement avaient envisagé de faire partie de l'auguste assemblée des députés. L'une d'elles avait même osé se porter candidate aux élections ! Bien entendu, personne n'avait plus entendu parler d'elle, comme si sa proposition n'était qu'une plaisanterie de mauvais goût.

Charlotte, assise au dernier rang de la salle bondée, vit la première intervenante, une robuste jeune femme aux traits carrés et aux mains rougies, se lever pour prendre la parole. Peu à peu, les murmures s'apaisèrent et le silence s'installa dans l'auditoire.

— Mes sœurs !

L'apostrophe résonnait étrangement, devant un rassemblement aussi hétérogène : la personne assise devant Charlotte, une élégante vêtue de soie verte, rentra la tête dans ses épaules, se démarquant de ces « sœurs » avec lesquelles elle était bien obligée de se mélanger.

L'oratrice, debout à la tribune, poursuivit d'une voix chaude, à l'accent rocailleux du nord de l'Angleterre :

— Nous sommes réunies ici pour la même cause nous pensons que nous avons notre mot à dire sur la façon dont nous sommes gouvernées ! Qui sont ceux qui font les lois ? Les hommes ! Ils ont, eux, la chance de choisir leurs députés. Mais celui qui veut être élu doit représenter l'ensemble du peuple. Or, mes sœurs, de ce peuple, il ne représente que la moitié : les hommes !

Elle parla pendant environ dix minutes. Charlotte l'écoutait d'une oreille distraite, connaissant déjà ces arguments, qui, dans son esprit, étaient irréfutables. En fait, elle était venue pour voir sur quel soutien les partisanes du droit de vote pouvaient compter. Quel genre de femmes était là par réelle conviction plutôt que par curiosité ? Son regard s'attarda discrètement sur les participantes ; une majorité d'entre elles portait des toilettes peu voyantes, dans des tons de brun ou de gris ; la coupe des manteaux était classique, pratique, souvent peu élégante, destinée à traverser les modes des années durant. Plusieurs s'étaient enveloppées dans des châles, non par souci esthétique, mais pour avoir chaud. Des femmes ordinaires, mariées à des employés ou à des petits commerçants aux fins de mois difficiles, s'efforçant peut-être de s'élever socialement.

Çà et là apparaissait une silhouette plus chic ; quelques jeunes personnes élégamment vêtues, d'autres, plus âgées, à l'opulente poitrine emperlée, drapées de fourrures et coiffées de capelines emplumées.

Mais ce qui intéressait Charlotte, c'était de suivre les expressions fugitives qui passaient sur leur visage, tandis qu'elles écoutaient un discours que l'opinion publique tenait pour révolutionnaire, contraire à la nature, ridicule ou dangereux, selon la perception que l'on avait du changement de mentalités qu'il était susceptible de faire naître.

Chez certaines, elle lisait de l'intérêt, voire un début de conviction ; chez d'autres, une grande confusion : obtenir le droit de vote était une idée trop incroyable pour être facilement acceptée ; elle exigeait une rupture avec ce que leurs mères et leurs grand-mères leur avaient inculqué ; même si leur existence n'était pas toujours facile, sa dureté avait l'avantage de leur être familière. Sur d'autres visages enfin, Charlotte ne voyait que dérision, mépris et crainte du changement.

Une physionomie, en particulier, retint son attention : celle d'une femme au visage intelligent et curieux, très féminin, malgré une mâchoire forte et volontaire. Son expression reflétait un mélange d'émerveillement et de doute, comme si, au fur et à mesure que les idées nouvelles pénétraient son esprit, elle prenait instantanément conscience des questions qu'elles soulevaient. Elle ne quittait pas des yeux l'oratrice, craignant de perdre la moindre de ses paroles, indifférente à la présence de ses voisines ; lorsque l'une d'entre elles la bouscula et qu'une plume de son chapeau lui frôla la joue, elle ne fit que cligner des yeux, sans même tourner la tête.

La troisième oratrice prit bientôt la parole, une femme maigre, sans âge, d'apparence très austère. Une partie de l'auditoire se mit à chahuter, d'abord sur le mode de la plaisanterie, mais les questions qui fusaient étaient néanmoins cinglantes.

— Alors comme ça, vous pensez qu'une femme en sait autant sur les affaires que son mari ? Eh ben le vôtre, il doit pas savoir grand-chose, le pauvre...

— Faudrait d'abord qu'elle en ait un !

Cette réflexion déclencha une explosion de rires, à la fois cyniques et apitoyés : une femme célibataire était pour la plupart un objet de compassion, une créature ayant échoué dans la mission qui lui était impartie : fonder un foyer et élever des enfants.

Charlotte crut voir l'oratrice debout sur l'estrade vaciller légèrement, mais peut-être avait-elle rêvé. Celle-ci était sans doute habituée aux lazzis.

— Êtes-vous mariée, madame ? lança-t-elle à celle qui l'avait interpellée. Avez-vous des enfants ?

— Ça, pour sûr ! J'en ai dix !

Nouvelle explosion de rires.

— Employez-vous une bonne, une cuisinière, des domestiques ?

— Bien sûr que non ! Vous me prenez pour qui ? J'ai une fille qui frotte les parquets.

— Dans ce cas, vous vous occupez seule de la bonne marche de votre maison ?

Il y eut un silence. Charlotte jeta un coup d'œil en direction de la femme au visage intelligent et vit qu'elle avait compris où l'oratrice voulait en venir. Son expression reflétait sa totale approbation.

— Bien sûr que oui !

— Donc, vous tenez les comptes, vous prévoyez les dépenses de chauffage, d'habillement, et vous éduquez vos dix enfants. Si je ne me trompe, madame, vous êtes une personne qui connaît son affaire, assortie d'une fine psychologue. Si un commerçant peu scrupuleux vous rend mal la monnaie ou tente de vous vendre une marchandise de mauvaise qualité, vous vous en apercevez aussitôt, n'est-ce pas ?

— Oui.. acquiesça lentement son interlocutrice,

qui n'était pas encore prête à s'avouer vaincue, surtout en public. Mais ça veut pas dire que je saurais gouverner le pays !

— Et votre mari ? Pourrait-il le faire ? Est-il même capable de s'occuper de la maison ?

— C'est pas pareil !

— A-t-il le droit de vote ?

— Oui, mais...

— Votre jugement n'est-il pas aussi sûr que le sien ?

Soudain, une voix lourde de mépris s'éleva dans la salle. Toutes les têtes se retournèrent pour dévisager une femme coiffée d'un chapeau couleur prune.

— Ma bonne dame, vous savez sans doute très bien évaluer chaque semaine la quantité de pommes de terre nécessaire à nourrir votre famille, mais vous n'allez tout de même pas comparer cela avec la capacité de choisir un Premier ministre !

Il y eut de petits gloussements étouffés. Quelqu'un s'écria : « Bravo ! »

— Notre place est à la maison, poursuivit la femme au chapeau prune, se sentant soutenue par une grande partie de l'assistance. L'organisation de la vie domestique fait partie de nos dons naturels ; en tant que mères, nous savons d'instinct comment éduquer nos enfants. C'est l'ordre naturel du monde, voulu par Dieu. Mais nous sommes ignares en matière de finances, d'affaires étrangères et de gouvernement. La nature et Notre-Seigneur ne nous ont pas créées pour nous mêler de ces choses-là ; si nous essayons de prendre le contre-pied, nous nous privons, nous et nos filles, de notre vraie place dans la société, ainsi que du respect et de la protection que nous doivent les hommes.

Il y eut des murmures approbateurs, suivis de quelques tentatives d'applaudissements.

L'oratrice parut exaspérée par le manque de pertinence du propos. Ses joues maigres s'enflammèrent.

— Je ne suis pas en train de vous suggérer de devenir ministre ou secrétaire d'État, remarqua-t-elle d'un ton sec. Je dis seulement que vous avez autant le droit que votre majordome ou votre volailler de choisir celui qui vous représentera au Parlement de votre propre pays ! Et que votre capacité de jugement est aussi valable que la leur !

— Oh, quelle impertinence ! se récria la dame au chapeau prune, offusquée.

Elle devint cramoisie ; ses mâchoires joufflues se mirent à trembloter de colère, tandis qu'elle cherchait désespérément une repartie cinglante.

— Pour ma part, j'estime que vous avez tout à fait raison !

La voix de la femme dont le visage avait attiré l'attention de Charlotte brisa le silence. Une voix rauque et agréable, dont la diction assurée dénotait la bonne éducation.

— Nous avons autant de capacité de discernement que les hommes, et même souvent davantage. Cela suffit pour choisir celui qui va nous représenter au Parlement, me semble-t-il.

Dans la salle exiguë, toutes se retournèrent pour la regarder. Elle rougit, un peu gênée, mais poursuivit néanmoins :

— Nous sommes tenues par les lois ; je considère qu'il est juste que nous ayons notre mot à dire sur ce qu'elles doivent être. Je...

— Vous vous trompez, madame ! l'interrompit la voix grave d'une imposante matrone au cou emperlé de jais, portant une broche de deuil au revers de son manteau. Les lois, promulguées par ces hommes que vous méprisez tant, sont notre meilleure protection. En tant qu'épouse, vous êtes protégée par votre mari ou, si vous êtes célibataire, par votre père. Ils subviennent à vos besoins matériels autant que spirituels et s'emploient à vous procurer ce qu'il y a de mieux, sans que vous ayez à vous fatiguer. Ils se chargent de votre bien-être ; s'il vous arrivait d'enfreindre la loi, c'est eux qui en répondraient devant les magistrats ; si vous contractez des dettes, c'est encore eux qui devront rembourser vos créanciers. Il est donc juste qu'ils conçoivent les lois ou qu'ils élisent ceux qui ont pour vocation de les faire.

— Sornettes ! s'exclama Charlotte, incapable de contenir plus longtemps son exaspération. Si mon mari croule sous les dettes, je serai aussi affamée que lui ; si je commets un délit, il deviendra peut-être objet de mépris, mais c'est moi et personne d'autre qui irai en prison ! Et si je tue quelqu'un, c'est moi que l'on pendra et non pas lui !

Toute la salle retint sa respiration, surprise par ces propos jugés déplacés. Charlotte n'en fut pas troublée le moins du monde : elle avait eu l'intention de choquer et la sensation d'avoir fait mouche la grisait.

— Je suis d'accord avec Miss Wutherspoon : la capacité de jugement des femmes vaut bien celle des hommes. Pour preuve, qu'y a-t-il de plus important dans votre vie que votre futur conjoint ? Selon vous, sur quelle base un homme ferait-il le choix de son épouse, s'il n'en tenait qu'à lui ?

— Un joli visage ! lança une voix amère.

Une autre renchérit de façon beaucoup plus grossière, qui fit fuser des rires.

— Un homme ne résiste pas à la beauté, au charme, à la coquetterie et souvent à la flatterie, enchaîna Charlotte, craignant de perdre le fil de sa pensée. Parfois, une jolie couleur d'yeux ou une certaine façon de sourire guidera son choix. Une femme, elle, donnera sa préférence à un homme capable de subvenir à ses besoins et à ceux de sa famille.

Sa propre hypocrisie la fit frémir. Lors de sa rencontre avec Pitt, elle était tombée sous son charme parce qu'il l'intriguait. Il l'avait impressionnée par son franc-parler, l'avait fait rire, lui avait communiqué sa colère face à l'injustice. Elle l'aimait et lui accordait toute sa confiance. Le fait qu'il soit socialement et financièrement une catastrophe — et qu'il le resterait toujours — n'avait eu aucune importance à ses yeux. Mais elle savait qu'une femme raisonnable, à sa place, n'aurait pas fait ce choix. Malgré la honte qui rosissait ses joues — elle n'oubliait pas qu'autrefois elle s'était amourachée de son beau-frère Dominic —, elle poursuivit avec enthousiasme, persuadée que, sur le principe, elle avait raison :

— Les hommes peuvent se permettre d'avoir des aventures et d'en supporter les conséquences, advienne que pourra, mais la plupart des femmes réfléchiront aux conséquences de leurs actes, sachant que leurs enfants doivent être nourris et vêtus et qu'il leur faut un toit sûr, non seulement pour aujourd'hui et demain, mais aussi pour une plus longue durée. Elles sont moins irresponsables.

En disant cela, elle songeait aux femmes pleines de sagesse qu'elle avait connues, et non à elle-même, à ses stupides expériences, aux risques qu'elle avait pris, entraînant dans son sillage sa sœur Emily.

— Quand l'écho des batailles s'apaise et que les actes de bravoure sont oubliés, qui s'occupe des blessés, qui enterre les morts ? Les femmes ! Notre opinion devrait compter ! Notre capacité à juger de l'honnêteté et de la valeur de celui qui va nous représenter au Parlement devrait peser dans la balance !

— Vous avez absolument raison ! s'écria Miss Wutherspoon depuis la tribune. Si, pour être élus, les députés devaient autant tenir compte des votes des femmes que de ceux des hommes, il y aurait moins d'injustices dans ce pays !

— De quelles injustices parlez-vous ? demanda une voix dans la salle. Une honnête femme possède tout ce dont elle a besoin.

— Aucune femme sensée ne désire se rendre ridicule ! clama l'intervenante au chapeau prune, dont l'indignation allait croissant. Vous imaginez-vous paradant devant les gens pour vous faire accepter ou rejeter, les suppliant de vous écouter, de vous élire, d'adhérer à vos opinions et de vous faire confiance dans des affaires auxquelles vous ne connaissez rien ? Prenez cette Miss Taylor : elle est devenue la risée de tous et, loin d'être l'amie des femmes, elle est leur pire ennemie. Même le Dr Pankhurst[1] ne souhaiterait pas être vu en sa compagnie ! Se présenter aux élections, voyez-vous cela ! Et puis quoi encore ? On nous prendra pour des harpies, comme cette horrible Ivory, qui, en perdant décence et retenue, vertus essentielles à toute femme, a oublié tout ce qui est précieux pour la société, voire pour la civilisation !

Il y eut des cris d'approbation, vite couverts par des sifflements et des protestations outrées. Certaines demandèrent à ce que les traîtresses à la cause quittent la salle et retournent pouponner et s'occuper de leur ménage.

Une grosse dame en robe de deuil brandit son parapluie, dont la virole se prit malencontreusement dans les jupes d'une femme d'un certain âge, qui poussa un hoquet angoissé. Se croyant agressée parce qu'elle avait injurié la femme au chapeau prune, elle fit tournoyer son sac à main et l'abattit sur la tête de sa voisine en deuil ; il en résulta une mêlée qui avait très peu à voir avec leurs préoccupations du moment et encore moins avec l'élection des femmes au Parlement.

1. Avocat féministe et mari de la célèbre suffragette Emmeline Pankhurst. *(N.d.T.)*

Ne souhaitant pas se retrouver au milieu d'une échauffourée, Charlotte s'éclipsa par une porte dérobée. Une fois dans la rue, elle remarqua, à quelques mètres de là, la femme dont le visage avait attiré son attention. Celle-ci ne la vit pas, car elle faisait face à un fiacre arrêté au bord du trottoir. Elle se disputait avec un homme mince, élégamment vêtu, dont les cheveux blonds paraissaient presque blancs au soleil Il était visiblement très fâché.

— Chère Parthenope, votre présence ici me paraît à la fois inconvenante et ridicule, si vous voulez mon avis. Vous me décevez beaucoup. Vous exhiber ainsi dans un tel endroit ! Je suis très peiné que vous n'y ayez pas pensé !

Charlotte ne voyait pas le visage de la femme, mais la voix de celle-ci était chargée de sentiments contradictoires lorsqu'elle répondit :

— Je serais tentée de vous donner l'explication la plus évidente pour m'excuser, Cuthbert, en vous disant que personne dans cette salle ne connaissait mon identité. Mais cela est sans rapport avec la question.

— En effet ! Le risque est...

Elle lui coupa la parole.

— Je ne parle pas du risque ! Qu'importe que l'on sache mes opinions ! Les femmes devraient être représentées au Parlement !

Un éclair d'impatience passa sur les traits de son compagnon.

— Elles le sont déjà ! fit-il d'un ton exaspéré. Vous êtes très bien représentées par les actuels députés ! Pour l'amour du ciel, les hommes ne légifèrent pas que pour eux ! Qui diable avez-vous encore écouté dans cette salle ? Pas cette horreur d'Ivory, tout de même ! Je vous avais bien spécifié de ne pas la rencontrer ! Pourquoi continuez-vous à me désobéir ? Cette femme est une virago, une malheureuse créature à l'esprit dérangé qui incarne tout ce qui doit être déploré chez une femme.

— Non, je ne l'ai pas vue, rétorqua Parthenope, d'une voix basse et coléreuse. Je vous l'avais promis et j'ai tenu parole. Mais jamais je ne cesserai de m'intéresser à ce que disent les gens à propos du suffrage des femmes.

— Dans ce cas, faites cela à la maison ! Lisez les journaux, si vous y tenez. Mais ne rêvez pas : elles n'obtiendront jamais le droit de vote. Lubie inutile et inconvenante. On s'occupe très bien de leurs intérêts ; celles qui ont un peu de sens commun en sont parfaitement conscientes !

— Ah, vraiment ? releva Parthenope, sarcastique. Donc vous sous-entendez que je suis dénuée de bon sens, hormis celui de m'occuper d'une maison ? Je vous rappelle que nous employons huit domestiques ! Il me faut tenir les comptes, faire régner l'ordre et la discipline dans une atmosphère amicale, élever, éduquer, soigner mes enfants ; organiser des dîners dans un cadre charmant pour vos amis députés et vos collègues de travail, dîners au cours desquels je veille à ce que personne ne se sente offensé, embarrassé, exclu, ou se trouve assis à côté de quelqu'un qui ne lui convient pas Je veille également à entretenir une conversation aimable, spirituelle sans jamais choquer personne, et surtout jamais, au grand jamais ennuyeuse ! Tout cela en restant fraîche et éblouissante ! Mais bien sûr, je ne suis pas capable de choisir lequel parmi deux ou trois candidats me représenterait le mieux au Parlement !

Les traits de son compagnon se crispèrent. Ses yeux bleus étincelaient.

— Parthenope ! Vous frisez le ridicule ! siffla-t-il. Je vous interdis de vous faire remarquer de la sorte et de débattre de cela devant tout le monde. Rentrons à la maison, où vous auriez d'ailleurs dû passer l'après-midi !

Elle n'éleva pas le ton, mais tout son corps était tendu par la colère.

— Comptez-vous m'y enfermer à double tour ?

Il tendit les mains et la prit par les épaules, mais elle ne céda pas.

— Voyons, Parthenope, je n'ai aucune envie de restreindre vos loisirs ni de me montrer dur à votre égard. Vous le savez très bien. Vous êtes une excellente — que dis-je —, une exceptionnelle maîtresse de maison. Je l'ai toujours pensé, et je vous suis profondément reconnaissant de tout ce que vous faites. Vous êtes une épouse parfaite...

Il sentait bien qu'il perdait la face ; elle se moquait bien d'être flattée ou de voir reconnaître ses qualités.

— Bon sang, chère amie, il ne s'agit pas de choisir une nouvelle domestique ! Pour cela, vous êtes inégalable. Mais de là à élire un député, il y a un gouffre !

Parthenope haussa les sourcils.

— Tiens donc ? En quoi est-ce différent, je vous prie ? Ne souhaiteriez-vous pas que votre député soit au-dessus de tout soupçon, qu'il ait une moralité irréprochable, qu'il se montre discret lorsqu'il s'agit d'affaires confidentielles, fidèle à sa cause et compétent dans son travail ?

— Je ne lui demande pas de dépoussiérer les meubles et de peler les pommes de terre !

— Oh, Cuthbert...

Elle savait qu'elle sortait victorieuse de la dispute, mais qu'elle était loin de l'avoir convaincu. Il n'était pas près de changer d'avis. Pour l'instant, il était pressé de quitter le quartier, avant d'être reconnu. Elle céda, à contrecœur, acceptant sa main qui l'aidait à monter dans le fiacre.

Elle se retourna sur le marchepied ; Charlotte aperçut son visage sensible et entêté empreint de confusion. Jamais Parthenope n'oublierait les idées nouvelles qui venaient d'être développées devant elle, mais elle ne pouvait renier son camp. Elle lança à son mari un regard aigu, plein d'interrogations angoissées.

Ce dernier monta à sa suite et referma la portière. Charlotte sortit alors de l'ombre et s'avança sur le trottoir, comme si elle venait seulement de quitter la salle.

3

Dans l'après-midi, Pitt retourna à Bow Street. C'était une de ces journées printanières où l'air est piquant tandis qu'un soleil pâle éclaire les pavés ; le vent, encore frais et coupant, était chargé de l'humidité montant de la Tamise. Le long du Strand défilaient fiacres et cabriolets aux harnais étincelants, aux clochettes tintinnabulantes ; les chevaux avançaient en levant haut les paturons ; après leur passage, les petits balayeurs repoussaient le crottin vers les caniveaux. Un orgue de Barbarie égrenait un air de cabaret. On entendait un marchand ambulant invisible vanter sa marchandise : « Chauds mes puddings, chauds ! », puis sa voix se perdit tandis qu'il s'éloignait vers l'Embankment. Un gamin qui vendait des journaux s'époumonait : « Édition spéciale ! Édition spéciale ! Horrible meurtre sur Westminster Bridge ! Un député égorgé ! »

Pitt gravit les marches du commissariat. L'agent de service avait changé, mais on l'avait mis au courant des événements.

— Bonjour, Mr. Pitt ! dit-il d'un ton allègre. Mr. Drummond est dans son bureau. Je crois qu'il y a du nouveau, mais rien de bien intéressant. On a retrouvé un cab ou deux, mais ça n'a pas donné grand-chose.

Pitt le remercia puis s'éloigna à grandes enjambées dans le couloir qui sentait le linoléum fraîchement lavé, grimpa l'escalier quatre à quatre et frappa à la porte du bureau de Drummond, une pièce encore occupée quelques mois auparavant par le commissaire divisionnaire Dudley Athelstan. Ce dernier était aux yeux de Pitt un homme prétentieux et, comme toute personne désireuse de faire carrière, toujours prêt à tourner sa veste. De son côté, Athelstan détestait l'impertinence de son subordonné, sans parler de son accoutrement, et surtout lui tenait rigueur d'avoir épousé Charlotte Ellison, une jeune fille d'un rang social supérieur au sien.

Drummond était l'opposé de son prédécesseur : issu d'une grande famille fortunée, il ne jalousait personne.

— Entrez !

— Bonjour, monsieur.

Pitt embrassa du regard la pièce aux murs couverts de dossiers concernant des enquêtes passées sur nombre desquelles il avait lui-même travaillé : tragédies demeurées inexpliquées ou, au contraire, mystères brillamment élucidés.

— Ah, Pitt ! Venez, venez, fit Drummond en lui désignant un siège près de la cheminée.

Il fouilla parmi les papiers rédigés d'une écriture plus ou moins lisible, éparpillés sur son bureau.

— J'ai là quelques rapports, mais rien de très utile jusqu'à présent ; un cocher qui traversait le pont vers minuit et quart n'a rien remarqué de particulier, mis à part une prostituée, du côté nord, et un groupe de gentlemen revenant du Parlement. Sir Hamilton pouvait en faire partie ; nous vérifierons cela ce soir, à la sortie de la séance. Inutile de chercher maintenant. Un de nos hommes vérifie les adresses des députés. Parmi ceux qui habitent sur la rive sud, certains auraient pu rentrer chez eux par le même chemin qu'Hamilton.

Pitt se tenait devant le feu, de dos. Une chaleur délicieuse lui réchauffait les mollets. Athelstan, lui, avait l'habitude de monopoliser la place !

— Nous devons, j'imagine, envisager l'hypothèse, même mince, que l'assassinat est l'œuvre de l'un de ses collègues ? dit-il à regret.

Drummond leva vivement les yeux vers lui, manifestement contrarié.

— Il faudra considérer cet aspect, en effet, concéda-t-il, surmontant sa répugnance, mais pas tout de suite. Occupons-nous tout d'abord de ses ennemis éventuels, personnels ou politiques et — Dieu nous vienne en aide — étudions la possibilité qu'il s'agisse d'un déséquilibré.

— Ou d'un anarchiste, remarqua Pitt d'un air sombre, en frottant ses mains sur le dos de sa redingote que la chaleur du feu avait tiédie.

Drummond le regarda attentivement. Dans ses yeux brilla un éclair peu amène.

— Ou d'un anarchiste, en effet, répéta-t-il. Mais même si l'idée est déplaisante, prions pour que l'assassin soit un proche. Vous commencerez par là, aujourd'hui.

— Où en sommes-nous des témoignages ?

— Nous avons recueilli ceux de deux cochers. Celui qui est passé sur le pont à minuit quinze et n'a rien remarqué, et un autre, qu'Hetty Milner a aperçu à minuit vingt, et qui n'a rien à signaler. Mais étant donné que notre demoiselle l'a vu passer juste avant de parler à Hamilton, cela ne nous avance pas. Le pauvre homme devait déjà être mort. Bon, il ne devrait pas être difficile d'établir l'heure à laquelle il a quitté la Chambre. Cela nous donne une fourchette d'environ vingt minutes, qui pourrait nous aider à déterminer où se trouvaient les suspects. Mais je ne me fais pas d'illusions : si les responsables de la mort d'Hamilton font partie de ses proches, ils ont très bien pu commanditer le crime sans se salir les mains.

Il soupira.

— Nous vérifierons les mouvements d'argent sur les comptes, les retraits bancaires, les ventes de bijoux ou de tableaux... et aussi d'éventuelles rencontres avec des étrangers à la famille.

Il passa la main sur son visage, d'un geste las, conscient de la difficulté de la tâche : la haute société resserrait toujours les rangs pour éviter le scandale.

— Allez jeter un coup d'œil sur ses livres de comptes, Pitt. Ensuite cherchez à savoir dans quel combat politique il s'était engagé : était-il partisan du Home Rule[1], luttait-il pour l'éradication des taudis et le relogement de leurs habitants, souhaitait-il la réforme de la législation sur les indigents ? Dieu sait que ce sont là de bonnes raisons de pousser les gens à la violence.

— Oui, monsieur. C'est bien ce que j'avais l'intention de faire. J'imagine que nous vérifions les allées et venues des agitateurs les plus connus ?

— Nous nous en occupons. Heureusement, le laps de temps à vérifier est très court. On trouvera peut-être quelque chose du côté des passants accourus en entendant les cris poussés par Hetty Milner. Jusqu'à présent, ils ne nous ont rien appris d'utile, mais parfois certains témoins se souviennent après coup d'un visage, d'un bruit, d'une scène aperçue du coin de l'œil.

Drummond poussa vers Pitt un papier où étaient inscrits un nom et une adresse.

1. Les partisans du Home Rule réclamaient la création d'un Parlement irlandais autonome. *(N.d.T.)*

— Tenez, voici l'adresse de l'associé d'Hamilton. Vous pourriez commencer par lui. Et...

Pitt attendit la suite.

— Pour l'amour du ciel, agissez avec tact !

Pitt sourit.

— J'imagine que c'est pour cela que vous me confiez l'affaire, monsieur.

La bouche de Drummond frémit.

— Sortez, dit-il à voix basse.

Pitt prit un cab qui emprunta le Strand, Fleet Street et Ludgate Hill, contourna St. Paul, remonta Cheapside, descendit Threadneedle Street, longea la Banque d'Angleterre et s'arrêta enfin dans Bishopsgate Street Within, où se situaient les bureaux de l'agence Hamilton & Verdun.

Pitt présenta sa carte de visite, petite folie pécuniaire qu'il s'était offerte récemment et qu'il trouvait fort utile.

— Inspecteur Thomas Pitt, de Bow Street.

L'employé qui le reçut déchiffra la carte avec un étonnement non dissimulé. Où allait le monde si les policiers commençaient à exhiber des cartes de visite ? Pourquoi pas les dératiseurs et les égoutiers ? Décidément, rien n'allait plus comme avant dans le royaume d'Angleterre.

— J'aimerais parler à Mr. Charles Verdun, s'il vous plaît, annonça Pitt. Au sujet du décès de Sir Lockwood Hamilton.

— Oh...

L'employé se reprit, adoptant malgré lui une expression aimable. On gagnait un certain prestige à être lié à un crime de cet ordre-là. S'il racontait cette histoire à Miss Laetitia Morris, le soir même, devant une pinte de bière brune, au *Grinning Rat*, il parviendrait peut-être à l'épater ! Après cela, elle le trouverait moins ennuyeux et Harry Parsons lui paraîtrait peut-être moins intéressant, lui et ses sempiternelles affaires de détournements de fonds.

Il regarda Pitt.

— Eh bien, attendez ici... Je vais voir ce qu'en dit Mr. Verdun. Il ne reçoit pas les gens comme ça, vous savez. Je pourrais peut-être répondre à sa place? Je voyais souvent Sir Lockwood. J'espère que vous allez bientôt arrêter le criminel. Je l'ai peut-être croisé sans le savoir, qui sait?

Pitt lisait aussi clairement en lui que sur ses livres de comptes posés sur le bureau.

— Je saurai mieux quelles questions vous poser après avoir vu Mr. Verdun.

— Je comprends. Bon, je vais voir ce qu'il dit.

Il s'éclipsa, en employé consciencieux, et revint quelques instants plus tard pour l'introduire dans une pièce où régnait un grand désordre. Il y avait là un poêle qui fumait un peu et plusieurs fauteuils de cuir vert confortables et élimés. Derrière un bureau ancien et branlant où s'empilait la paperasse était assis un homme qui pouvait avoir n'importe quel âge entre cinquante et soixante-dix ans, au long visage maigre, aux sourcils épais et grisonnants, à la physionomie originale et affable. Il se composa une expression de circonstance et fit signe à Pitt de s'asseoir. Puis il se leva, s'approcha du poêle et agita les bras pour éloigner la fumée.

— Maudit engin, bougonna-t-il Je ne sais pas ce qui se passe. Je devrais peut-être ouvrir la fenêtre?

Pitt se retint de tousser et hocha la tête.

— Oui, monsieur. Ce serait une bonne idée

Verdun retourna derrière son bureau et tira d'un coup sec sur la partie inférieure d'une fenêtre à guillotine, qui s'ouvrit brusquement, laissant passer une bouffée d'air frais.

— Ah... fit Verdun avec satisfaction. Bon, que puis-je faire pour vous ? Vous êtes de la police, hein ? Vous venez me parler de ce pauvre Lockwood. Terrible affaire. J'imagine que vous ignorez le nom de l'assassin. Trop tôt, évidemment.

— Oui, monsieur. J'ai cru comprendre que Sir Lockwood était votre associé ?

— Oui, si l'on veut.

Verdun ôta un cigare de sa boîte, l'alluma avec une longue allumette destinée à enflammer le poêle et exhala une âcre volute de fumée qui coupa la respiration à Pitt

— Du turc, expliqua-t-il avec satisfaction. Vous en voulez un ?

« Plutôt du crottin de chameau », songea Pitt, qui répondit à voix haute :

— Non, merci, monsieur, je ne fume pas. Comment cela : « si l'on veut » ?

Verdun hocha la tête.

— Lockwood n'était pas souvent là. Très pris par la politique. Normal. Secrétaire parlementaire, très important. À chacun ses obligations.

— Mais il avait bien des intérêts dans la société ? insista Pitt.

— Oui, oui, en quelque sorte.

— Vous voulez dire que vous n'étiez pas associés à parts égales ? s'enquit Pitt, troublé, se souvenant que le nom d'Hamilton figurait en premier sur la plaque de la porte.

— Si, si, bien sûr ! Mais il ne venait guère plus d'une fois par semaine, souvent moins.

Il avait dit cela sans l'ombre d'un ressentiment.

— C'est donc vous qui supportiez la plus grosse charge de travail ?

Il aurait voulu montrer plus de tact, mais, face à un tel interlocuteur, il était difficile de biaiser.

Verdun haussa les sourcils.

— De travail ? Oui, on peut le dire ainsi. Je n'avais jamais imaginé les choses sous cet angle. Il faut bien faire quelque chose, n'est-ce pas ? Traîner toute la journée au club à discuter de golf ou du temps qu'il fait, écouter les ragots, entendre raconter les liaisons des uns et des autres, parler mode vestimentaire, très peu pour moi. Il est si facile de comprendre le point de vue d'un interlocuteur. Inutile de s'échauffer les sangs pour cela.

Pitt contint un sourire avec difficulté.

— Vous vous occupez donc de la gestion de biens immobiliers ?

— En effet, dit Verdun en tirant sur son gros cigare.

Encore heureux que la fenêtre fût ouverte, car l'odeur était réellement incommodante.

— Quel rapport avec l'assassinat de ce pauvre Lockwood ? poursuivit Verdun, le front plissé. Vous ne pensez tout de même pas que sa mort soit liée à un problème immobilier ? Cela paraît peu probable. Pourquoi quelqu'un aurait-il fait une chose pareille ?

Pitt pensait à plusieurs raisons. Hamilton n'aurait pas été le premier propriétaire à louer à prix exorbitant des taudis insalubres et infestés de rats où s'entassaient quinze à vingt personnes par pièce. Pas plus qu'il n'aurait été le premier à transformer ses immeubles en maisons de passe, en ateliers de confection ou en entrepôts de recel. Si Hamilton pratiquait ce genre d'activité, on avait très bien pu le supprimer par vengeance ou par révolte ; à moins que ces pratiques aient été le fait de Verdun et qu'Hamilton, l'ayant démasqué, ait menacé de le dénoncer, auquel cas son associé aurait pu le tuer pour le réduire au silence.

Ou il pouvait s'agir tout simplement de la fureur

d'un locataire expulsé, d'un propriétaire floué lors de la vente de sa maison ou d'un concurrent malheureux battu de justesse sur un marché intéressant. Pitt se garda toutefois d'évoquer ces hypothèses.

— J'imagine qu'il y a beaucoup d'argent en jeu... lança-t-il d'un ton innocent.

— Non, pas vraiment, répondit Verdun avec franchise. Je fais cela pour m'occuper, voyez-vous. Ma femme est morte il y a vingt ans. Jamais eu envie de me remarier. Je ne pourrais en aimer une autre comme je l'ai aimée, elle.

Son regard s'embua et se perdit dans le lointain à l'évocation de son bonheur passé.

— Les enfants sont grands. Il faut bien faire quelque chose.

— Mais le cabinet doit vous rapporter un revenu substantiel, dit Pitt en observant les vêtements de son interlocuteur.

Ceux-ci étaient usés par le temps, mais le cuir de ses bottes était d'excellente qualité ; il achetait probablement ses vestons dans Savile Row et ses chemises chez Gieves & Son. Il n'était pas habillé à la dernière mode : un homme sûr de lui et de sa place dans la société n'a pas besoin de le faire. Son argent était l'héritage d'une vieille famille fortunée.

La voix de Verdun interrompit ses réflexions.

— Substantiel, oui, mais pas extraordinaire. Nous n'en avons pas besoin. Hamilton avait investi dans les wagons de chemins de fer, plus au nord, vers Birmingham, je crois.

— Et vous, monsieur ?

— Moi ?

Sous ses sourcils broussailleux, les yeux gris de Verdun brillaient d'une lueur ironique.

— Je n'ai pas besoin d'argent ; j'en ai suffisamment. La famille, vous comprenez...

Pitt l'avait effectivement déjà compris. En fait, il n'aurait pas été étonné que Verdun possédât un titre de noblesse qu'il ne tenait pas à utiliser.

On entendit, dans la pièce voisine, un cliquetis lent et irrégulier.

— Écoutez cet engin de malheur ! s'exclama Verdun. On appelle ça une machine à écrire. Je l'ai achetée pour ce jeune scribouillard ! Il écrit si mal qu'il n'y a qu'un pharmacien pour décrypter ses pattes de mouche. Quel bruit affreux ! Vingt chevaux trottant sur le gravier d'une cour ne feraient pas plus de vacarme.

— Auriez-vous l'obligeance de nous fournir la liste des transactions immobilières effectuées par votre agence au cours de l'année passée, Mr. Verdun ? demanda Pitt en se mordant la lèvre pour ne pas sourire.

A priori, l'homme lui inspirait confiance, mais ses manières douces, un peu vagues, pouvaient cacher des tendances malsaines. Il était arrivé à Pitt de sympathiser avec des gens avant de découvrir qu'ils étaient capables de tuer.

— Et aussi une liste des futures transactions, ajouta-t-il. Je vous promets que toute confidentialité sera respectée.

— Mon cher ami, l'examen de ces papiers sera extrêmement fastidieux. Enfin, si vous y tenez. Je n'arrive pas à croire que vous attraperez l'assassin de Lockwood au vu d'une liste de pavillons de Primrose Hill, Kentish Town ou Highgate, mais je suppose que vous connaissez votre métier.

Les districts qu'il venait de citer étaient des quartiers résidentiels tout à fait respectables.

— Pas de maisons dans l'East End ? remarqua Pitt.

Verdun réagit plus vite qu'il ne l'avait prévu.

— Nous ne louons pas de taudis insalubres, si

c'est ce que vous voulez me faire dire. Mais vérifiez dans les livres, si vous jugez que c'est de votre devoir.

Pitt se doutait qu'il n'y trouverait rien d'intéressant ; toutefois, un vérificateur expert pouvait y déceler des contradictions menant à l'examen d'autres livres, mettant sur la piste de nouvelles transactions — même des détournements de fonds. Il espérait qu'il n'en serait rien. Il aurait aimé que Verdun soit exactement ce dont il avait l'air.

— Merci, monsieur. Connaîtriez-vous par hasard Lady Hamilton ?

— Amethyst ? Vaguement. Une belle femme. Très discrète. Un peu triste. Jamais eu d'enfants. Lockwood ne s'en plaignait pas, remarquez. Il l'aimait beaucoup. Il en parlait peu, mais je le sentais. On s'en rend compte, quand on a soi-même beaucoup aimé sa femme.

Pitt pensa à Charlotte qui devait se trouver à la maison, à sa vie de famille gaie et chaleureuse.

— En effet. Sir Lockwood n'a-t-il pas un fils d'un premier mariage ? reprit-il, saisissant l'occasion pour parler de la famille Hamilton.

— Oh, oui, Barclay. Très bien, ce garçon. Je l'ai peu rencontré. Jamais marié. Pourquoi ? Aucune idée.

— Était-il proche de sa mère ?

— Beatrice ? Aucune idée. Il ne s'entend pas avec Amethyst, si c'est là où vous voulez en venir.

— Savez-vous pourquoi ?

— Non. Il a pu en vouloir à son père de s'être remarié. Dommage. Il aurait dû être content de le voir heureux. Amethyst a été une merveilleuse épouse et une excellente maîtresse de maison ; elle a soutenu son mari dans sa carrière, reçu ses amis avec tact et compétence. Je dirais que Lockwood était plus heureux auprès d'elle qu'auprès de Beatrice.

— Peut-être Mr. Barclay le savait-il et le ressentait comme une offense envers sa mère.

La mine de Verdun s'allongea.

— Grand Dieu, vous n'allez tout de même pas suggérer que Barclay a attendu vingt ans avant de s'aventurer un soir sur Westminster Bridge pour attaquer son père par-derrière et lui trancher la gorge ? C'est grotesque !

— Oui, bien sûr. Mr. Barclay a-t-il hérité d'une belle fortune ?

— Il se trouve que je suis au courant. Il a hérité de son grand-père maternel. Pas énormément, mais largement de quoi vivre. Une belle maison à Chelsea, près d'Albert Bridge.

— J'imagine que vous ne connaissez aucun rival, aucun ennemi à Sir Lockwood ? Aurait-il été menacé ?

Verdun sourit.

— Navré. Si je le savais, je vous le dirais franchement, quoi qu'il m'en coûte. On ne peut pas laisser des assassins courir en liberté, hein ?

Pitt se leva.

— En effet, monsieur. Merci de votre aide. Puis-je jeter un coup d'œil à vos contrats ? Ceux de l'an passé suffiront.

— Bien entendu. Je vais demander à Telford de vous en faire une copie, sur sa maudite machine. Au moins, on pourra dire qu'il a fait quelque chose d'utile. Écoutez-moi ça ! On dirait une bande de garnements en souliers cloutés !

Il était six heures et quart lorsque Pitt fut introduit dans l'antichambre du bureau du ministre de l'Intérieur, à Whitehall. Une immense pièce, très austère, où des fonctionnaires en redingote et col cassé lui firent comprendre qu'on lui accordait là une grande faveur; seule l'exceptionnelle gravité des circonstances lui avait permis de franchir le seuil du bureau privé d'un ministre.

Pitt essaya de redresser sa cravate, sans succès, et passa ses doigts dans ses cheveux, ce qui eut pour effet de le rendre encore plus hirsute.

— Inspecteur, fit courtoisement le ministre, je peux vous accorder un entretien d'une dizaine de minutes. Lockwood Hamilton était attaché à mon service. Un homme efficace et discret, qui accomplissait parfaitement sa tâche. L'annonce de son décès m'a profondément affecté.

— Était-il ambitieux, monsieur?

— Bien entendu. Je n'aurais pas accordé une telle promotion à un homme qui ne se serait pas préoccupé de sa carrière.

— Depuis combien de temps occupait-il cette fonction?

— Environ six mois.

— Et avant cela?

— Il n'exerçait aucune fonction officielle mais siégeait dans différentes commissions. Pourquoi cette question? ajouta-t-il en fronçant les sourcils. Vous n'imaginez pas qu'il ait été victime d'un assassinat politique?

— Je l'ignore, monsieur. Sir Lockwood travaillait-il à un projet de loi, sur un terrain susceptible de provoquer de violentes réactions?

— Il n'a rien proposé à la Chambre, à ma connaissance. Pour l'amour du ciel, il n'est que secrétaire parlementaire, pas ministre!

Pitt comprit sa bévue.

— Avant de le nommer à ce poste, monsieur, vous avez dû vous informer sur sa carrière passée, ses prises de position politiques, sa vie privée, sa réputation, ses affaires...

— Bien entendu ! acquiesça sèchement le ministre.

Comprenant où Pitt voulait en venir, il ajouta :

— Je ne vois rien qui puisse vous être utile. Je n'engagerais pas un collaborateur qui serait susceptible de se faire assassiner pour des raisons personnelles ! Et Hamilton n'avait pas un poids politique suffisant pour devenir un homme à abattre.

— Probablement pas, reconnut Pitt. Toutefois, ce serait négliger une partie de mon travail que de ne pas envisager toutes les hypothèses possibles. Des gens qui ont l'esprit suffisamment perturbé pour considérer le meurtre comme la solution à leurs problèmes ne sont peut-être pas aussi rationnels que vous et moi.

Le ministre de l'Intérieur lui lança un regard aigu, soupçonnant le sarcasme. La remarque de Pitt lui paraissait impertinente ; pouvait-on comparer la rationalité d'un simple policier à celle d'un membre du gouvernement ? Puis constatant que le regard bleu-gris de son interlocuteur ne reflétait aucune ironie particulière, il préféra abandonner le sujet.

— Il se peut que nous ayons affaire à un malade mental, dit-il froidement. Je l'espère d'ailleurs. Dans toute société, il y a des déséquilibrés. Un crime lié à la famille ou à des affaires serait déplaisant, mais le scandale qui en résulterait ne tarderait pas à être oublié. Incomparablement plus grave serait un complot révolutionnaire ou anarchiste, si ces gens avaient décidé de s'en prendre à lui pour déstabiliser le gouvernement, semer un vent de panique dans la population et ameuter l'opinion publique.

Il crispa imperceptiblement les poings.

— Nous devons éclaircir l'affaire au plus vite. J'espère que vous avez mobilisé vos meilleurs éléments.

Pitt comprenait son raisonnement ; pourtant il y avait chez cet homme debout au milieu de son bureau élégant et bien ordonné, qui sentait la cire et le cuir, une froideur qui le mettait mal à l'aise. Le ministre affirmait sans scrupule préférer avoir affaire à un drame familial, avec son cortège de souffrances et de vies ruinées, plutôt qu'à un complot fomenté dans l'ombre par des exaltés rêvant de prendre le pouvoir et de changer la société.

— Eh bien ? reprit celui-ci d'un ton irrité, j'attends votre réponse !

— Oui, monsieur, tout est prévu. Vous avez dû hésiter entre plusieurs députés, avant de choisir Sir Lockwood pour ce poste ?

— Évidemment.

— Votre secrétaire pourrait me donner leurs noms.

C'était une affirmation, non une question.

— Si vous l'estimez nécessaire, admit le ministre, de mauvaise grâce. Mais à mon avis, un homme sain d'esprit n'irait pas égorger son prochain pour obtenir ce poste.

— Quel poste vaut-il que l'on assassine son prochain, monsieur ? demanda Pitt, tentant d'imprimer à sa question la plus grande neutralité.

Le ministre lui décocha un regard de mépris glacial.

— Inspecteur, vous devriez chercher vos suspects ailleurs que chez les membres du gouvernement de Sa Majesté.

Pitt demeura imperturbable. Quelque part, il était content que leur antipathie fût réciproque.

— Pouvez-vous me dire quelles étaient les positions de Sir Lockwood sur les questions d'actualité les plus brûlantes ? L'autonomie irlandaise, par exemple ?

Le ministre eut une moue dubitative.

— On pourrait chercher de ce côté-là, en effet, fit-il d'un ton radouci. Un acte non pas dirigé contre ce pauvre Hamilton, mais contre le gouvernement lui-même. Il y a toujours des sujets qui suscitent de violentes réactions. Oui, Hamilton était partisan du Home Rule et ne s'en cachait pas. Mais si les gens commençaient à s'entre-tuer parce qu'ils sont en désaccord sur la question irlandaise, les rues de Londres ressembleraient à Waterloo après la bataille.

— Voyez-vous d'autres problèmes, monsieur? Réforme pénale, lois sur les indigents, conditions de travail dans les usines, éradication des taudis, suffrage des femmes...

— Pardon?

— Le suffrage des femmes, monsieur.

— Bon sang, nous avons dans ce pays quelques hystériques, qui se sont fourvoyées et qui ignorent où se trouvent leurs propres intérêts, mais elles n'iraient tout de même pas trancher la gorge d'un député pour plaider en faveur de l'extension du droit de vote!

— Sans doute pas. Quelle était la position de Sir Hamilton à ce sujet?

Le premier réflexe du ministre fut de considérer la question comme négligeable puis il admit, à contre-cœur, que la piste était aussi acceptable que toutes celles évoquées jusqu'à présent.

— Hamilton n'était guère réformateur. C'était un homme modéré, plein de bon sens. Je ne l'aurais pas engagé comme secrétaire parlementaire si je n'avais pas eu confiance en son jugement.

— Et du point de vue de sa vie privée?

— Réputation irréprochable.

L'ombre d'un sourire passa sur le visage du ministre.

— Je ne dis pas cela par diplomatie. Il aimait beaucoup son épouse, une femme superbe. Et il n'était pas homme à chercher... la bagatelle. Il ne possédait pas l'art de la flatterie, ni du badinage. Je ne l'ai jamais vu regarder une autre femme que la sienne.

Ayant rencontré Amethyst Hamilton, Pitt n'avait aucune peine à le croire. Charles Verdun avait d'ailleurs abondé dans ce sens.

— Plus j'entends parler de lui, moins il me paraît susceptible d'avoir inspiré une haine violente pouvant aboutir à son assassinat.

Pitt eut la maigre satisfaction de voir que le ministre appréciait sa tournure de phrase, même s'il ne prisait guère l'argument lui-même.

— Dans ce cas, approfondissez vos recherches, en vous fondant sur les témoignages recueillis, et enquêtez parmi les agitateurs et tous les groupes politiques connus de nos services, dit-il d'un ton sévère. Et tenez-moi informé.

— Bien, monsieur. Merci.

— Au revoir, inspecteur.

L'entretien était terminé.

La Chambre des communes était encore en séance. Il était trop tôt pour essayer de reconstituer le trajet de Lockwood Hamilton la nuit précédente. Pitt, frigorifié et affamé, n'avait pas avancé d'un pouce dans son enquête depuis qu'il avait quitté son domicile, dans l'après-midi, après avoir pris quelques heures de repos. Il décida de retourner à Bow Street manger un sandwich, boire un thé chaud et voir s'il y avait du nouveau du côté des hommes chargés de recueillir les témoignages.

Mais lorsqu'il arriva au commissariat, le planton lui apprit que Sir Garnet Royce, député à la Chambre, l'attendait

— Faites-le entrer dans mon bureau, dit Pitt.

Il doutait de l'utilité de cette visite, mais il était bien obligé de recevoir Royce, par courtoisie. Il débarrassa une chaise encombrée de papiers pour faire de la place à son visiteur, puis s'installa à son bureau, espérant y trouver d'éventuels messages ou de nouveaux rapports. Il n'y avait rien, hormis la liste des transactions immobilières envoyée par Verdun, accompagnée d'un mot du vérificateur des fraudes selon lequel, à première vue, celles-ci ne présentaient pas de malversations. Il n'y avait donc pas de conclusions particulières à tirer, si ce n'est que l'agence Hamilton & Verdun s'occupait efficacement de vente et de location de résidences dans des banlieues huppées.

On frappa à la porte. Un policier introduisit Garnet Royce, élégamment vêtu d'un manteau à col et parements de velours. Il posa son haut-de-forme sur le bureau de Pitt. Dans cette petite pièce chichement éclairée au gaz, sa présence était très imposante.

— Bonsoir, monsieur, fit Pitt, intrigué. Asseyez-vous.

— Bonsoir, inspecteur.

Royce resta debout. Tout en parlant, il faisait tourner sa canne à pommeau d'argent dans ses mains.

— Je vois que les journaux ont fait leurs manchettes de la mort de ce pauvre Lockwood. Il fallait s'y attendre. Très perturbant pour la famille. Difficile de faire face à une telle situation dans la dignité, avec tous ces gens oisifs, qui rôdent autour de vous comme des vautours, alors que vous les connaissez à peine, dans l'espoir de faire votre connaissance. Dégoûtant ! Une telle tragédie fait ressortir le meilleur et le pire de la nature humaine. Vous comprendrez que je me fasse du souci pour ma sœur.

— Je comprends, monsieur.

Royce se pencha légèrement en avant.

— S'il s'agit d'un déséquilibré ayant frappé au hasard, ce qui paraît le plus probable, quelles sont vos chances de l'appréhender, inspecteur? Répondez-moi honnêtement, d'homme à homme.

Pitt l'observa attentivement : nez puissant, mâchoire carrée, grande bouche ; un visage dur, mais qui dénotait sa force de caractère et son intelligence.

— La fortune aidant, monsieur, nous avons bon espoir de mettre la main sur lui ; toutefois, sans témoin d'aucune sorte, et si l'homme ne s'attaque pas à quelqu'un d'autre, j'avoue que nos chances sont bien minces. Mais s'il s'agit d'un déséquilibré, il se conduira de façon à se faire remarquer et nous le retrouverons.

Les mains de Sir Garnet se crispèrent sur le pommeau de sa canne.

— Oui, oui, bien sûr... Vous n'avez pas d'idée, pour l'instant?

— Non, monsieur. Nous commençons par les hypothèses les plus évidentes : rivalité en affaires. ennemis politiques...

Royce fronça les sourcils.

— Lockwood n'était pas un personnage assez important pour se faire des ennemis. Certes, quelques personnes ont manqué une promotion parce qu'elle lui avait été accordée, mais cela n'a rien d'extraordinaire. Cela peut arriver à n'importe qui, dans la vie politique.

— Quelqu'un aurait-il pris cette promotion particulièrement à cœur?

Royce réfléchit.

— Hanbury a été fort contrarié de ne pas avoir obtenu la présidence d'une commission parlementaire, il y a de cela plusieurs années, et semble lui en avoir tenu rigueur. Ils se sont disputés au sujet du Home Rule — Hanbury était tout à fait contre, alors que Lockwood était pour. Hanbury a pensé qu'il avait trahi son parti. Mais on n'assassine pas autrui pour cela.

Pitt observa attentivement le visage de son interlocuteur; il n'y vit aucune trace de duplicité, de tromperie ou d'ironie moqueuse. Royce disait exactement ce qu'il pensait et Pitt devait reconnaître qu'il avait raison : si le mobile du meurtre était politique, il fallait chercher bien au-delà des pistes qu'ils avaient suivies jusque-là, comme le problème irlandais ou les réformes sociales; il pouvait s'agir du geste d'un rival acharné ou d'un homme se sentant personnellement trahi.

Après le départ de Royce, Pitt monta à l'étage voir le commissaire divisionnaire.

— Rien de bien intéressant, fit Drummond en poussant une pile de papiers en direction de Pitt.

Il paraissait fatigué et avait les yeux cernés. On n'en était qu'au premier jour de l'enquête, mais il sentait déjà peser sur ses épaules la pression de l'opinion publique, la colère d'une population qui, une fois la stupéfaction passée, commençait à avoir peur, l'inquiétude des gouvernants qui pressentaient un réel danger.

— Nous avons pu déterminer l'heure du meurtre de façon plus précise : Hamilton a été tué entre minuit moins dix, heure de la fin de la séance de nuit, et minuit vingt, heure à laquelle Hetty Milner l'a découvert. Nous devrions parvenir à réduire encore la fourchette, en allant interroger les députés ce soir, à la fin de la séance.

— A-t-on retrouvé quelque vendeur ambulant qui l'aurait vu passer? s'enquit Pitt. Ou qui au contraire ne l'aurait pas vu, ce qui nous permettrait de mieux préciser encore l'heure du crime.

Drummond poussa un profond soupir et fouilla parmi ses rapports.

— Voyons... la marchande de fleurs assure ne pas l'avoir aperçu. Elle le connaît, j'imagine que l'on peut lui faire confiance. Le gars qui vend des friands chauds sur les marches de Westminster, Freddie Quelque-chose, a vu une demi-douzaine de personnes, parmi lesquelles pouvait se trouver Hamilton, mais il ne peut jurer de rien. Les rues avoisinant Westminster, à l'heure de sortie du Parlement, sont pleines de messieurs distingués, de taille moyenne, aux tempes argentées, vêtus de manteaux sombres de bonne qualité, coiffés de hauts-de-forme et portant une écharpe de soie blanche !

— Ce n'était peut-être pas Hamilton qui était visé... suggéra Pitt.

Drummond leva vers lui un regard inquiet.

— Oui, j'y ai pensé. Que Dieu nous vienne en aide ! Si la victime n'était pas la bonne, par où commencer les recherches ?

Pitt s'assit sur une chaise en face de lui.

— S'il s'agit d'une attaque aveugle visant le gouvernement et si Hamilton a été choisi comme cible au hasard, nous avons affaire à des anarchistes ou à des révolutionnaires. Ne sommes-nous pas renseignés sur eux ?

Drummond alla pêcher une liasse de papiers dans l'un des tiroirs de son bureau.

— Si. J'ai mis des hommes sur la trace de tous les activistes connus de nos services. Certains veulent en finir avec la monarchie et instaurer la république, d'autres ne désirent que le chaos ; ceux-là sont plus faciles à repérer : en général ce sont des têtes brûlées qui parlent haut et fort dans les pubs et haranguent les passants au coin des rues. Souvent ils s'inspirent d'idées venant de l'étranger, aussi tenons-nous les ressortissants étrangers à l'œil.

Il soupira encore.

— Et de votre côté, Pitt ? Du nouveau sur Hamilton ? Sa famille ? Ses affaires ?

— Rien jusqu'à présent, monsieur. Sir Lockwood était un personnage discret. Ses affaires étaient florissantes, mais je n'ai rien trouvé qui puisse inspirer de la haine à son égard et, a fortiori, l'envie de le supprimer. Son associé, Charles Verdun, est un homme affable, au tempérament modéré, qui vend des propriétés dans les banlieues chics. Il paraît faire ce métier plus pour s'occuper que pour en tirer profit. J'ai les livres de comptes, enchaîna-t-il très vite, voyant Drummond prêt à le critiquer. Rien ne transparaît : il s'agit de transactions immobilières banales, dans des quartiers résidentiels. Si Hamilton et Verdun gèrent des taudis, ils doivent avoir une double comptabilité.

— Pensez-vous que cela soit possible ?

— Cela m'étonnerait.

— Faites surveiller Verdun. Voyez s'il dépense son argent au jeu, s'il entretient des maîtresses.

Pitt eut un petit sourire.

— Je m'en occupe, monsieur, mais je parie qu'il n'en est rien.

Drummond haussa les sourcils.

— Seriez-vous prêt à parier votre place, Pitt ? Et la mienne, par la même occasion ? Si nous n'éclaircissons pas cette affaire, nous serons dans de beaux draps.

— Je ne pense pas que Charles Verdun nous mène à l'assassin, monsieur.

— Et la piste politique ? Qu'en dit le ministre de l'Intérieur ?

Pitt résuma brièvement l'entretien qu'il avait eu avec ce dernier. Lorsqu'il eut terminé, Drummond faisait grise mine.

— Il y aurait donc eu erreur sur la victime ? hasarda-t-il d'un air malheureux. On aurait pris Hamilton pour quelqu'un d'autre, pour quelqu'un de plus important ? J'espère que non ! Cela signifierait que le meurtrier va repasser à l'action !

— Nous en revenons au complot anarchiste, conclut Pitt en se levant. Bien, je retourne de ce pas à la Chambre ; à la sortie des parlementaires, j'essaierai de trouver les derniers à avoir parlé à Hamilton, en espérant qu'ils se souviennent de l'heure, et je leur demanderai s'ils ont vu un inconnu l'approcher.

Drummond sortit sa montre de son gilet.

— Allez-y, soupira-t-il. Mais je vous préviens, vous devrez encore patienter un bon moment.

Pitt attendit dans le froid pendant plus d'une heure et demie, à l'extrémité nord de Westminster Bridge, avant de voir les premiers députés sortir du Parlement et se diriger vers la Tamise. Entre-temps, il avait mangé deux friands et un pudding, observé d'innombrables couples flânant bras dessus, bras dessous le long de l'Embankment et entendu deux poivrots entonner *Champagne Charlie* dans un duo désaccordé. Ses doigts étaient complètement engourdis.

Il fit un pas en avant.

— Excusez-moi, messieurs.

Deux gentlemen s'arrêtèrent et jetèrent un regard méprisant à cet inconnu portant un cache-nez en laine et dont les poches semblaient déborder d'objets divers.

— Commissariat de Bow Street, messieurs, fit Pitt, les voyant prêts à s'éloigner. Nous enquêtons sur le meurtre de Sir Lockwood Hamilton.

Ils parurent troublés, obligés malgré eux d'évoquer un épisode qu'ils auraient bien voulu oublier.

— Terrible affaire, dit l'un d'eux.

— Terrible, en effet, renchérit l'autre.

— L'avez-vous vu hier soir, messieurs ?

— Ah, oui, en effet, répondit le plus grand des

deux. Et vous, Arbuthnot ? En revanche, je ne me souviens plus de l'heure. Au moment où nous quittions la Chambre, je crois.

— La séance a été levée vers onze heures vingt, remarqua Pitt.

— Oui, c'est cela, acquiesça le second député, un homme blond et trapu. J'ai vu Hamilton en partant. Pauvre diable. Affreux !

— Était-il seul, monsieur ?

— Euh... Plus ou moins. Il était en train de prendre congé d'un collègue.

Il réfléchit, l'air absent.

— Désolé, la mémoire ne me revient pas. Un député. Il lui a souhaité bonne nuit avant de partir vers le pont. Il habitait sur la rive sud.

— Avez-vous remarqué s'il était suivi ?

L'expression de son interlocuteur se tendit. Une image très nette s'imposa à lui ; ce n'était plus un simple exercice de mémoire : il venait de comprendre qu'il avait été témoin de la dernière scène précédant un meurtre. Il perdit son flegme et sa belle assurance en songeant à la vulnérabilité de l'homme seul sur le pont, guetté par la mort, comme s'il s'agissait de la sienne propre.

— Pauvre homme, répéta-t-il, la gorge serrée. J'ai l'impression que quelqu'un marchait derrière lui, mais qui, je l'ignore. Juste une silhouette, une ombre entrevue quand Hamilton est passé sous le premier réverbère à l'entrée du pont. Vous savez, beaucoup d'entre nous rentrent chez eux à pied, quand la nuit est claire. Certains prennent leur propre voiture, ou un fiacre, bien sûr. Ah, ces séances de nuit, quelle plaie ! J'avais hâte de rentrer me coucher. Navré.

— Pourriez-vous me donner vos impressions sur cette silhouette, monsieur ? La taille, la démarche, par exemple ?

— Désolé. Je ne suis même pas sûr de l'avoir vue. Juste une ombre mouvante dans la lumière du réverbère. Quelle horreur !

Pitt se tourna vers l'autre gentleman.

— Et vous, monsieur, avez-vous vu Sir Lockwood en compagnie de quelqu'un ?

— Non... Non. J'aimerais vous répondre avec précision, mais c'était seulement une impression. On ne peut distinguer les traits d'un visage sous la lumière. Impossible de se rendre compte... Il fait très sombre entre deux réverbères... Je suis désolé.

— Je comprends. En tout cas, merci de votre aide, messieurs, fit Pitt en inclinant la tête, avant de se diriger vers un autre groupe de députés qui commençaient soit à monter dans leurs voitures, soit à s'éloigner à pied.

Il parla ainsi avec une douzaine de parlementaires, mais n'apprit rien d'intéressant, à ceci près que Lockwood Hamilton était arrivé sur le pont de Westminster aux alentours de minuit dix. Vers minuit vingt, Hetty Milner s'était mise à crier. Dans l'intervalle, un inconnu avait égorgé le député et disparu, après l'avoir attaché au réverbère.

Pitt arriva chez lui juste avant minuit. Il entra avec sa propre clé et ôta ses bottes dans le vestibule pour éviter de faire du bruit en se rendant dans la cuisine. Là, il trouva sur la table un plat de viande froide, du pain croustillant sortant du four, du beurre, un pot de pickles et un petit mot de Charlotte. La bouilloire, encore chaude, était posée sur la cuisinière, il n'avait qu'à la remettre sur la plaque. À côté de la théière, Charlotte avait laissé une boîte à thé en métal émaillé aux motifs fleuris et une petite cuillère.

Pitt n'avait pas fini de dîner quand la porte s'ouvrit. Charlotte entra dans la cuisine en clignant des yeux. Sa chevelure aux reflets cuivrés retombait en cascade sur ses épaules. Elle portait une robe de chambre brodée, en lainage bleu. Lorsqu'elle se pencha vers lui pour l'embrasser, Pitt respira son parfum. Elle sentait le savon et les draps tièdes.

— L'affaire est grave ? demanda-t-elle.

Il la regarda avec étonnement. Il ne décelait pas dans sa voix son habituelle curiosité, son désir à peine masqué de participer à une enquête criminelle ; pourtant elle montrait souvent un flair remarquable pour résoudre les mystères les plus complexes.

— Oui. Un député assassiné, répondit-il, laconique, en terminant son morceau de pain tartiné de pickles.

Il ne tenait pas à lui donner des détails sordides sur un crime que, ce soir-là, il préférait oublier.

Elle parut surprise, mais moins intéressée qu'il ne l'aurait cru.

— Vous devez être épuisé. Il fait si froid dehors. Avez-vous un début de piste ?

Sans le regarder, elle se servit une tasse de thé et s'assit à la table, en face de lui. Cherchait-elle à biaiser pour en savoir plus ? Cela ne lui ressemblait guère. La duplicité n'était pas son fort !

— Charlotte ?

— Oui ?

Elle leva vers lui un regard innocent. Ses yeux paraissaient gris foncé, à la lueur de la lampe.

— Non, aucune piste, pour l'instant.

— Oh...

Elle parut désolée, mais ne posa pas d'autre question.

— Quelque chose ne va pas ? s'inquiéta-t-il.

— Thomas... Avez-vous oublié le mariage d'Emily ?

Dans ses grands yeux, il lut soudain son excitation,

son souci que tout se passât pour le mieux, son sentiment de solitude à l'idée du départ d'Emily, la petite pointe d'envie devant ce mariage somptueux et romantique, et aussi la joie sincère qu'elle éprouvait à voir sa sœur heureuse. Leurs aventures partagées les avaient rapprochées; leurs deux personnalités, fort différentes au demeurant, loin de se heurter, se complétaient à merveille.

Pitt lui prit la main et la serra avec douceur. Elle comprit, avant même qu'il ait ouvert la bouche, que ce simple geste était l'aveu de sa distraction.

— Désolé, j'avais oublié. Non pas le mariage, mais que nous étions déjà vendredi. Je suis navré.

Une ombre de déception passa sur le visage de Charlotte, qui se ressaisit aussitôt et ajouta :

— Vous viendrez, Thomas, n'est-ce pas?

Jusque-là, il n'était pas certain qu'elle désirait le voir assister à la cérémonie. Quelques années auparavant, Emily, en épousant Lord Ashworth, avait été propulsée dans la haute société. Ce nouveau statut social, sa richesse lui conféraient un rang bien supérieur à celui de leurs parents, qui appartenaient à une bourgeoisie ambitieuse et fortunée. Veuve depuis l'été précédent, elle allait épouser Jack Radley, gentleman de bonne famille mais totalement impécunieux[1]. Charlotte, en revanche, avait commis un sacrilège en épousant un policier, créature socialement aussi peu respectable qu'un chasseur de rats ou un huissier.

Les parents de Charlotte avaient toujours traité Pitt avec courtoisie, car ils savaient que leur fille, en dépit d'un revenu considérablement diminué et malgré la perte de son cercle social, était heureuse. Emily lui

1. Voir *Meurtres à Cardington Crescent*, 10/18, n° 3196, et *Silence à Hanover Close*, 10/18, n° 3255.

donnait ses robes démodées et parfois lui en offrait une neuve. Aussi souvent que le tact le permettait, elle faisait des cadeaux à Pitt et aux enfants ; elle partageait avec Charlotte le même intérêt passionné pour les enquêtes criminelles, souvent fort dangereuses, et aidait Pitt, avec succès, à les résoudre de façon spectaculaire.

Pourtant, il était possible que Charlotte ait été secrètement soulagée d'apprendre qu'il ne pourrait se rendre au mariage, craignant que la famille ne fasse preuve de condescendance à son égard, et redoutant par-dessus tout les impairs qu'il était capable de commettre en société ; les différences entre son ancien monde et celui de Pitt étaient subtiles mais incommensurables. Il était donc particulièrement heureux de constater qu'elle souhaitait sa présence à la cérémonie ; aujourd'hui, il réalisait à quel point il avait souffert de ce sentiment d'exclusion, sans avoir jamais osé le formuler.

— Oui, je viendrai, mais il est possible que je ne puisse rester très longtemps.

— Mais vous pourrez venir !

— Oui.

Elle se détendit et lui sourit.

— Merveilleux ! dit-elle en posant sa main sur la sienne. Emily sera si contente de vous savoir là ! Et tante Vespasia aussi. Vous devriez voir ma nouvelle robe — rassurez-vous, je n'ai pas fait de folies — mais elle est vraiment très spéciale !

Pitt se détendit enfin ; le nœud d'angoisse qui l'étreignait se dénoua peu à peu. Quel bonheur d'entendre parler de choses aussi simples, aussi ordinaires que la couleur d'un tissu, la reprise d'une tournure, de fleurs sur un chapeau ! C'était ridicule, dérisoire, mais ô combien sain !

4

Pitt quitta la maison le lendemain matin vers sept heures et demie; Charlotte passa à l'action aussitôt après son départ. Gracie, leur jeune bonne, s'occupa du déjeuner des enfants, Jemima, une fillette de six ans, pleine d'aplomb pour son âge, et Daniel, un peu plus jeune, très désireux d'imiter sa sœur. Une folle excitation régnait dans la maison : les enfants étaient bien trop conscients de l'importance de cette journée pour tenir en place.

Charlotte avait étalé leurs habits neufs sur les lits : une robe tout en dentelles et froufrous avec un gros nœud de satin rose pour Jemima et un costume de velours marron à col de dentelle pour Daniel. Il avait fallu plus d'une heure pour le persuader de l'endosser ! Charlotte avait dû lui promettre que, la prochaine fois qu'il prendrait l'omnibus, il donnerait en personne son penny au receveur.

La robe de Charlotte avait été faite sur mesure, comme celles qu'elle portait avant son mariage. Depuis, elle les confectionnait elle-même ou reprenait celles que lui donnaient Emily, ou parfois tante Vespasia.

C'était une superbe robe en soie prune, décolletée sur le devant pour mettre en valeur ses épaules, sa gorge et la naissance de sa poitrine, serrée à la taille, avec une tournure si féminine qu'elle se sentait irrésistible rien qu'en la regardant. Les plis virevoltaient délicieusement quand elle marchait ; la couleur du tissu flattait son teint de miel et ses cheveux cuivrés qu'elle avait, selon l'usage, longuement frottés avec un foulard de soie afin qu'ils luisent comme du satin. Elle mit une heure, en comptant quelques tentatives infructueuses, à les peigner, les boucler et les épingler à son goût. Ensuite, elle se maquilla avec soin, le plus discrètement possible, afin que l'on ne puisse pas dire qu'elle s'était « peint » le visage. Se farder, dans cette société puritaine, était encore un péché ; seules se maquillaient les femmes à la moralité douteuse.

Après avoir ajusté les vêtements des enfants et mis un ruban dans les cheveux de Jemima, ce qui lui prit environ une demi-heure, Charlotte put enfin passer sa robe, devant les cris et les soupirs émerveillés de sa progéniture, et au grand ravissement de Gracie, qui ne pouvait contenir son enthousiasme. La petite bonne vivait là une sorte d'idylle par procuration ! À ses yeux, Emily, qu'elle avait souvent rencontrée, incarnait l'idée que l'on se fait d'une vraie lady. Gracie attendrait le retour de Charlotte, pour écouter, suspendue à ses lèvres, le récit de cette journée de noces. Ce mariage mondain avait pour elle plus de réalité que les images qu'elle regardait dans l'*Illustrated London News* et que les rengaines sentimentales qu'elle entendait dans les rues. Même les héroïnes des romans à deux sous qu'elle lisait à la lueur de la bougie dans le grand placard, sous l'escalier, ne pouvaient rivaliser avec Emily ; il ne s'agissait après tout que de personnages fictifs qu'elle ne connaissait pas.

L'attelage envoyé par Emily se présenta à la porte à dix heures sonnantes et, vingt minutes plus tard, Charlotte, Jemima et Daniel descendaient de voiture à Eaton Square, devant l'église St. Mary.

La mère de Charlotte, Caroline Ellison, descendit de son attelage à leur suite et fit signe à son cocher d'aller se garer. C'était une belle femme d'environ cinquante-cinq ans, qui portait le deuil avec vitalité ; le veuvage lui avait apporté une liberté dont elle profitait hardiment. Elle était habillée d'une toilette d'un brun mordoré qui lui allait à merveille, et coiffée d'une capeline presque aussi étonnante que celle de Charlotte. Le fils d'Emily, le petit Edward, devenu Lord Ashworth depuis le décès de son père, lui tenait la main. Il portait un costume de velours bleu foncé ; ses cheveux blonds étaient peignés avec soin. Grave et anxieux, il serrait très fort la main de sa grand-mère.

Derrière eux, guidée par un valet, s'avançait Mrs. Ellison, la belle-mère de Caroline. Largement octogénaire, elle tirait parti du moindre petit problème de santé pour se plaindre ; ses yeux noirs et perçants voyaient tout, et ses oreilles, où brillaient des pendants de jais, n'entendaient que ce qu'elles voulaient bien entendre.

— Bonjour, maman. Bonjour, grand-maman.

Charlotte les embrassa en prenant soin de ne pas déranger l'inclinaison de leurs chapeaux.

— Tu te prends pour la mariée ? fit sèchement sa grand-mère en la détaillant des pieds à la tête. De ma vie, je n'ai jamais vu pareille tournure ! Et cette couleur si voyante ! Mais tu as toujours aimé te faire remarquer !

— Moi, le jaune me va bien, répliqua Charlotte avec un charmant sourire, en regardant le teint cireux de la vieille dame et sa robe or foncé.

— En effet ! riposta sa grand-mère en jetant sur elle un regard furibond. Il est dommage que tu n'en portes pas aujourd'hui ! Comment appelle-t-on cette couleur innommable ? Chou rouge bouilli ? Enfin, si tu renverses de la mousse de framboises dessus, personne ne s'en apercevra.

— Quel réconfort ! ironisa Charlotte. Vous avez toujours eu l'art de dire des choses aimables, grand-maman.

La vieille dame pencha la tête vers elle.

— Que dis-tu ? Tu sais bien que je deviens sourde !

Elle s'empara ostensiblement de son cornet afin d'attirer l'attention sur son infirmité.

— Il n'y a pire sourd que celui qui ne veut pas entendre, remarqua Charlotte.

— Comment ? Cesse de marmonner, veux-tu ?

Charlotte la regarda droit dans les yeux.

— Je disais que j'appellerais cette couleur violine.

— Non, tu n'as pas dit cela ! Tu te crois plus intelligente que tout le monde depuis que tu as épousé cette espèce de policier. Où est-il, d'abord ? Tu n'oses pas le montrer en société, hein ? Tu as bien raison... Il se moucherait dans les serviettes et ne saurait quelle fourchette utiliser.

Charlotte se rappela à quel point elle détestait sa grand-mère. La solitude du veuvage l'avait rendue acariâtre. Elle cherchait à attirer l'attention sur elle soit en se plaignant sans cesse, soit en essayant de faire souffrir son entourage. Charlotte ne se donna pas la peine de trouver une repartie bien sentie.

— Thomas est chargé d'une importante enquête criminelle. Mais s'il le peut, il assistera à la cérémonie.

La vieille dame renifla violemment.

— Encore un meurtre ! Mon Dieu, où va le monde ? Et ces émeutes dans les rues l'année dernière ! « Dimanche sanglant », ont dit les journaux[1].

1. Le dimanche 13 novembre 1887, une manifestation ouvrière dans Trafalgar Square fut très violemment réprimée par la police. *(N.d.T.)*

Ah, parlons-en! Même les domestiques ne savent plus garder leur place! Fainéantes, bêcheuses et impertinentes, voilà ce qu'elles sont devenues. Tu vis dans un monde bien triste, Charlotte. Personne ne sait plus tenir son rang; et toi, tu n'as pas arrangé les choses en épousant un policier. Je me demande à quoi tu pensais! Et ta mère, donc! Je sais ce que j'aurais dit si mon fils avait voulu épouser une boniche!

— Moi je le sais! explosa Charlotte, incapable de se retenir plus longtemps. Vous auriez dit : « Batifole avec elle tant que tu veux, du moment que tu restes discret, mais épouse une jeune fille de ta classe, ou même d'une classe supérieure, surtout si elle a de l'argent. »

L'aïeule brandit sa canne comme si elle avait l'intention de frapper les jambes de sa petite-fille, puis, réalisant qu'elle n'aurait rien senti, étant donné l'épaisseur de ses jupes, elle chercha une réplique cinglante, mais ne la trouva pas.

— Qu'as-tu dit? lâcha-t-elle, à bout d'arguments. Tu marmottes, ma fille. On dirait que tu as un dentier!

C'était tellement grotesque que Charlotte éclata de rire et passa son bras autour de la taille de sa grand-mère, la réduisant ainsi au silence.

Elles venaient d'entrer dans l'église et s'avançaient vers leurs sièges quand Lady Vespasia Cumming-Gould fit son entrée. Aussi grande que Charlotte, mais d'une extrême maigreur, elle se tenait très droite, vêtue d'une robe de satin café rehaussée de dentelle écrue, et coiffée d'une capeline si effrontément inclinée sur le côté que même Caroline en eut le souffle coupé. Lady Cumming-Gould avait plus de quatre-vingts ans. Petite fille, elle avait observé, debout derrière la balustrade de l'escalier, les invités venus fêter chez son père la victoire de Waterloo, un fameux soir de juin 1815. Plus tard, elle avait compté parmi les plus belles femmes de son époque et son visage, bien que marqué par le temps et les tragédies, conservait une grâce et une beauté inaltérables.

Elle avait toujours été la tante préférée de George, le premier mari d'Emily. Charlotte et sa sœur l'adoraient. Elle leur rendait bien cette affection, n'hésitant pas à défier les convenances en recevant Pitt dans son salon, comme s'il faisait partie de la bonne société et non d'une classe sociale inférieure. Femme du monde d'une grande beauté, elle se riait des commentaires qu'elle pouvait susciter et, en prenant de l'âge, s'en moquait sans vergogne. C'était une ardente réformatrice, désireuse de modifier les lois et les coutumes qu'elle désapprouvait, et elle prêtait volontiers main-forte à Charlotte et à Emily dans leurs enquêtes chaque fois que l'occasion se présentait.

Une église n'étant pas un lieu où l'on peut se répandre en salutations, elle se contenta d'incliner la tête en direction de Charlotte avant d'aller s'asseoir au bout du banc, en attendant l'arrivée des autres invités.

Le marié, Jack Radley, était déjà près de l'autel. Charlotte commençait à se demander si Pitt allait venir lorsqu'elle le vit se glisser sur le banc à ses côtés. Quelle ne fut pas sa surprise de le voir habillé avec élégance, tenant à la main un haut-de-forme !

— Où l'avez-vous déniché ? chuchota-t-elle, inquiète, songeant au prix d'un tel accessoire, qu'il n'aurait plus l'occasion d'utiliser.

— Micah Drummond me l'a prêté.

Elle vit la lueur d'appréciation qui passait dans ses yeux lorsqu'il remarqua sa toilette. Il se retourna et sourit à Vespasia qui, en retour, inclina gracieusement la tête et baissa les paupières.

Un frisson d'excitation parcourut la travée, suivi

d'un silence; l'orgue changea de ton et attaqua un air romantique et solennel. Charlotte ne put s'empêcher de se retourner pour observer sa sœur, qui pénétrait, auréolée de lumière, par la porte voûtée de l'église. Elle marchait lentement, au bras de Dominic Corde, époux de leur sœur aînée Sarah, décédée quelques années plus tôt. Une vague de souvenirs afflua à la mémoire de Charlotte : le mariage de Sarah, ses émois de jeune fille lorsqu'elle s'était crue follement éprise de Dominic. Elle se revit aussi, le jour de son propre mariage, remontant l'allée centrale de l'église au bras de son père qui la menait à l'autel auprès de Pitt. Elle avait été certaine de faire le bon choix, en dépit de ses craintes; elle savait qu'elle perdrait nombre de ses amies, sa sécurité financière et sa position sociale.

Après toutes ces années, elle constatait qu'elle ne s'était pas trompée. Leur couple avait traversé des périodes difficiles, bien sûr, des moments qu'elle n'aurait pu imaginer avant son mariage, huit ans plus tôt. Aujourd'hui, sa vision du monde s'était considérablement élargie : elle se rendait compte que même en vivant avec le salaire d'un policier, complété par une petite rente versée par ses parents, elle faisait partie d'un monde favorisé. Elle avait rarement froid, mangeait à sa faim et ne manquait de rien. Elle avait connu de nombreuses expériences, mais jamais l'ennui, jamais cette sensation angoissante de gâcher sa vie en passant d'interminables heures à broder, ou à peindre des aquarelles insipides que personne ne regardait jamais, et des après-midi mortellement ennuyeux à prendre le thé en écoutant des potins mondains.

Emily rayonnait. Elle portait une robe vert d'eau — sa couleur préférée — sur fond ivoire, rehaussée de perles. Dans la lumière du soleil, ses cheveux blonds exquisément coiffés auréolaient son visage, et son teint clair était rosi par l'excitation et le bonheur.

Pourtant Jack Radley n'avait ni titre ni argent, et n'en aurait probablement jamais. Emily avait eu un petit pincement en réalisant qu'elle cesserait de s'appeler Lady Ashworth. Mais Jack avait du charme, de l'esprit, et se révélait un compagnon charmant. Depuis la mort de George, il avait prouvé son courage et sa générosité de cœur. Non seulement Emily l'aimait d'amour, mais elle avait aussi beaucoup d'estime pour lui.

Charlotte glissa sa main dans celle de Pitt et sentit ses doigts étreindre les siens. Pendant toute la cérémonie, elle se sentit pleine de bonheur, sans angoisse pour l'avenir.

Sitôt la bénédiction terminée, Pitt dut quitter l'église. Il eut juste le temps, dans la sacristie, de féliciter Jack, d'embrasser Emily et de saluer Caroline, la grand-mère et tante Vespasia.

— Bonjour, Thomas, fit cette dernière d'une voix grave. Je suis heureuse que vous ayez pu vous libérer.

Pitt, le haut-de-forme à la main, lui sourit.

— Je suis sincèrement navré d'être arrivé en retard, et d'être obligé de repartir si vite.

— Une affaire urgente, sans doute ? suggéra Vespasia en haussant ses fins sourcils argentés.

— En effet, acquiesça-t-il, devinant sa curiosité. Un meurtre très déplaisant.

— Il s'en produit tous les jours, hélas, remarqua-t-elle. Un drame familial ?

— J'en doute.

— Une tâche ingrate qui ne fait pas appel à vos compétences psychologiques, alors j'imagine qu'il ne s'agit pas d'un problème d'ordre social ?

— Nous n'en savons rien pour l'instant. Probablement un crime politique, ou l'œuvre d'un déséquilibré.

— Une violence ordinaire, donc...

Il la sentait vaguement déçue de ne pas avoir l'occasion de mettre son nez dans cette affaire, même par le truchement de Charlotte et d'Emily ; il savait aussi qu'elle refuserait de l'admettre !

— Oui, un meurtre banal, acquiesça-t-il, s'il s'avère être ce qu'il paraît.

— Thomas...

— Désolé, madame, dit-il en prenant congé d'elle.

Il inclina la tête, adressa un dernier sourire à Emily, tourna les talons, sortit de l'église et descendit Lower Belgrave Street en direction de Buckingham Palace Road.

Une petite réception attendait les invités dans Eaton Square, chez une amie d'Emily. Ils traversèrent donc la place ensoleillée, Emily au bras de Jack, suivie par Caroline, le petit Edward, Charlotte et ses enfants. Tout en suivant des yeux la haute silhouette de Pitt qui s'éloignait, Vespasia accepta gracieusement le bras que lui offrait Dominic Corde. La grand-mère Ellison, toujours ronchonnante, était accompagnée par un ami du marié.

Une nouvelle vie commençait donc pour Emily...

Charlotte repensa soudain au meeting auquel elle avait assisté quelques jours plus tôt ; elle y avait côtoyé des femmes pleines de suffisance, certaines de leur confort, de leur position sociale inattaquable, alors que d'autres étaient prêtes à risquer leur notoriété et à affronter les quolibets pour une cause sans doute perdue d'avance. Combien d'entre elles avaient été aussi de jeunes mariées pleines d'espoirs et d'incertitudes, rêvant du bonheur et de la douceur d'un foyer protégé ?

Et combien s'étaient retrouvées quelques années plus tard dans la situation de cette Mrs. Ivory, dont elle avait entendu parler avec tant de mépris, et qui se battait pour obtenir « réparation » — un bel euphémisme pour ne pas parler de son désespoir ?

Charlotte avait été si occupée ces derniers jours qu'elle n'avait pas eu le temps de parler de ce meeting à Pitt, mais elle ne l'avait pas oublié.

La situation de sa sœur était différente. Emily était amoureuse — son visage radieux en témoignait —, mais elle n'avait jamais été naïve ; même éprise, elle gardait toujours la tête sur les épaules.

Charlotte sourit en se remémorant leur adolescence, ces longues heures passées à parler de l'avenir, en particulier du beau prince charmant qui viendrait les enlever. Même à douze ans, alors qu'elle portait encore des nattes et un tablier blanc amidonné, Emily avait déjà les pieds sur terre. C'était Charlotte qui s'envolait dans ses rêves, loin du monde !

Le champagne coulait à flots, on porta des toasts, on rit beaucoup, on fit des discours ; Charlotte se joignit à toute cette gaieté, heureuse pour sa sœur, étourdie par tant de faste et de sentimentalité, éblouie par l'éclat des lustres et des verres de cristal, enivrée par le parfum entêtant des fleurs et le bruissement soyeux des taffetas.

Elle prit une assiette, y déposa quelques pâtisseries et alla les porter à sa grand-mère, assise dans un coin de la pièce. Celle-ci les examina attentivement et choisit la plus grosse.

— Où vont-ils passer leur voyage de noces ? Tu me l'as dit, mais je l'ai oublié.

— D'abord Paris, puis l'Italie, répondit Charlotte, avec une pointe de jalousie qu'elle essaya de réprimer.

Après son mariage, elle était partie pour un long week-end à Margate, en bord de mer, mais Pitt avait dû très vite reprendre son travail. Charlotte avait passé les semaines suivantes à emménager leur première maison, où les pièces étaient plus petites que les chambres des domestiques de ses parents. Elle avait appris à dépenser pour le mois des sommes qu'auparavant elle aurait consacrées à l'achat d'une robe. Elle s'était mise à la cuisine, elle qui était habituée à donner des ordres aux cuisinières. Ce n'était pas vraiment important, mais elle aurait aimé, une fois dans sa vie, partir en croisière, visiter des villes inconnues, dîner dans un restaurant luxueux, non pas tant pour la qualité de la nourriture mais parce que cela lui paraissait très romantique. Voir Venise, glisser en gondole le long d'un canal au clair de lune, écouter l'écho des barcarolles se répercuter au fil de l'eau ; flâner dans Florence, cité d'art et de lumière, marcher dans les théâtres antiques de Rome en rêvant de la grandeur et de la gloire des siècles passés.

— Bonne idée, acquiesça l'aïeule en hochant la tête. Une jeune fille de bonne famille doit voyager une fois dans sa vie, et le plus tôt est le mieux. Si l'on ne prend pas les voyages trop au sérieux, ils ont une influence bénéfique. On doit observer le mode de vie des étrangers, sans pour autant les imiter.

— Oui, grand-maman, fit Charlotte d'un ton absent.

— Évidemment, toi, tu ne connaîtras jamais cela ! J'imagine que tu ne verras jamais Calais et encore moins Venise ou Rome !

C'était vrai. Cette fois Charlotte n'eut pas le cœur à répondre.

— Je t'avais prévenue, ajouta la vieille dame, agressive. Mais tu n'écoutes jamais. Même petite, tu ne voulais rien entendre. Enfin, comme on fait son lit on se couche, comme l'on dit.

Charlotte se leva et alla rejoindre les nouveaux mariés, qui se préparaient à quitter la réception. Emily paraissait si heureuse que Charlotte sentit des larmes lui picoter les yeux. Un tourbillon d'émotions l'assaillit. Elle était ravie et soulagée de constater que les ombres qui avaient affecté le passé d'Emily s'étaient enfin évanouies ; après la douleur, le deuil et la terreur d'avoir été soupçonnée de meurtre, venaient enfin le bonheur et l'espoir. Mais elle enviait aussi sa sœur de partir gaiement, au bras de son nouvel époux, en route vers des destinations de rêve...

Elle enlaça Emily et la serra contre elle.

— Écris-moi. Raconte-moi tout ce que tu vois, les palais, les musées, les canaux de Venise. Parle-moi des Italiens, dis-moi s'ils sont drôles, bizarres et charmants. Parle-moi de la mode, de la cuisine, de la couleur du ciel italien. Je veux tout savoir !

Emily l'étreignit à son tour.

— Promis ! Je t'écrirai une lettre chaque jour... que je posterai quand je pourrai ! Surtout, ne t'avise pas de te lancer dans de nouvelles aventures en mon absence ! Et si tu le fais quand même, sois prudente ! Je t'aime, Charlotte chérie. Merci d'avoir toujours été à mes côtés.

Déjà, elle était partie, accrochée au bras de Jack, souriante, les yeux embués de larmes, dans un grand bruissement de taffetas.

Durant plusieurs jours Pitt explora les différentes pistes pouvant mener à l'assassin de Sir Hamilton. Les comptes du cabinet immobilier furent à nouveau passés au crible, mais, comme lors de leur première vérification, ils ne révélèrent rien qui pût intéresser l'enquête. Aucune transaction frauduleuse n'avait été réalisée sous une quelconque pression ; l'agence n'avait tiré aucun avantage de malheureuses victimes d'un revers de fortune ; aucune propriété n'avait été vendue à un prix abusivement lucratif. Charles Verdun avait donc dit l'exacte vérité : il s'agissait d'une affaire dont Hamilton partageait les bénéfices, mais dont il laissait la responsabilité à son associé, qui, lui, se faisait un plaisir de la diriger.

La vérification des livres de comptes de l'entreprise de Birmingham dont Hamilton détenait des parts par héritage, et qui constituait sa principale source de revenus, ne dévoila aucune malversation.

Barclay Hamilton, son fils, possédait une jolie maison à Chelsea. Il avait la réputation d'un jeune homme respectable, paisible et un peu mélancolique. Personne ne médisait de lui ; ses affaires étaient en ordre. De nombreuses demoiselles de la haute société avaient jeté leur dévolu sur ce beau parti, toujours sans succès. Pitt n'entendit pas la moindre allusion qui pût nuire à son image.

De même, aucune ombre de scandale n'entachait la réputation d'Amethyst Hamilton. Elle ne se ruinait pas en toilettes et en bijoux, gérait les comptes de sa maison avec compétence, sans dépenses excessives ; elle servait volontiers les intérêts de son mari en donnant des dîners et des réceptions. Elle entretenait de nombreuses relations, sans que celles-ci soient trop intimes pour susciter des commentaires malveillants.

Un réexamen approfondi de la carrière politique d'Hamilton n'indiqua aucune injustice flagrante pouvant être à l'origine d'un désir de vengeance. On avait pu le jalouser ou lui tenir rigueur d'avoir obtenu des faveurs jugées parfois inéquitables, mais c'était là le jeu normal de la vie politique. À première vue, il n'avait pas pris de position violemment tranchée sur une question qui aurait pu le désigner comme cible à des adversaires. Bref, un parlementaire compétent, apprécié et respecté, mais dépourvu de l'envergure politique susceptible de provoquer des réactions démesurées.

Pendant ce temps, Micah Drummond avait lancé

autant d'hommes qu'il le pouvait sur la piste d'anarchistes ou de soi-disant révolutionnaires qui auraient utilisé le crime comme moyen de servir leur cause. Il parla à des hauts fonctionnaires des différents districts de la capitale et se rendit même au ministère des Affaires étrangères pour chercher à savoir si des ressortissants étrangers agissant pour le compte de leur pays auraient pu avoir un intérêt dans la mort spectaculaire d'un membre du Parlement. Finalement, il confia ses dossiers à Pitt et lui conseilla d'aller enquêter dans les bas-fonds de la capitale, pour tenter de glaner quelques renseignements.

Après avoir lu tous les rapports, Pitt en écarta les trois quarts. Ses collègues avaient bien fait leur travail et leurs informateurs avaient épuisé toutes leurs sources. Dans le quart restant, il choisit quelques pistes intéressantes : receleurs, voleurs ou faux-monnayeurs susceptibles d'avoir une dette envers lui, ou besoin de sa protection.

Il changea de tenue, troqua les bottes neuves offertes par Emily contre une paire usagée, enfila un vieux pantalon et une veste informe et crasseuse dans lesquels il pouvait passer inaperçu sur les docks, dans les taudis et les tavernes de l'East End. Puis il prit un cab qui le mena à trois kilomètres de là, vers l'est, et descendit tout près de Whitechapel Road.

Durant trois heures, il parla à une demi-douzaine de petits délinquants, se dirigeant toujours plus à l'est, vers Mile End, puis au sud, vers la Tamise et Wapping. Il mangea un sandwich et but un verre de cidre dans un bistrot qui donnait sur le fleuve, puis s'enfonça plus profondément dans un dédale de ruelles sordides et malodorantes, en se rapprochant de Limehouse Reach. En fin d'après-midi, il avait récolté un nombre suffisant d'informations à échanger contre les renseignements qui l'intéressaient.

Non loin des fameux appontements où jadis des pirates avaient été attachés aux piliers en attendant que la marée montante vienne les noyer, il trouva enfin le domicile de l'homme qu'il cherchait. Il gravit un escalier branlant, pourri par le temps et l'humidité, et frappa à une porte aux planches disjointes.

Au bout de plusieurs minutes, celle-ci s'entrebâilla. Pitt entendit un sourd grondement chargé de menace — celui d'un chien prêt à attaquer au moindre faux pas de sa part. Pitt baissa les yeux et vit dans la pénombre la tête blanche de l'animal, une sorte de bull-terrier mâtiné de setter.

La porte s'ouvrit un peu plus, révélant, à la lueur jaune d'une lampe à huile, un individu trapu, au cou de taureau, dont la coupe de cheveux en brosse était caractéristique des repris de justice. Il avait une figure rougeaude et des sourcils très blonds, presque blancs Lorsqu'il ouvrit la porte en grand, Pitt vit qu'il avait une jambe de bois sous une cuisse grasse coupée au-dessus du genou. C'était donc bien l'homme qu'il cherchait.

Il jeta un coup d'œil au chien qui se tenait entre eux deux.

— Deacon[1] Stafford ?

— Ouais ? Qu'est-ce que vous m'voulez ? J'vous connais pas.

Il détailla Pitt des pieds à la tête. Son regard s'arrêta sur ses mains.

— Ah ! Vous m'la ferez pas... Un roussin déguisé !

Pitt comprit que son accoutrement n'était pas aussi efficace qu'il l'avait espéré. Ses ongles étaient trop propres. La prochaine fois, il penserait à se salir les mains.

1. *Deacon* · diacre. Mot utilisé ici comme sobriquet. *(N.d.T.)*

— Jimmy le Maigre m'a dit que vous pourriez peut-être m'aider, dit-il posément. Je possède certaines informations qui pourraient vous être utiles.

— Jimmy le Maigre? Bon... Entrez. J'peux pas rester debout, rapport à ma jambe.

Pitt connaissait l'histoire de Deacon Stafford. Son père avait « pris le bateau » pour l'Australie, à l'époque où la relégation sur ce continent était le châtiment le plus communément prononcé à l'encontre des voleurs; sa mère avait été envoyée à l'asile pour indigents avec ses trois enfants. À l'âge de trois ans, le jeune William Stafford avait été contraint de fabriquer de l'étoupe en défaisant de vieux cordages. À six ans, il s'était enfui de l'asile et, après avoir passé des mois à voler et à mendier, il avait été recueilli par un chef de bande qui apprenait aux gamins des rues le métier de voleur, gardant la plus grande partie de leur butin pour lui, moyennant quoi il leur offrait nourriture et protection[1]. William avait brillamment réussi dans ses premières armes de pickpocket, puis s'était spécialisé dans une forme supérieure de chapardage, en allant pêcher dans les poches des dames. Un séjour dans les cellules humides de la sinistre prison de Coldbath Fields lui avait valu des ennuis articulaires et ses doigts avaient perdu de leur agilité. Il s'était reconverti dans le vol du zinc des couvertures du toit des églises, ce qui lui avait valu son sobriquet de Deacon. Par une nuit glaciale, il s'était fracturé la jambe en tombant d'un toit; la gangrène s'y était mise et il avait fallu l'amputer. Depuis, sans quitter ce taudis minuscule encombré de meubles où il passait ses journées assis à côté d'un poêle fumant, il avait acquis une certaine notoriété en négociant des informations contre de l'argent.

1. Référence à Fagin, personnage rendu célèbre par Charles Dickens, dans *Oliver Twist. (N.d.T.)*

Il fit signe à Pitt de s'asseoir sur une chaise en face de lui, à un mètre du poêle. Le chien entra en se dandinant et alla se coucher entre eux, sans quitter Pitt de ses petits yeux porcins.

— Alors? Qu'est-ce que vous avez pour moi? demanda Deacon, curieux. Jimmy, il me connaît, c'est un petit malin, mais il ne cherche pas à m'entourlouper. Alors un conseil, faites comme lui, si vous tenez à quitter Limehouse entier.

Pitt ne doutait pas un seul instant qu'il se ferait rouer de coups, s'il donnait à Deacon un tuyau percé. Aussi lui raconta-t-il mot pour mot les nouvelles qu'il avait glanées tout au long de la journée. Deacon parut satisfait; une lueur de profonde jubilation se répandit sur sa grosse figure et un sourire mauvais éclaira ses lèvres

— Bon. Alors, qu'est-ce que vous me voulez, hein? Vous m'avez pas dit tout ça pour rien!

— Le meurtre de Westminster Bridge, répondit Pitt sans dissimulation. D'après vous : des anarchistes, des fenians[1], des révolutionnaires? Que dit-on, par ici?

Deacon parut surpris.

— Rien du tout! Bon d'accord, j'en ai entendu parler. Y a dix ans, j'vous aurais dit que c'était un coup d'Harry Parkin. Un héros des anarchistes, celui-là, mais il s'est fait coincer en 83. Trois semaines au mitard dans la boîte à sel, et puis la cravate en chanvre. Il était bon qu'à dévaliser les poivrots, l'enfant de salaud.

— En général, on ne pend pas les gens pour ça, remarqua Pitt.

— Il a descendu un faux-monnayeur, expliqua

1. Membres d'une société secrète de républicains irlandais, fondée en 1858. *(N.d.T.)*

Deacon. L'autre l'avait payé avec des faux billets. Parkin lui a fendu le crâne, l'imbécile.

— Ça ne m'aide pas beaucoup, fit sèchement Pitt. Cherchez autre chose.

— Je demanderai à Mary Murphy, proposa Deacon. Une fille qui travaille à son compte, sans maquereau. Elle saura si c'est un coup des fenians, mais j'mettrais ma main au feu que c'est pas eux.

— Des anarchistes ? insista Pitt.

Deacon secoua la tête.

— Non, c'est pas dans leurs façons d'agir, ça, de suriner un type de la haute à Westminster Bridge. Qu'est-ce que ça leur apporterait ? Eux, ils adorent les actions d'éclat. Poser des bombes, par exemple. Ils adorent ça, les bombes. Ils aiment faire parler d'eux, ils agissent pas dans l'ombre.

— Alors, qu'est-ce qu'on en dit par ici ?

— Qu'il s'est fait égorger par quelqu'un qui le connaissait et qui lui voulait pas du bien.

Deacon écarquilla ses petits yeux.

— C'est pas des blagues. Moi, je gagne ma vie en balançant les gens. Si je racontais des bobards, dans un mois, je serais foutu. J'ai plus les doigts assez lestes pour voler. Faudrait que je me mutile et que je mendie, et c'est pas mon genre, ça.

En effet, songea Pitt, Deacon avait sa dignité. Il ne s'abaisserait pas à la mendicité.

Il se leva, sans quitter le chien des yeux.

— Ce n'est pas votre genre non plus de vous terrer dans une maison abandonnée le reste de votre existence afin que la police ne mette pas la main sur vous...

Deacon comprit parfaitement la menace et ne parut pas s'en formaliser ; cela faisait partie des règles tacites entre indicateurs et policiers.

— Ce crime a rien à voir avec nous autres, de

l'East End, dit-il très franchement. Ça nous apporterait rien de bon. On connaît les anarchistes et les types dans leur genre, parce que ça nous rapporte de les balancer. Je garderai l'œil ouvert, si vous me refilez des tuyaux qui m'intéressent. Mais moi, j'vous dis que les révolutionnaires ont rien à voir là-dedans. Cherchez plutôt du côté de quelqu'un de la haute.

— Ou d'un malade, fit Pitt avec une grimace.

Deacon poussa un profond soupir.

— Ouais, ça, y en a toujours, mais pas par ici. On a notre façon à nous de s'occuper d'eux... Moi j'vous dis de chercher du côté de ces messieurs de la haute.

Cinq jours après le départ d'Emily pour Paris, Pitt fut réveillé un soir — pour la première fois depuis le meurtre il s'était couché tôt — par des coups sourds frappés à la porte d'entrée. Il émergea lentement des limbes d'un doux sommeil et réalisa que ce bruit ne faisait pas partie de son rêve, mais bel et bien de la réalité, et qu'il réclamait toute son attention.

— Que se passe-t-il? demanda Charlotte d'une voix ensommeillée.

Pitt sourit. Elle était capable de dormir au milieu de tout ce vacarme, alors que si l'un des enfants chuchotait dans son sommeil, elle se levait d'un bond et enfilait sa robe de chambre avant que lui-même ait retrouvé ses esprits.

— On frappe à la porte, dit-il d'un ton endormi, en tendant la main vers sa veste et son pantalon.

On venait certainement le chercher pour l'emmener quelque part dans la nuit glaciale. Il chercha ses chaussettes et n'en trouva qu'une.

Charlotte se redressa, et tâtonna à la recherche d'allumettes pour allumer la lampe à gaz.

— Inutile, chuchota-t-il. Elle doit bien être quelque part.

Charlotte ne demanda pas qui frappait à la porte. Elle savait d'expérience qu'il s'agissait d'un policier porteur d'un message urgent. Elle détestait ces réveils brutaux en pleine nuit, mais savait qu'ils faisaient partie des vicissitudes de la vie d'un inspecteur de police. Ce qu'elle redoutait beaucoup plus, c'était les coups sur la porte en l'absence de Pitt, qui lui apporteraient alors une très mauvaise nouvelle...

Pitt finit par trouver sa chaussette, l'enfila et se leva. Il se pencha sur Charlotte, l'embrassa, sortit de la chambre sur la pointe des pieds, puis descendit au rez-de-chaussée où se trouvaient ses bottes. Enfin il déverrouilla la porte d'entrée et l'ouvrit en grand. Il y avait un policier sur le perron. La lumière du réverbère n'éclairait qu'une moitié de son visage.

— On en a trouvé un autre, monsieur ! s'écria-t-il, visiblement soulagé de pouvoir enfin parler à quelqu'un. Mr. Drummond vous demande de venir d'urgence. Si vous êtes prêt, une voiture vous attend.

Pitt remarqua le cab garé un peu plus loin dans la rue. Le cocher était assis sur son siège, les rênes à la main, une couverture sur les genoux. Le souffle du cheval qui piaffait d'impatience s'élevait en un mince nuage de vapeur dans l'air.

— Un autre quoi ? demanda Pitt, l'esprit brumeux.

— Un autre député, monsieur. Égorgé et attaché à un réverbère de Westminster Bridge, comme le premier.

Pitt resta bouche bée. Il ne s'attendait pas à cette nouvelle ; Deacon l'avait pratiquement convaincu qu'il s'agissait d'un crime d'ordre privé, motivé par la peur, la cupidité ou par un désir de revanche longtemps prémédité. Or, il semblait que la seule explication possible fût celle qu'il redoutait le plus : un fou dangereux rôdant dans les beaux quartiers.

— Comment s'appelle-t-il ?

— Vyvyan Etheridge. Jamais entendu parler de lui. Mais je connais pas trop les hommes politiques, sauf les plus célèbres.

— Nous ferions bien de nous dépêcher.

Pitt prit son manteau — ses gants étaient dans ses poches —, puis referma la porte et suivit l'agent sur le trottoir humide ; la condensation se formant sur les murs luisait à la lumière des becs de gaz.

Il se contorsionna pour rentrer les pans de sa chemise dans son pantalon, en regrettant de ne pas s'être habillé plus chaudement. Il allait certainement avoir froid.

Le cab s'éloigna en cahotant dans la nuit noire. Il prit soudain un virage à angle droit qui catapulta les deux hommes contre les parois de la voiture.

— Que savez-vous d'autre ? Au fait, quelle heure est-il ? demanda Pitt.

— Environ minuit moins le quart, monsieur, répondit l'agent en tentant de se réinstaller plus confortablement sur son siège.

Mais ce fut peine perdue. Le cab avait encore tourné à angle droit, les projetant en sens opposé.

— Le pauvre homme a été découvert peu après onze heures, à la sortie d'une séance de nuit. Il devait rentrer chez lui à pied, comme l'autre. Il habite non loin de Lambeth Palace Road, sur la rive sud.

— Rien d'autre ?

— Pas à ma connaissance, monsieur.

Pitt ne lui demanda pas qui avait découvert le corps. Il préférait juger par lui-même, sur place. Le trajet se poursuivit en silence ; les deux hommes étaient ballottés en tous sens, car le cocher ralentissait brutalement pour amorcer les virages, avant de repartir de plus belle.

Ils s'arrêtèrent à l'une des extrémités du pont. Pitt descendit du cab et, dans la lumière du réverbère, vit quelques passants attroupés, à la fois inquiets, fascinés et atterrés. On leur avait interdit de s'éloigner, mais ils n'avaient pas l'air d'avoir envie de partir. L'horreur les gardait proches les uns des autres, comme s'ils ne voulaient pas quitter ceux qui avaient partagé la même vision, dans ce petit îlot de lumière perdu au milieu des ténèbres.

Pitt repéra aussitôt la silhouette maigre de Micah Drummond et se dirigea vers lui. Sur le sol était allongé, enveloppé dans son manteau, le corps d'un homme d'une cinquantaine d'années, vêtu d'habits d'excellente qualité. Son haut-de-forme était posé à côté de lui, ainsi que son écharpe de soie blanche, ensanglantée, qui avait été coupée par les hommes de la morgue. Le sang avait également maculé le plastron de sa chemise. Une plaie horrible traversait son cou de part en part.

Pitt s'agenouilla pour l'examiner. Le visage paraissait calme, comme si l'homme n'avait pas vu la mort venir. Il avait un visage étroit encadré de cheveux argentés, des traits agréables, aristocratiques, avec un long nez, un grand front, une bouche sévère mais dénuée de cruauté. Des fleurs fraîches étaient accrochées à sa boutonnière.

Pitt détourna les yeux et regarda Drummond.

— Vyvyan Etheridge, M.P. [1], fit celui-ci à voix basse.

Il paraissait hagard; ses yeux étaient cernés, ses lèvres pincées. Pitt ressentit un élan de pitié pour lui. Demain, tout Londres, de la femme de ménage au Premier ministre, réclamerait à cor et à cri que l'on trouvât une solution pour prévenir de tels crimes. On ne comprendrait pas que des représentants de l'ordre établi, qu'ils soient aimés ou haïs, puissent être impu-

1. M.P. : *Member of Parliament*, député. *(N.d.T.)*

nément égorgés à quelques centaines de mètres du Parlement.

Pitt se releva.

— Lui a-t-on dérobé quelque chose ? demanda-t-il, bien qu'il fût déjà certain de la réponse.

Drummond secoua à peine la tête.

— Non. Il a sur lui sa montre en or, très chère, dix souverains, environ dix shillings en argent et de la menue monnaie, une flasque de brandy encore pleine : un objet magnifique, en argent massif, très solide, avec son nom gravé en filigrane. Boutons de manchette en or, canne à pommeau d'argent. Tout est là. Ah, et des gants de cuir fin, d'origine française.

— Pas de papiers ?

— Pardon ?

— Avait-il des papiers, des notes sur lui ? répéta Pitt, sans trop d'espoir. Je me demandais si par hasard l'assassin n'aurait pas laissé un message, une lettre de menaces, une demande de rançon. Une façon de signer son crime en quelque sorte.

— Non, seulement ses papiers personnels ; deux lettres, des cartes de visite, ce genre de chose...

— Qui a trouvé le corps ?

— Le jeune gars, là-bas, fit Drummond avec un léger signe de tête. À mon avis, il avait un peu bu, mais le spectacle a dû très vite le dessoûler, le pauvre diable. Il s'appelle Harry Rawlins.

— Merci, monsieur.

Pitt traversa la chaussée et alla rejoindre le petit groupe attroupé sous le réverbère. Il avait l'impression de marcher dans un rêve, une sorte de déjà-vu, comme s'il revivait la première scène. La nuit était la même : le plafond caverneux de la voûte céleste, la morsure du vent, l'eau noire et satinée du fleuve dans laquelle se reflétaient les lumières des lampadaires de l'Embankment, les réverbères à trois branches du pont, les sombres tours gothiques du palais de Westminster qui se découpaient dans le ciel étoilé. Seuls les gens étaient différents : il n'y avait pas Hetty Milner, avec ses cheveux blonds et ses jupons colorés, mais un cocher qui avait fini son travail, un serveur de pub qui rentrait chez lui, un employé de bureau accompagné d'une amie affolée et embarrassée, un porteur de la gare de Waterloo Station, située juste de l'autre côté du pont, et un jeune homme bien habillé, blême, le regard fixe, dont les cheveux tombaient sur le front. Un fils de bonne famille sorti passer une soirée en ville. Toute trace d'ivresse avait quitté ses traits ; il était complètement dégrisé. Pitt ne lui demanda pas si c'était lui qui avait découvert le corps : c'était écrit sur son visage.

— Mr. Rawlins ? Inspecteur Pitt. Pouvez-vous me dire ce qui s'est passé ?

Rawlins avala sa salive. Pendant un moment il eut du mal à trouver ses mots. Il n'avait pas découvert le cadavre d'un clochard mais celui d'un homme de sa classe sociale, maintenu contre un réverbère dans une posture grotesque, le haut-de-forme de travers, l'écharpe serrée sous le menton.

Pitt patienta. Rawlins toussa puis s'éclaircit la gorge.

— Je rentrais chez moi. Voyez-vous, je revenais d'une soirée entre amis...

— D'où veniez-vous ?

— Du Whitehall Club, là-bas... Vers Cannon Street.

D'un geste vague, il désigna l'autre bout du pont, par-delà la statue de Boudicca.

— Où habitez-vous, monsieur ?

— Charles Street, sur la rive sud, une rue qui donne dans Westminster Bridge Road. J'ai décidé de rentrer à pied. Je pensais que l'air frais me ferait du bien. Je ne voulais pas que mon père me voie éméché.

— Donc vous rentriez chez vous en passant par le pont ?

— Oui, c'est cela.

Il vacilla sur ses jambes.

— Mon Dieu, je n'ai jamais rien vu d'aussi horrible ! Le pauvre homme était appuyé contre le montant du réverbère, la tête renversée en arrière, ballottante, comme s'il avait bu. C'est seulement en arrivant à sa hauteur que je l'ai reconnu. Je l'avais rencontré à quelques reprises ; il faisait partie des relations de mon père. Je me suis dit : « Tiens, je n'aurais jamais cru voir un jour Vyvyan Etheridge pris de boisson. Cela m'étonne de lui. » Je me suis avancé, pensant qu'il était malade, et puis...

Il déglutit péniblement. Malgré le froid, la sueur perlait à son front.

— Et j'ai vu... j'ai vu qu'il était mort. Tout de suite je me suis souvenu de ce pauvre Hamilton et je suis parti en courant, je crois, vers le Parlement. J'ai dû crier quelque chose. Un policier est arrivé et je lui ai dit ce que j'avais vu.

— Y avait-il quelqu'un sur le pont ou s'apprêtant à l'emprunter lorsque vous êtes arrivé ?

Rawlins cligna des yeux.

— Euh... Honnêtement, je ne m'en souviens pas. Je suis désolé. Comme je vous l'ai dit, j'étais un peu parti... enfin, avant de voir Etheridge et de réaliser ce qui s'était passé.

— Essayez tout de même de vous souvenir, monsieur, le pria Pitt, observant le visage sérieux, calme et honnête de son interlocuteur.

Rawlins pâlit. Même dans son état, il comprenait les raisons de l'insistance du policier.

— Je crois avoir vu quelqu'un de l'autre côté du pont, je veux dire, sur le trottoir d'en face, venant dans ma direction. Une personne de taille imposante portant un manteau foncé, plutôt long... C'est la seule chose dont je me souvienne. Une silhouette sombre qui avançait. C'est tout. Je suis navré.

Pitt attendit encore, espérant qu'un détail lui reviendrait en mémoire. Puis il se rendit à l'évidence : en arrivant sur le pont, Rawlins n'était vraiment pas en état d'observer quoi que ce soit.

— Quelle heure était-il, monsieur ?

— Pardon ?

— L'heure, monsieur. Big Ben est juste derrière vous.

— Oh, l'heure... Oui, bien sûr. Je suis sûr d'avoir entendu sonner onze heures. Donc, il devait être onze heures cinq, pas plus.

— Êtes-vous vraiment certain de n'avoir vu personne d'autre ? Un cab, par exemple ?

Le regard de Rawlins s'éclaira.

— Un cab ? Oui, maintenant que vous me le dites, je me souviens... Un cab qui débouchait du pont et longeait Victoria Embankment. Désolé, monsieur l'agent.

Pitt jugea inutile de le reprendre. Le jeune homme avait dit cela sans mauvaise intention. Il était trop choqué pour se soucier du grade du policier qui l'interrogeait.

— Merci, monsieur. Si un détail vous revient à l'esprit, vous pouvez me trouver au commissariat de Bow Street. À présent, vous devriez rentrer chez vous, boire une tasse de thé et vous coucher.

— Oui, c'est ce que je vais faire. Eh bien... bonne nuit !

Il s'éloigna très vite d'une démarche encore hésitante, titubant d'une flaque de lumière à une autre en direction de Westminster Bridge Road, avant de disparaître derrière les immeubles.

Pitt alla retrouver Drummond. Celui-ci le regarda,

cherchant dans ses yeux une lueur d'espoir qu'il ne trouva pas.

— Rien de nouveau, dit-il, morose. On dirait que la piste du complot politique s'impose. Demain matin, nous remettrons les hommes au travail, mais ils font déjà tout ce qu'ils peuvent. Nous ne possédons pas le plus petit élément qui pourrait nous permettre de remonter jusqu'au meurtrier. Dieu du ciel, Pitt, j'espère qu'il ne s'agit pas d'un malade mental !

— Je l'espère aussi, fit Pitt avec une grimace. Nous en serons réduits à doubler les rondes, en espérant pouvoir surprendre notre homme en flagrant délit.

Il dit cela en désespoir de cause, sachant pertinemment qu'ils ne pouvaient pas faire grand-chose, si tel était le cas.

— Mais il reste d'autres hypothèses.

— Y aurait-il eu erreur sur la personne, pour la première victime ? fit Drummond, pensif. Etheridge était visé, mais on l'aurait confondu avec Hamilton ? Il fait très sombre dans l'intervalle entre deux réverbères. Si Sir Lockwood tournait le dos à la lumière et si son visage était dans la pénombre au moment de l'agression... Les deux hommes se ressemblaient vaguement et ils avaient des cheveux gris. Une personne effrayée ou furieuse...

Il ne termina pas sa phrase. La scène leur paraissait suffisamment claire.

— Deuxième hypothèse : le second meurtre est la reproduction du premier, reprit Pitt d'un ton peu convaincu. Cela arrive parfois, surtout quand beaucoup de publicité est faite autour d'un crime, ce qui a été le cas pour Hamilton. Ou bien alors, un seul des deux était important aux yeux des assassins ; on veut nous faire croire qu'il s'agit de l'œuvre d'un anarchiste ou d'un déséquilibré, alors qu'un assassinat de sang-froid a été perpétré pour en cacher un autre.

— Dans ce cas, lequel des deux députés était visé, Hamilton ou Etheridge ? fit Drummond d'un ton las.

Il avait fort peu dormi ces derniers jours. Les conséquences désastreuses de ce nouveau drame lui laissaient entrevoir d'autres nuits blanches.

Pitt frissonna, glacé jusqu'aux os malgré son épais manteau.

— Bon, il ne me reste plus qu'à aller prévenir la veuve, dit-il. Avez-vous son adresse ?

— 3, Paris Road. Une rue qui part de Lambeth Palace Road.

— J'irai à pied.

— Il y a un cab, remarqua Drummond.

— Merci, mais je préfère marcher.

Ainsi, il aurait le temps de réfléchir et de se préparer à la scène qui allait suivre Il partit d'un pas vif, en agitant les bras pour se réchauffer, tout en essayant de trouver la formule convenable pour informer la famille du deuil qui la frappait.

Il cogna plus de cinq minutes à la porte avant de voir une lumière s'allumer dans le vestibule. Le visage couvert de taches de rousseur d'un jeune valet apparut dans l'entrebâillement de la porte.

— Inspecteur Thomas Pitt, du commissariat de Bow Street. Désolé, j'ai une mauvaise nouvelle à annoncer à la famille de Mr. Etheridge. Puis-je entrer ?

— Oui... oui, monsieur.

Le valet recula et ouvrit la porte pour l'introduire dans un grand vestibule aux boiseries de chêne. La lumière de la lampe à gaz éclairait les contours d'une série de portraits de famille et une aquarelle vénitienne où dominaient des tons de bleus. Dans la pénombre, on entrevoyait la courbe d'un superbe escalier qui s'élevait vers le palier du premier étage, faiblement éclairé.

— S'agit-il d'un accident, monsieur ? s'inquiéta le valet, le front plissé. Mr. Etheridge est-il malade ?

— Non. Je suis au regret de vous dire qu'il est décédé. Il a été assassiné, de la même manière que Sir Lockwood Hamilton.

— Oh, mon Dieu !

Le domestique pâlit. On ne voyait plus que ses taches de rousseur. Un instant, Pitt crut qu'il allait s'évanouir. Il tendit la main et ce geste aida le garçon à reprendre ses esprits. Il ne devait guère avoir plus de vingt ans.

— Y a-t-il un majordome ? demanda Pitt, espérant le décharger de l'horrible fardeau d'annoncer seul la terrible nouvelle.

— Oui, monsieur.

— Vous devriez aller le réveiller, ainsi que la camériste de Mrs. Etheridge.

— Mrs. Etheridge ? Il n'y a pas de Mrs. Etheridge, monsieur. Monsieur était veuf, depuis longtemps. Il y a Miss Helen, sa fille, et Mr. Carfax, son gendre.

— Dans ce cas, allez chercher le majordome et une femme de chambre, et dites à Mr. et Mrs. Carfax que je dois leur parler.

Le valet conduisit Pitt dans le grand salon, une pièce austère, tapissée de vert sombre. Sur un guéridon était posé un ravissant vase bleu rempli de jonquilles. Parmi les tableaux accrochés aux murs, Pitt crut reconnaître un original d'un peintre italien du XVIIIe siècle, probablement un Guardi. Feu Vyvyan Etheridge avait non seulement du goût, mais aussi de l'argent.

Il attendit environ un quart d'heure avant de voir arriver James et Helen Carfax, tous deux très pâles, en robe de chambre. La fille du député était une jeune femme d'une trentaine d'années. Comme son père, elle avait un visage aristocratique, un front haut, mais le contour de ses lèvres était plus doux. Il y avait une délicatesse dans ses pommettes, ses joues et sa gorge qui, sans lui conférer une véritable beauté, traduisait un tempérament imaginatif et sensible. Réveillée en sursaut, elle avait relevé ses cheveux en chignon en toute hâte ; son visage était livide et crispé.

James Carfax était beaucoup plus grand qu'elle. Maigre et élancé, il avait d'épais cheveux bruns et de grands yeux. Il aurait pu être beau, si ses traits avaient été plus énergiques ; sa bouche reflétait un tempérament versatile, une bouche aussi prompte à sourire qu'à bouder. Il se tenait sur la défensive, le bras passé autour de l'épaule de son épouse.

— Je suis absolument désolé, Mrs. Carfax, fit aussitôt Pitt. Si cela peut vous réconforter, sachez que votre père n'a pas souffert. Son visage reflétait une grande quiétude ; il n'a pas eu le temps d'avoir peur, ni de souffrir.

— Merci, murmura-t-elle dans un souffle.

— Vous devriez vous asseoir et vous faire porter un cordial.

— Cela ne sera pas nécessaire, intervint James Carfax d'un ton cassant. À présent que vous nous avez annoncé la nouvelle, ma femme peut se retirer dans sa chambre.

— Si vous le désirez, je peux revenir demain matin, dit Pitt en s'adressant à Helen Carfax. Cependant, plus tôt nous pourrons obtenir des informations, plus vite nous aurons des chances d'appréhender le coupable.

— Foutaises ! s'exclama James Carfax. Il n'y a rien, dans ce que nous pourrions vous dire, qui vous serait utile ! De toute évidence, le ou les meurtriers de Sir Lockwood Hamilton courent encore. Ce sont eux qui ont assassiné mon beau-père. Vous et vos collègues devriez être dans les rues à leur poursuite, à l'heure qu'il est ! Nous avons affaire à un dangereux malade ou à un complot anarchiste. Dans l'un ou l'autre cas, ce n'est pas chez nous que vous trouverez la moindre piste.

Pitt était habitué à ce genre de réaction violente, à l'annonce d'un meurtre. Les proches cherchaient à pallier leur douleur en s'en prenant avec colère au premier venu.

— Néanmoins, il est de mon devoir de poser des questions, insista Pitt. Il est possible que Mr. Etheridge et Sir Lockwood aient été visés par une personne nourrissant un ressentiment d'ordre politique...

James Carfax haussa les sourcils.

— Ainsi, selon vous, ils étaient visés tous les deux ? releva-t-il d'un ton sarcastique.

— Seule l'enquête le dira, monsieur, répondit Pitt en soutenant son regard. Je ne peux avancer aucune explication. Il arrive qu'un criminel en imite un autre, en espérant que l'auteur du premier meurtre sera accusé des deux.

James Carfax perdit patience.

— Selon moi, il s'agit d'une bande d'anarchistes que la police est incapable d'arrêter !

Sans relever la remarque, Pitt se tourna vers Helen qui, suivant son conseil, avait pris place dans un grand sofa vert foncé. Assise sur le bord, elle se tenait voûtée, les bras croisés autour de la poitrine comme si elle avait froid, en dépit des braises qui rougeoyaient encore dans la cheminée.

— Désirez-vous que nous informions d'autres membres de la famille, Mrs. Carfax ?

Elle secoua la tête.

— Non, je suis son seul enfant. Mon frère est mort il y a plusieurs années, à l'âge de douze ans. Ma mère est décédée peu après lui. J'ai un oncle, dans l'armée des Indes. Je lui écrirai d'ici un jour ou deux.

Pitt devrait vérifier qu'elle était bien l'unique héritière, mais il eût été étonnant qu'Etheridge ne lui laissât pas sa fortune.

— Votre père était donc veuf depuis plusieurs années ?

— Oui.

— Avait-il envisagé de se remarier ? demanda-t-il, espérant apprendre, sans trop la choquer, si Vyvyan Etheridge entretenait une liaison.

Il pria pour qu'elle comprît le sens de la question.

Un pâle sourire éclaira les lèvres de la jeune femme.

— Pas à ma connaissance Ce qui n'empêchait pas plusieurs dames d'avoir des vues sur lui.

Pitt hocha la tête.

— C'est compréhensible : un homme charmant, fortuné, de belle prestance, de bonne famille, à la brillante carrière, à la réputation sans tache et suffisamment jeune pour envisager de fonder un nouveau foyer.

James Carfax releva le menton ; sa bouche s'affaissa légèrement. Était-ce sous l'effet de l'inquiétude ou du désarroi ? L'expression fut si fugitive que Pitt n'aurait pu en définir la nature.

Helen leva vivement les yeux vers son mari ; elle pâlit un peu plus, puis le sang afflua à ses joues. Elle se tourna vers Pitt et murmura, si bas qu'il dut se pencher vers elle pour saisir le sens de ses paroles :

— Je ne suis pas sûre... que mon père ait désiré se remarier. Je crois que je l'aurais su.

— Une de ces dames aurait-elle eu des raisons de caresser l'espoir de l'épouser ?

— Non.

Pitt regarda James Carfax, mais celui-ci détourna les yeux.

— Pourriez-vous me donner la liste des personnes

venues lui rendre visite ce matin ? Et celle de ses collègues ou associés ?

— Oui, si vous le jugez nécessaire, répondit Helen, livide.

Toujours assise sur le bord du canapé, elle serrait les poings, la tête rentrée dans les épaules,

— Les affaires de mon beau-père étaient parfaitement en ordre, intervint James en fronçant les sourcils. Je suis certain qu'elles n'ont aucun rapport avec son décès. Vous vous immiscez dans notre vie privée sans aucune justification ! Mr. Etheridge avait hérité de propriétés dans le Lincolnshire et le West Riding. Il possédait des parts dans plusieurs sociétés londoniennes. J'imagine que des mécontents ou des soi-disant révolutionnaires voyaient cela d'un mauvais œil, mais ces gens-là haïssent toute personne possédant quelques biens, conclut-il, le regard étincelant, la mâchoire agressive.

Il semblait défier Pitt, comme s'il le soupçonnait de nourrir quelque sympathie pour « ces gens-là ».

Pitt lui rendit son regard en souriant. Ce fut Carfax qui baissa les yeux le premier.

— Rassurez-vous, nous étudions toutes les pistes. J'enquêterai aussi du côté de sa carrière politique, poursuivit-il. Pourriez-vous me la résumer en quelques mots, de façon que je sache vers où orienter mes recherches ?

Helen s'éclaircit la gorge.

— Mon père était membre du parti libéral depuis vingt et un ans, exactement depuis l'élection de décembre 1868. Sa circonscription électorale se trouve dans le Lincolnshire. Il a été sous-secrétaire d'État au Trésor en 1880, lorsque Mr. Gladstone était Premier ministre et chancelier de l'Échiquier, puis nommé au secrétariat aux Affaires indiennes, en 1885, si je me souviens bien. Durant l'année 1883, il avait été secrétaire parlementaire de Sir William Harcourt, le ministre de l'Intérieur de l'époque. En ce moment, il n'exerce pas — je veux dire il n'exerçait pas — de fonction particulière, mais c'était un homme très influent.

— Merci. Sauriez-vous par hasard s'il avait une opinion tranchée sur la question irlandaise ? Que pensait-il du Home Rule ?

Helen Carfax frissonna, jeta un coup d'œil à son mari, mais celui-ci ne parut pas s'en rendre compte ; il semblait absorbé dans ses propres pensées.

— Il était contre, répondit-elle lentement.

Puis elle écarquilla les yeux ; une brève lueur de colère, d'espoir, ou tout simplement de compréhension, éclaira son regard.

— Pensez-vous à un acte terroriste ? Les fenians ? Un complot irlandais ?

— C'est possible.

Pitt en doutait. Hamilton, lui, était partisan du Home Rule. Mais il avait pu être tué par erreur... La nuit, à la lueur d'un réverbère, on peut confondre deux hommes du même âge environ, ayant à peu près la même taille et la même couleur de cheveux.

— Oui, c'est possible, répéta-t-il.

— Dans ce cas, vous feriez mieux de commencer à enquêter tout de suite, remarqua James Carfax, qui paraissait un peu plus détendu. À présent, nous allons nous retirer. Ma femme vient de subir un très gros choc. Je suis certain que les amis politiques de mon beau-père vous fourniront tous les renseignements que vous désirez.

Il tourna brusquement les talons, sans même offrir le bras à son épouse. Pitt crut voir sur le visage d'Helen une expression peinée, mais elle se reprit très vite. Il faillit tendre la main vers elle, tout comme il l'aurait fait spontanément avec Charlotte, mais il se souvint de leur différence sociale : un policier n'est pas considéré comme un hôte ou un égal. Elle jugerait le geste déplacé et, surtout, il soulignerait le fait que son mari avait omis de lui offrir sa main. Ce dernier tenait la porte ouverte.

— Avez-vous passé la soirée chez vous, monsieur ? demanda Pitt, d'un ton plus cassant qu'il ne l'aurait souhaité, mais il avait du mal à dissimuler sa colère.

James Carfax parut surpris et rougit, ce qui n'échappa pas à l'œil attentif de Pitt, en dépit du faible éclairage de la pièce.

Carfax hésita. Se demandait-il s'il devait mentir ?

— Aucune importance, fit Pitt avec un sourire caustique. Votre valet pourra me renseigner. Bien, je ne m'attarderai pas plus longtemps. Merci, Mrs. Carfax. Je suis profondément désolé d'avoir été porteur d'une si mauvaise nouvelle.

— Nous n'avons que faire de vos excuses, contentez-vous de vous mettre au travail ! lança Carfax, puis, réalisant à quel point il se trahissait en se montrant inutilement grossier, il se détourna et franchit le seuil de la porte, sans attendre Helen.

Celle-ci, immobile, gardait les yeux fixés sur Pitt, prête à dire quelque chose. Sentant son indécision, il attendit. Il craignait qu'elle ne se retirât s'il la pressait de questions.

— Je suis restée à la maison, dit-elle, puis elle parut aussitôt regretter ses paroles. Je suis allée me coucher tôt. Je ne saurais vous dire ce qu'a fait mon mari, mais je sais que mon père avait reçu une... une lettre qui le préoccupait. Peut-être une lettre de menaces.

— En connaissez-vous l'expéditeur, Mrs. Carfax ?

— Non. Quelque chose à voir avec la politique, je crois. Peut-être en rapport avec les Irlandais ?

— Merci. Demain, essayez de vous souvenir

d'autres détails. Nous irons enquêter à son bureau et au Parlement. Savez-vous s'il a gardé cette lettre ?

Elle parut sur le point de s'évanouir.

— Je n'en ai pas la moindre idée.

— Ne détruisez aucun document, Mrs. Carfax. À propos, il serait peut-être sage de fermer le bureau de votre père à double tour.

— C'est promis. À présent, inspecteur, si vous voulez bien m'excuser, j'aimerais être seule.

Pitt se redressa, presque au garde-à-vous. Réaction étrange de sa part, mais il éprouvait pour cette femme une profonde compassion, non seulement parce qu'elle avait perdu son père dans des circonstances tragiques, mais aussi parce qu'il devinait sa grande solitude, sans nul doute liée à l'attitude de son mari. Peut-être savait-elle que l'amour qu'elle lui portait n'était pas payé en retour. Mais il y avait autre chose, une blessure intime qu'il ne pouvait que pressentir.

Le valet le raccompagna à la porte. Pitt descendit les marches du perron et s'enfonça dans la rue paisible et bien éclairée, avec la conviction qu'il n'allait pas tarder à découvrir d'autres tragédies.

5

Le lendemain, la police entreprit de retrouver des témoins oculaires qui auraient pu être à même de préciser l'heure du crime et de dire si l'assaillant était arrivé par le nord ou le sud du pont, à pied ou en cab, et par quel chemin il était reparti. Mais ils ne purent obtenir de renseignements avant la soirée, car les vendeurs ambulants et les noctambules fréquentant les rues vers minuit sont dans la journée à leur domicile ou dans leur boutique; quant aux parlementaires, ils se trouvent encore chez eux, à leur bureau ou dans les ministères.

À midi, on avait retrouvé quatre des cochers ayant traversé le pont entre dix heures trente et onze heures du soir. Ils n'avaient pas remarqué de gens flânant dans les rues, hormis les filles qui vendaient leurs charmes. L'un d'entre eux avait aperçu un marchand de puddings, habitué des lieux, qui, interrogé par la police en début de soirée, ne se souvenait d'aucun élément marquant.

Des députés qui s'étaient entretenus avec Vyvyan Etheridge à la sortie du Parlement avant de partir chacun de leur côté, aucun n'avait vu d'inconnu l'approcher. Aucun ne se souvenait s'il avait pris la direction du pont. Ils étaient tous occupés à bavarder, et, vu l'heure tardive et la nuit noire, ils ne pensaient qu'à rentrer chez eux.

Jusqu'à minuit, les policiers arpentèrent le quartier pour interroger d'éventuels témoins. Mais tout concourait à démontrer que cette soirée avait en fin de compte été des plus ordinaires. Aucun individu louche ne s'était manifesté, aucun événement ne paraissait avoir perturbé Etheridge ou l'avoir poussé à changer ses habitudes ; pas d'éclats de voix, ni message urgent ayant causé un départ précipité ou une inquiétude particulière de sa part. Il avait été découvert mort par Harry Rawlins, dix minutes après avoir pris congé de ses collègues à la sortie du Parlement.

Pitt s'attaqua à la vie privée du député, en commençant par son patrimoine. Il ne lui fallut que deux heures pour apprendre par la bouche du notaire qu'Etheridge était un homme très fortuné et n'avait pour héritier que sa fille, Helen Carfax. Ses biens n'étaient pas légués à d'autres personnes, son domicile de Paris Road et ses splendides propriétés du Lincolnshire et du West Riding étaient en nue-propriété et non hypothéquées.

Pitt quitta l'étude plutôt insatisfait. En dépit du soleil printanier, il avait froid. Le notaire, petit homme pointilleux avec ses besicles posées au bout de son nez étroit, n'avait rien dit au sujet du gendre du défunt, James Carfax, mais son silence n'en était pas moins éloquent. Il garda pendant tout l'entretien les lèvres pincées et son regard bleu pâle tristement posé sur Pitt. Sa discrétion fut irréprochable ; il ne lui confia que ce qui allait nécessairement devenir public lorsque le testament serait homologué. Pitt ne s'attendait d'ailleurs pas à ce qu'il lui confiât des secrets de famille. Un homme du rang d'Etheridge n'aurait pas fait appel à un notaire susceptible de trahir sa confiance.

Pitt se restaura rapidement dans un célèbre pub du quartier, *Goat and compasses*, où on lui servit du mouton froid et un verre de cidre ; puis il prit un cab qui le conduisit de Westminster à Paris Road. C'était une heure convenable pour rendre visite à Helen Carfax ; si elle ne se sentait pas en état de le recevoir, cela n'aurait guère d'importance. Il tenait surtout à éplucher les papiers personnels d'Etheridge pour trouver la lettre dont elle lui avait parlé ou toute autre correspondance révélant une inimitié, par exemple celle d'une femme se considérant comme abusée, ou d'un rival en affaires ou en politique.

Lorsqu'il descendit devant le domicile des Carfax, il trouva les rideaux tirés. Une guirlande de deuil entourait la porte ; la bonne qui vint lui ouvrir avait un crêpe noir sur ses cheveux, à la place de son bonnet amidonné, et ne portait pas le traditionnel tablier blanc. Elle faillit lui dire d'emprunter la porte de service, mais un mélange d'incertitude et de crainte lui fit choisir la solution la plus simple.

— Entrez. Mais j'ignore si Madame pourra vous recevoir, le prévint-elle.

— Et Mr. Carfax ? demanda Pitt en la suivant dans le grand salon.

— Il est sorti en ville pour affaires. Je suppose qu'il reviendra après le déjeuner.

— Voudriez-vous demander à Mrs. Carfax si elle m'autorise à chercher dans le bureau de son père la lettre dont elle m'a parlé ?

— Je vais lui poser la question, monsieur, fit la soubrette d'un air dubitatif.

Une fois seul, Pitt observa le salon plus attentivement qu'il ne l'avait fait la veille. Une pièce paisible, réservée aux visiteurs inattendus, servant également de bureau pour les occupants des lieux qui pouvaient y lire et y rédiger leur courrier. La maîtresse de maison venait là s'occuper du bon déroulement de la journée, donner des instructions à la cuisinière, à la gouvernante et discuter de problèmes domestiques ou de l'approvisionnement du cellier avec le majordome.

Dans un angle de la pièce se trouvaient un secrétaire de style Reine Anne et un guéridon sur lequel étaient posées de nombreuses photographies encadrées. Pitt les étudia avec soin. La plus grande représentait de toute évidence Vyvyan Etheridge jeune homme, assis aux côtés d'une femme au visage avenant. Le couple se tenait un peu raide face à l'objectif, mais au-delà de la rigidité de la pose, il émanait de leurs traits une confiance et un bonheur évidents. À en juger par les vêtements, le cliché datait d'une vingtaine d'années. Il y avait aussi la photographie, encadrée de noir, d'un garçon d'environ douze ans, maigre, aux grands yeux fiévreux.

Le portrait d'une femme d'un certain âge, au visage triste et chevalin, était sans doute celui de la mère d'Etheridge. Pitt décela une certaine ressemblance avec sa petite-fille Helen : même front haut, même bouche sensible.

Sur la gauche du guéridon trônait une grande photographie des époux Carfax. Helen paraissait incroyablement innocente, avec un regard plein d'espoir et des traits enfantins qui irradiaient du bonheur d'une femme amoureuse. James Carfax souriait à l'objectif avec une expression de soulagement satisfait. En bas à droite du cliché figurait une date, 1883. Ce devait être peu après leur mariage.

Pitt s'approcha de la bibliothèque. Les choix d'un homme en matière de livres en disent long sur sa personne, si les ouvrages ont été lus ; s'ils ne sont là que pour impressionner le visiteur, ils révèlent les auteurs dont l'opinion compte pour leur propriétaire. Et s'il ne s'agit que d'un alignement de volumes destinés à la décoration, on peut en conclure que l'on a affaire à quelqu'un de superficiel. Dans les rayonnages, Pitt releva des ouvrages d'histoire, de philosophie et quelques chefs-d'œuvre de la littérature classique, qui, à en juger par leur degré d'usure, avaient été beaucoup lus.

Helen apparut une dizaine de minutes plus tard, le teint livide, vêtue d'une robe de deuil qui accentuait sa jeunesse et sa fragilité, mais aussi sa fatigue, comme si elle se remettait d'une longue maladie Cependant elle restait très maîtresse d'elle-même.

— Bonjour, inspecteur Pitt. On m'a dit que vous souhaitiez retrouver la lettre dont je vous ai parlé hier soir. J'ignore si mon père l'avait gardée. Mais bien sûr, vous pouvez la chercher.

— Merci, Mrs. Carfax.

Il voulait s'excuser de la déranger, mais, ne trouvant que des paroles trop banales pour être exprimées face au drame qui la frappait, il se contenta de la suivre en silence dans le vestibule. Une femme de chambre portant une pile de linge et une petite bonne d'une quinzaine d'années, un balai à la main, les observaient par-dessus la rambarde du palier du premier étage. Si la gouvernante les surprenait, elle les rabrouerait vertement en leur rappelant ce qui arrive aux domestiques qui, négligeant leur travail, s'occupent des affaires de leurs employeurs.

Le bureau d'Etheridge était une pièce spacieuse; l'un des deux murs lambrissés de chêne était percé de grandes baies vitrées aux rideaux tirés, comme le voulait la coutume dans une maison en deuil; les deux autres parois étaient couvertes de livres rangés dans des vitrines. Le feu n'était pas allumé, mais les cendres avaient été balayées et les grilles passées au noir.

— Voilà où travaillait mon père, annonça Helen

en désignant un grand bureau de chêne au plateau recouvert de cuir brun et comportant neuf tiroirs, quatre de chaque côté et un au milieu.

Elle tendit à Pitt une petite clé joliment travaillée.

— Merci, madame, fit ce dernier, gêné.

Il ouvrit le premier tiroir et commença à fouiller la correspondance.

— J'imagine que tous ces papiers appartiennent à votre père ? Mr. Carfax n'utilise pas cette pièce ?

— Non. Mon mari a son bureau à la Cité. Il n'amène jamais de travail à la maison. Il a beaucoup de relations, mais reçoit peu de courrier.

Pitt tria des lettres d'électeurs de la circonscription du député se plaignant de problèmes de bornage de propriétés, du mauvais état des routes ou faisant état de querelles de voisinage : des broutilles comparées à la mort violente à laquelle Etheridge avait succombé. Aucune de ces lettres n'était malveillante : il y transparaissait surtout de l'irritation, plutôt que de la colère ou du désespoir.

— Mr. Carfax a-t-il été dans l'obligation de se rendre en ville pour son travail ce matin ? demanda-t-il de but en blanc, espérant la surprendre par cette question.

Elle le dévisagea.

— Oui. Enfin, je veux dire... je n'en suis pas sûre Il m'en a donné la raison, mais je l'ai oubliée...

— Votre mari s'intéresse-t-il à la politique ?

— Non. Il travaille dans l'édition. Une affaire de famille. Il n'y va pas tous les jours, seulement quand il y a un conseil d'administration ou...

Elle ne termina pas sa phrase, à l'évidence désireuse de changer de sujet.

Le deuxième tiroir était rempli de factures. En les observant de plus près, Pitt constata qu'elles étaient toutes libellées au nom de Vyvyan Etheridge, et non à celui de son gendre. Il s'agissait pourtant de frais afférents à la bonne marche d'une maison : achat de nourriture, de savon, de bougies, de linge de table, de charbon, de coke et de bois ; remplacement de la faïence et de la coutellerie, des uniformes des domestiques et des livrées des valets ; maintien en état des équipages, alimentation des chevaux, réparation des harnais. La participation financière de James Carfax, en vérité, paraissait infime.

Les seules dépenses ne faisant pas partie de ces factures étaient la lingerie féminine, les vêtements, l'achat de tissus, les devis des couturiers, des modistes et des parfumeurs. Pitt en conclut qu'Helen Carfax recevait une rente dont elle s'occupait elle-même, ou que le montant de ces factures était débité sur le compte de son mari.

Les deux tiroirs suivants ne révélèrent rien d'intéressant : comptes internes de la maison et quelques papiers relatifs à la gestion de propriétés foncières Pitt n'y trouva rien qui ressemblât à une lettre de menaces.

— J'imagine que mon père ne tenait pas à garder cette missive, reprit Helen lorsqu'il eut terminé l'examen des tiroirs. Mais je crois qu'elle était importante, ajouta-t-elle en détournant le regard. Il fallait que je vous en parle.

— Vous avez bien fait.

Il sentit son brusque besoin de lui parler, bien qu'il comprît moins le sens de ses paroles que sa réponse péremptoire ne le laissait supposer. L'hypothèse d'un anarchiste anonyme sortant des bas-fonds de la capitale pour assassiner son père était horrible en soi ; mais bien plus terrible était celle que l'idée du meurtre ait pu germer et se développer à l'intérieur des murs de la maison. Que l'assassin fît partie de la famille, que l'ombre du crime s'immisçât dans chaque silence de la conversation devait lui être intolérable.

— Merci, Mrs. Carfax, dit-il en se détournant du bureau. Cette lettre pourrait-elle se trouver dans une autre pièce ? Dans l'un des salons ? À moins que votre père ne l'ait mise dans sa chambre pour la soustraire aux regards indiscrets, ou éviter de perturber la personne qui la découvrirait par hasard ?

Une hypothèse peu probable, mais il décida néanmoins de rester un peu plus longtemps que prévu pour bavarder avec le personnel. La camériste d'Helen savait certainement beaucoup de choses, mais elle refuserait sans doute de les lui confier. La discrétion était la vertu cardinale d'une femme de chambre, primant l'art de la coiffure, de la couture, de la passementerie ou du repassage ; celles qui révélaient les secrets de leurs maîtres risquaient de ne jamais retrouver d'emploi. La haute société était un milieu très fermé.

Helen Carfax parut juger l'hypothèse plausible.

— Oui, il a pu la ranger à l'étage. Je vais vous conduire à son dressing, un endroit intime dans lequel je ne m'aventure jamais.

Ils traversèrent le vestibule, gravirent le bel escalier sculpté et longèrent le palier du premier étage jusqu'au dressing attenant à la chambre de Vyvyan Etheridge. Là, les rideaux n'étaient pas complètement tirés. Pitt eut le temps de jeter un coup d'œil par l'une des fenêtres qui donnaient, au-delà des écuries, sur les ravissants jardins de Lambeth Palace.

Il se retourna et vit Helen debout à côté d'une console de toilette dont le premier tiroir possédait une serrure de cuivre. Elle l'ouvrit en silence. Le tiroir contenait deux montres, plusieurs paires de boutons de manchette dont certains sertis de pierres semi-précieuses, et trois autres en or massif, gravés aux armoiries de la famille, ainsi qu'une chevalière et une bague de femme, au chaton enchâssé d'une émeraude.

— Elle appartenait à ma mère, murmura Helen. Père la gardait ici. Il disait qu'elle serait à moi après... sa mort.

Sa voix se brisa. Elle se détourna pour cacher son visage entre ses mains. Pitt ne pouvait rien faire pour l'aider ; montrer qu'il avait remarqué son désarroi serait déplacé. Ils étaient deux étrangers de sexe opposé, et le gouffre social qui les séparait était infranchissable. Compatir à son chagrin ou montrer sa compréhension serait inexcusable.

Pour se donner une contenance, il fouilla rapidement les tiroirs et constata qu'il n'y avait rien là qui contînt une menace : une ancienne lettre de l'épouse d'Etheridge, deux billets de dix et vingt livres et des photographies de famille. Pitt referma les tiroirs et vit qu'Helen lui faisait face de nouveau.

— Alors ? dit-elle comme si elle connaissait déjà la réponse.

— Non. Mais comme vous l'avez fait remarquer, c'est le genre de lettre que l'on détruit.

— Oui...

Elle parut avoir envie d'ajouter quelque chose, mais ne trouva pas la façon de le formuler.

Pitt attendit, conscient de son angoisse.

— Peut-être dans son bureau, à la Chambre, suggéra-t-il au bout d'un moment. Je n'y suis pas encore allé.

Helen hocha la tête.

— Oui, peut-être.

— Si vous vous souvenez du moindre détail, Mrs. Carfax, envoyez-moi un message au commissariat de Bow Street. Je viendrai à l'heure qui vous conviendra.

— Merci, inspecteur, répondit-elle, vaguement soulagée.

Elle le raccompagna jusqu'au palier. En se dirigeant vers le haut de l'escalier, Pitt remarqua deux rectangles jaunis sur la tapisserie du mur, comme si l'on avait enlevé un tableau et remis deux autres à sa place pour combler un vide.

— Votre père a vendu un tableau récemment, remarqua-t-il. Savez-vous à qui ?

Elle parut surprise, mais ne refusa pas de répondre.

— Ce tableau m'appartenait, Mr. Pitt. Je ne vois pas là une relation avec le décès de mon père.

— En effet. Merci, madame.

Helen Carfax venait donc d'encaisser une certaine somme d'argent. Il devrait essayer d'en découvrir discrètement le montant.

La porte d'entrée s'ouvrit, laissant passer une bourrasque de vent printanier et la lumière du soleil couchant. James Carfax apparut sur le seuil. Le valet s'avança pour prendre son chapeau, son manteau et son parapluie. Carfax traversa le vestibule à grandes enjambées et s'immobilisa soudain en remarquant des ombres bouger à l'étage. Une certaine irritation assombrit son visage, irritation qui, lorsqu'il reconnut Pitt, se mua en colère.

— Que diable faites-vous là-haut ? s'exclama-t-il. Pour l'amour du ciel, ma femme vient de perdre son père ! Allez donc courir les rues à la recherche du fou dangereux qui l'a assassiné et cessez de nous harceler ! Vous perdez votre temps.

— James...

Helen commença à descendre l'escalier, la main crispée sur la rampe. Pitt attendit un peu avant de la suivre, car à la faible lueur des lampes à gaz, il craignait de marcher sur le bas de sa robe noire.

— James, l'inspecteur Pitt est venu chercher la lettre de menaces qu'avait reçue Père.

— Eh bien, nous la chercherons nous-mêmes !

riposta Carfax, peu décidé à s'adoucir. Si nous la trouvons, nous l'en tiendrons informé. Au revoir, monsieur. Le valet va vous raccompagner.

Pitt l'ignora et se tourna vers Helen.

— Avec votre permission, madame, j'aimerais parler aux valets et aux cochers.

— Et pour quelle raison, je vous prie ?

Manifestement, Carfax considérait la présence du policier comme une violation de son domicile.

— Étant donné que Mr. Etheridge a été agressé dans la rue, monsieur, il est possible qu'il ait été suivi et guetté depuis quelque temps, répliqua Pitt sans se départir de son calme. L'un de vos valets se souviendra peut-être d'un détail important qui aiderait l'enquête à progresser.

Le rouge de la colère monta aux joues de Carfax ; il dut se reprocher de ne pas avoir pensé à cela. Il était moralement bien plus jeune que les trente et quelques années que Pitt lui donnait. Son apparent raffinement n'était que poudre aux yeux, ne masquant qu'en partie son inexpérience. Peut-être avait-il subi, davantage qu'il ne le croyait, le joug qu'exerçait son beau-père sur la direction de la maison.

Helen posa furtivement la main sur son bras, comme si, craignant qu'il ne la repousse, elle se préparait à faire semblant de ne pas s'en être rendu compte.

— James, nous devons aider la police. Elle n'appréhendera peut-être jamais ce fou, ou cet anarchiste, mais...

— Inutile de le souligner, Helen !

Il regarda Pitt ; ils étaient à peu près de la même taille.

— Bon, interrogez cochers et valets, si vous y tenez. Mais ensuite, laissez-nous tranquilles. Ma femme doit pleurer la perte de son père dans l'isolement et la dignité.

Il ne posa pas sa main sur celle de sa femme, comme Pitt, lui, l'aurait fait. Au lieu de cela, il s'écarta d'elle et passa son bras autour de ses épaules, la retenant un instant contre lui. Pitt vit les traits d'Helen se détendre. Pourtant, ce geste était moins affectueux que celui d'effleurer sa main nue ; leurs corps étaient séparés par l'épaisseur de leurs vêtements. Mais qui peut prétendre connaître les relations qui unissent deux personnes ? Parfois des êtres qui paraissent proches cachent une solitude douloureuse qu'un étranger ne peut percevoir ; d'autres, qui semblent poursuivre leur chemin sans tenir compte de l'existence de leur conjoint, vivent en parfaite harmonie ; leurs silences tiennent au fait qu'ils n'ont pas besoin de parler pour se comprendre ; leurs petites disputes cachent parfois une tendre chaleur et une grande loyauté. L'amour entre ces deux époux n'était peut-être pas à sens unique comme Pitt se l'imaginait ; il se pouvait qu'il soit moins douloureux pour Helen, moins entravant et moins indésirable pour James qu'il ne le paraissait.

Il prit congé et passa la grande porte matelassée qui séparait la maison des maîtres des quartiers des domestiques ; là, il rencontra le majordome, dont il soutint le regard froid et soupçonneux, déclina son identité et expliqua que Mr. Carfax lui avait donné l'autorisation d'interroger les domestiques.

— Mrs. Carfax m'a appris que son père avait reçu une lettre de menaces, ajouta-t-il. Elle souhaite me voir poursuivre l'enquête de façon à découvrir tout ce qui pourrait aider à élucider le mystère qui entoure son décès.

À ces mots, le regard du majordome s'adoucit ; l'idée que James Carfax puisse imposer quoi que ce soit dans la maison lui avait paru si étrange qu'il n'y avait pas prêté attention. La mention du nom d'Helen, en revanche, avait produit son effet.

— Si nous avions su quelque chose à ce sujet, nous vous aurions prévenu, fit-il d'un ton cassant. Mais si vous voulez voir les membres du personnel, je veillerai à ce que vous les interrogiez tous et que leurs réponses vous satisfassent.

— Merci.

Pitt avait déjà réfléchi aux questions qu'il allait leur poser. Il n'en attendait pas grand-chose, mais l'interrogatoire lui donnerait l'occasion de mieux connaître l'atmosphère de la maison.

La cuisinière lui offrit une tasse de thé. Il lui en fut fort reconnaissant. Au cours de la conversation, il apprit que Etheridge employait rien moins que dix-huit domestiques ! Du côté féminin, une femme de chambre s'occupant du service de l'étage, une autre du rez-de-chaussée, une petite bonne, la caméristе d'Helen, une lingère, une soubrette, une cuisinière, deux filles de cuisine, et bien sûr la gouvernante. Du côté masculin, deux valets de pied de belle prestance, le majordome, un valet de chambre, un cireur, deux palefreniers et un cocher.

Pitt les vit se détendre après qu'il leur eut raconté quelques histoires drôles et partagé avec eux du thé et un excellent Dundee cake, spécialité que la cuisinière réservait au personnel. Il observa la caméristе d'Helen Carfax avec une attention particulière. Elle sourit à ses plaisanteries bon enfant, parce qu'elle occupait la position la plus élevée au sein de la domesticité, bien qu'elle n'eût que vingt-cinq ou vingt-six ans. En revanche, dès que Pitt fit allusion à ses maîtres, elle releva légèrement le menton, ses épaules se raidirent et son regard se fit méfiant. Elle savait qu'Helen Carfax aimait son mari et qu'elle n'était pas payée de retour, mais jamais elle ne la trahirait devant les autres domestiques, et encore moins devant un policier trop curieux.

C'était tout ce que Pitt désirait savoir. Lorsqu'il eut fini la dernière miette de gâteau, il les remercia tous avec force compliments, puis se rendit aux écuries où le cocher était occupé à nettoyer les harnais.

Il lui demanda si par hasard il avait remarqué quelqu'un qui aurait manifesté un intérêt particulier pour les allées et venues de Vyvyan Etheridge. En fait, il n'attendait pas vraiment de réponse à cette question ; il souhaitait surtout en savoir plus sur l'emploi du temps de James Carfax.

Il quitta Paris Street tard dans l'après-midi et prit un cab qui l'amena sur l'autre rive de la Tamise, dans St. James's, où se situait le Boodle's[1], dont James Carfax était membre, selon les dires du cocher. L'homme s'était montré discret, citant seulement les endroits décents où un gentleman était censé se rendre : club, lieu de travail — qu'il fréquentait à de rares occasions —, théâtres, bals et dîners ; en été, courses, régates et garden-parties auxquelles participaient les membres de la haute société, s'ils étaient assez titrés pour y être invités et assez fortunés pour accepter l'invitation.

La nuit commençait à tomber quand Pitt arriva devant le Boodle's. Grâce à un mélange de flatterie et d'insistance, il parvint à soutirer au portier quelques renseignements : Mr. James Carfax était bien un habitué des lieux et comptait de nombreux amis parmi les membres du club ; tous restaient souvent tard le soir à jouer aux cartes. Le chasseur finit par avouer que parfois ces messieurs buvaient sec. Carfax ne gardait pas toujours sa voiture, souvent il renvoyait le cocher et repartait dans le fiacre d'un ami. À la question de savoir si James Carfax rentrait ensuite directement

1. L'un des plus anciens et des plus élégants clubs de Londres. *(N.d.T.)*

chez lui, le chasseur répondit que ce n'était pas à lui de dire où se rendait un gentleman en quittant le club.

Carfax gagnait-il ou perdait-il aux cartes ? Le portier n'en avait pas la moindre idée, mais Mr. Carfax payait certainement ses dettes, sinon il ne serait pas resté membre du club, c'était évident.

Pitt hocha la tête. Il dut se contenter de ces réponses vagues. Toutefois l'idée qu'il se faisait du personnage se précisait ; et ce qu'il venait d'apprendre n'était pas de nature à le faire changer d'avis.

Il lui restait encore un peu de temps pour une dernière visite, avant de rentrer chez lui. Il prit un autre cab, de St. James's jusqu'à Buckingham Palace Road, puis descendit plus au sud jusqu'à Chelsea Embankment, non loin duquel vivait Barclay Hamilton, dans une rue proche d'Albert Bridge. Il ne servait à rien de demander aux relations professionnelles et sociales de James Carfax les renseignements qu'il désirait obtenir. Mais Barclay Hamilton ayant récemment perdu son père dans des circonstances aussi bizarres que celles du décès d'Etheridge, Pitt pouvait se permettre de lui poser des questions plus directes. Barclay Hamilton serait plus libre de lui répondre, sans craindre la condamnation de ses pairs et sans avoir l'impression de trahir ceux qui lui faisaient confiance.

Celui-ci parut surpris de sa visite, mais le reçut de façon fort civile. À présent qu'il avait l'occasion de le voir seul, ce qui n'avait pas été le cas la nuit de l'assassinat de son père, Pitt le jugea calme et charmant. La brusquerie de son attitude lors de leur première rencontre avait complètement disparu. Refrénant sa curiosité, il invita avec courtoisie Pitt à passer dans le salon, une petite pièce confortable, meublée avec goût, destinée non à impressionner le visiteur, mais à plaire à son propriétaire : chaises anciennes, tapis de Turquie aux tons rouges et bleus comme ceux d'un vitrail, un peu élimé au centre mais dont les bords avaient conservé leur luminosité. Les tableaux, pour la plupart des aquarelles, n'étaient pas des œuvres de maître, mais plutôt des travaux d'amateur; chacun possédait toutefois une atmosphère propre, une délicatesse qui suggéraient qu'ils avaient été choisis pour leur charme plutôt que pour leur valeur marchande. Les livres alignés dans les vitrines étaient classés par ordre thématique et non par souci d'esthétique.

— J'interdis à ma gouvernante de toucher quoi que ce soit, sauf pour le dépoussiérage, expliqua-t-il avec une moue en suivant le regard de Pitt. Elle se plaint, mais elle obéit! Elle est très contrariée que je ne la laisse pas mettre de têtière sur chaque fauteuil et disposer des portraits de famille sur la table. Il y en a un de ma mère — c'est amplement suffisant. Je ne supporte pas l'idée d'être examiné en permanence par toute une galerie d'aïeuls!

Pitt sourit. C'était une pièce masculine, qui lui rappelait le temps où il vivait seul dans un meublé de banlieue. Celui-ci était loin de posséder l'élégance du quartier de Chelsea! Non, c'était l'aménagement qui lui rappelait son célibat, la marque du goût d'une seule personne, libre d'aller et venir dans les lieux comme bon lui semble, de laisser les choses là où elle a envie qu'elles soient, sans tenir compte de l'avis des autres.

La période précédant son mariage avait été un moment heureux de son existence, un temps de maturation nécessaire au passage de l'adolescence à l'âge adulte; mais s'il aimait se la remémorer, c'était sans regret et sans désir aucun de la retrouver. Pour lui, une maison ne pouvait être vraiment sienne sans la présence de Charlotte. Charlotte et ses tableaux préférés, qu'il détestait, ses affaires de couture qui traînaient partout, les livres qu'elle laissait sur les tables, les chaussons sur lesquels il butait immanquablement... sa voix lui parvenant de la cuisine, les lumières allumées, sa tendresse, ses caresses désormais familières mais toujours aussi ardemment désirées ; et, par-dessus tout, sa façon de lui faire partager les menus événements de sa journée, drôles ou exaspérants, et son intérêt toujours passionné pour les enquêtes qu'il menait et l'opinion qu'il s'en faisait.

Barclay Hamilton le dévisageait avec un étonnement mêlé de perplexité. Il avait un visage empreint d'humour, mais dont les traits trahissaient la fragilité d'un homme qui a vu ses rêves s'évanouir et qui a dû reconstruire son existence à la suite de la perte douloureuse d'un être cher.

— Que pourrais-je vous dire, inspecteur Pitt, que vous ne sachiez déjà ?

— Avez-vous appris le décès de Vyvyan Etheridge ?

— Bien sûr. Qui n'en a pas entendu parler ?

— Connaissez-vous son beau-fils, Mr. James Carfax ?

— Vaguement. Pourquoi cette question ? Vous n'imaginez pas qu'il puisse avoir un lien avec des milieux factieux ?

Sur ses lèvres passa un sourire fugitif qui reflétait davantage de l'amusement face à l'absurdité de l'hypothèse que de l'agacement.

— Vous pensez donc que c'est improbable.

— Tout à fait.

— Pour quelle raison ?

Pitt tenta d'introduire une pointe de scepticisme dans sa voix, comme s'il s'agissait vraiment là de la piste qu'il était en train de suivre.

— Entre nous, inspecteur, James Carfax ne possède ni l'enthousiasme ni le sens du sacrifice nécessaires pour adhérer à des thèses aussi extrémistes.

— Que voulez-vous dire? s'étonna Pitt, qui ne s'attendait pas à cette réponse.

Ce n'était donc pas le sens moral qui aurait arrêté Carfax, mais bien son incapacité à éprouver des émotions. Ce point de vue révélait d'ailleurs davantage la personnalité de Barclay Hamilton que celle de Carfax

— Selon vous, il n'aurait pas trouvé amoral de s'acoquiner avec des anarchistes? Il n'aurait pas eu l'impression de trahir sa classe?

Hamilton rosit légèrement, mais son regard franc ne quitta pas celui de Pitt.

— Je serais surpris qu'il considère le problème sous cet angle. En fait, je doute qu'il ait la moindre opinion politique, hormis celle, évidente, consistant à souhaiter que le système ne change jamais afin de pouvoir continuer à mener la vie qui lui plaît.

— À savoir?

Hamilton haussa légèrement les épaules.

— Déjeuner entre amis, jouer aux cartes, aller aux courses, se montrer dans les endroits à la mode, au théâtre, à des bals, passer de temps en temps la nuit avec une catin, assister à des combats de chiens, se bagarrer à l'occasion...

— Vous n'avez pas une très haute opinion de lui, remarqua Pitt sans le quitter des yeux.

Hamilton esquissa une grimace.

— Il n'est pas pire qu'un autre. Mais certainement pas un fervent anarchiste déguisé en homme du monde. Croyez-moi, inspecteur, il serait incapable d'endosser un tel rôle.

— Gagne-t-il au jeu?

— En général, non, d'après les ragots.

— Et pourtant il paie ses dettes. A-t-il une grosse fortune personnelle?

— J'en doute. Sa famille n'est pas riche, bien que sa mère ait hérité d'un titre honorifique. En revanche, il a épousé un beau parti. Helen Etheridge devait hériter d'une grande fortune — c'est désormais une réalité, je suppose. J'imagine qu'elle paie ses dettes. Mais à ma connaissance, il ne perd pas des sommes importantes.

— Êtes-vous membre du Boodle's ?

— Moi ? Non. Être membre d'un club ne m'intéresse pas. Mais j'ai de nombreuses relations qui en font partie. La haute société est un cercle très restreint, inspecteur. Et mon père vivait à moins d'un mile de Paris Road.

— Mais voilà plusieurs années que vous avez quitté le domicile de votre père...

Le sourire paisible qui éclairait le visage d'Hamilton s'évanouit brusquement, comme si Pitt venait d'ouvrir une porte laissant entrer un souffle de vent glacé.

— Après la mort de ma mère, mon père s'est remarié, dit-il, la gorge serrée. Étant majeur, j'ai jugé normal et préférable de quitter la maison. Mais c'est sans relation avec James Carfax. J'ai dit cela pour vous faire comprendre que dans la haute société on sait tout ou presque sur ceux qui évoluent dans les mêmes cercles que vous.

Pitt regretta de l'avoir involontairement contrarié. Il aimait bien ce garçon et n'avait pas prévu de réveiller, par ses questions, une vieille blessure sans rapport avec l'assassinat des deux parlementaires.

— En effet, dit-il d'un ton où transparaissaient ses excuses.

Moins il insisterait, plus vite se cicatriserait la plaie.

— Vous avez parlé de ses relations féminines... Savez-vous si Carfax a une maîtresse ?

Hamilton se détendit.

— Non, inspecteur. Mes suppositions sont seulement fondées sur sa réputation. Il est possible que je me sois montré injuste envers lui. Le fait que je ne l'aime pas influence mon jugement. Il ne faut pas que vous perdiez cela de vue.

— Connaissiez-vous Helen Carfax avant son mariage ?

— Oui

— Aviez-vous de l'affection pour elle, Mr. Hamilton ? demanda Pitt avec naturel, sans le moindre sous-entendu.

— Oui, répondit Hamilton avec la même franchise. Mais notre relation n'avait rien de romantique. Je la trouvais si jeune ! Il y avait chez elle quelque chose d'enfantin, de puéril ; elle me faisait penser à une petite fille qui s'accroche à ses rêves, ou à une adolescente qui vient de faire son premier chignon et de revêtir sa première robe de soirée.

Pitt pensa au visage vulnérable d'Helen Carfax, à son adoration visible pour son époux. Il acquiesça intérieurement.

— Hélas, nous devons tous grandir un jour ou l'autre, poursuivit Hamilton avec un petit sourire. Mais au fond, les femmes ont peut-être moins besoin de grandir que les hommes.

Il se mordit la lèvre, comme s'il regrettait ses paroles.

— Certaines femmes, en tout cas. Je crains de ne pouvoir vous aider, inspecteur Je n'aime pas James Carfax, mais je suis prêt à jurer qu'il n'a aucun lien avec des anarchistes, ni avec quelque faction extrémiste que ce soit. Et il n'est pas fou. Il est exactement ce qu'il paraît être, un homme égoïste qui boit un peu plus que de raison, par ennui, et qui aime poser pour la galerie ; mais il n'a pas les moyens de rivaliser avec ses amis sans dépenser l'argent de sa femme, ce qui l'ennuie beaucoup, pas au point toutefois de l'empêcher de le faire.

— Et si sa femme cessait de lui donner de l'argent, que se passerait-il ?

— Elle ne le fera pas, du moins je le crois, sauf si le comportement de Carfax dépasse les limites du tolérable. Mais il n'est pas assez bête pour aller si loin.

— Je le suppose aussi. Merci, Mr. Hamilton. J'apprécie votre franchise, qui m'aura probablement épargné des heures d'interrogatoires délicats, fit Pitt en se levant.

Il était tard. Dehors, il commençait à faire froid et il avait envie de rentrer chez lui. Demain il ferait jour, et il n'avait guère avancé dans son enquête.

Barclay Hamilton se leva à son tour. Il était plus grand et plus maigre que dans le souvenir de Pitt.

— Pardonnez-moi, inspecteur, fit-il un peu embarrassé, si je me suis exprimé avec plus de liberté que je n'en avais le droit, mais j'ai eu une journée assez éprouvante. Je me suis montré assez peu discret et charitable à l'égard de ce pauvre Carfax. Je n'aurais pas dû dire tout haut le fond de ma pensée.

— Vous m'aviez prévenu que vous ne l'aimiez pas, fit Pitt avec un large sourire.

Hamilton se détendit. Sa physionomie s'éclaira, rappelant le jeune homme qu'il avait dû être dix-huit ans plus tôt, quand Amethyst Royce avait épousé son père

— J'espère vous revoir, inspecteur, dans des circonstances moins pénibles.

Au lieu d'appeler son valet, il tendit la main et serra celle de Pitt, non comme un gentleman prenant congé d'un inspecteur de police, mais comme s'ils avaient été amis.

Après l'avoir quitté, Pitt marcha lentement le long de l'Embankment en attendant de trouver un cab qui le ramènerait chez lui. Le vent était âpre ; le brouillard commençait à monter de la Tamise. Il entendit au loin, vers le Pool, résonner les signaux des cornes de brume, assourdis par la distance et l'humidité.

Se pouvait-il que James Carfax ait assassiné son beau-père afin que sa femme héritât plus vite de sa fortune ? Ou, pis encore, que Helen elle-même, dans son désir angoissé de garder son époux, se soit débarrassée de son propre père pour son argent, cet argent dont elle avait désespérément besoin afin d'offrir à James tout ce dont il avait besoin ? Pour garder son affection afin de prétendre qu'il s'agissait d'amour ? Il était improbable qu'elle soit directement passée à l'acte, mais elle avait pu payer un tueur. Cette thèse expliquerait le meurtre de Sir Lockwood : l'assassin l'avait confondu avec Vyvyan Etheridge, alors qu'un proche, lui, ne se serait pas mépris, à la lumière des réverbères du pont.

Le lendemain, il tâcherait de retrouver le tableau qu'Helen avait vendu et de connaître son prix de vente. Il serait moins facile de savoir ce qu'il était advenu de l'argent.

Lorsqu'il arriva chez lui, à la fin de cette longue et éprouvante journée, Pitt gardait encore en mémoire le petit visage douloureux et le regard inquiet d'Helen Carfax.

Le lendemain, il se leva tôt et partit sous la pluie faire son rapport à Micah Drummond. De son côté, Charlotte reçut une lettre d'Emily, postée de Paris. Elle s'assit et regarda l'enveloppe durant plusieurs minutes, sans l'ouvrir. Elle avait hâte d'avoir de ses nouvelles et de la savoir heureuse, sans pouvoir s'empêcher malgré tout de ressentir une pointe de jalousie à l'idée que sa sœur s'amusait follement et qu'elle lui raconterait dans sa lettre ses aventures en compagnie de son nouvel amour.

Elle posa l'enveloppe contre la théière et, tout en la couvant du regard, tartina deux toasts de marmelade qu'elle avait confectionnée elle-même — les confitures étaient sa grande spécialité. Après les avoir mangés, elle n'y tint plus et décacheta l'enveloppe.

Paris, avril 1888

Charlotte chérie,

Je ne sais par où commencer pour te raconter tout ce qui m'est arrivé! La traversée de la Manche a été é-pou-van-table! Le vent était glacial et la mer démontée. Mais après notre arrivée à Calais, tout a changé. Le voyage en diligence jusqu'à Paris m'a fait penser aux livres d'aventures que je lisais enfant. Te souviens-tu de l'histoire des mousquetaires et de Louis XVI — au fait, c'était bien Louis XVI, n'est-ce pas ? Jack a vraiment eu une merveilleuse idée. Tout ce que j'avais imaginé existe réellement : les fermes où l'on vend du fromage, les pommiers en fleur, les places de villages où les paysannes se disputent à qui mieux mieux. Tout était délicieusement romantique. J'ai pensé aux aristocrates qui ont fui la France pendant la Révolution : ils avaient dû emprunter le même chemin, en sens inverse, pour rejoindre les bateaux qui les amenaient en Angleterre.

Jack avait tout prévu pour notre arrivée à Paris. Nous sommes descendus dans un petit hôtel pittoresque qui donne sur une place pavée. Les feuilles des arbres commencent à peine à s'ouvrir. Il y a un drôle de petit bonhomme qui joue de l'accordéon le soir, sous nos fenêtres. Nous mangeons et nous buvons du vin dehors au soleil, sur des tables recouvertes de jolies nappes à carreaux. Il fait un peu frais, je l'avoue, mais qu'importe ? Jack m'a offert un châle en soie. Lorsque je le porte sur mes épaules, j'ai l'impression d'être une vraie Française.

Nous avons marché pendant des kilomètres ! J'ai mal aux pieds, mais le temps est superbe, le ciel bleu et le vent frais. Je profite de chaque minute passée ici. Paris est une si belle ville ! Partout où je vais, j'ai l'impression de marcher sur les traces de gens célèbres ou originaux : grands peintres au talent visionnaire, révolutionnaires naïfs, écrivains et poètes romantiques.

Nous sommes allés au théâtre. Je n'ai pas compris toutes les paroles, mais ce qui comptait, c'était l'atmosphère. Et la musique, Charlotte, la musique ! Si je n'avais pas eu peur de troubler l'ordre public, j'aurais chanté et dansé sur le chemin du retour ! Et je t'assure que Jack s'amuse autant que moi. C'est un compagnon encore plus charmant, tendre et prévenant que je ne l'avais espéré. D'ailleurs j'ai remarqué que les femmes le regardent avec des yeux brillants et m'envient de marcher à ses côtés !

Si tu voyais les robes des Parisiennes ! Elles sont magnifiques, mais je crains qu'elles ne se démodent très vite. J'imagine qu'ici les femmes doivent passer leur vie chez leur couturière, pour faire reprendre leurs toilettes afin d'être toujours aussi chics que leur voisine.

Demain matin, nous quittons Paris pour le sud de la France et l'Italie. Notre séjour sera-t-il aussi parfait qu'à Paris ? Venise sera-t-elle à la hauteur de mes espérances ? Je regrette de ne pas m'être plongée plus tôt dans l'histoire de la ville. Il faudra que je me procure un guide afin de mieux la connaître. Ma tête est pleine de rêves romantiques et, je dois l'avouer, d'idées assez floues.

J'espère de tout mon cœur que tout va bien pour toi et les enfants, et que Thomas n'a pas trop de tra-

vail. Est-il sur une enquête intéressante ? Dès mon retour, je prendrai de vos nouvelles. Je t'en prie, fais bien attention à toi, et ne va pas te lancer dans des aventures trop dangereuses ! Sois curieuse, mais seulement en pensée. Même si je ne suis pas à tes côtés en ce moment, je pense à toi très fort. J'ai hâte de te revoir.

Ta sœur qui t'aime,
Emily.

Charlotte reposa les feuillets, le sourire aux lèvres et les larmes aux yeux. Pas une seconde, elle n'aurait souhaité autre chose à sa sœur qu'un bonheur absolu. Quelle joie de l'imaginer en train de chanter et de danser dans les rues de Paris, après les moments terribles qui avaient suivi le tragique décès de George !

Mais elle éprouvait aussi une crainte diffuse d'être laissée pour compte. Elle était assise là, dans la cuisine d'une petite maison de la banlieue londonienne, où elle passerait probablement toute son existence. Pitt travaillerait toujours dur, pour une paie mensuelle qui n'atteindrait jamais le montant de ce qu'Emily dépensait à Paris en une journée.

Mais la raison profonde de sa jalousie n'était pas l'argent — l'argent ne fait pas le bonheur, dit-on, et l'oisiveté encore moins. Non, la cause de ce nœud qui lui serrait la gorge, c'était l'envie de flâner en riant dans une belle ville, au bras d'un homme dont elle serait amoureuse. Ah, la magie d'être amoureuse ! Non pas éprouver une profonde tendresse née de l'habitude, mais un sentiment intense qui vous fait battre le cœur, vous donne l'impression de tout découvrir avec des yeux neufs et de tout rendre infiniment précieux. Être l'un pour l'autre le centre du monde...

Idée ridicule. Jamais elle n'aurait échangé Thomas Pitt contre Jack Radley, ni contre personne d'autre d'ailleurs. Pas plus qu'elle n'aurait souhaité mener la vie d'Emily... sauf peut-être à cette minute !

Soudain, elle entendit la porte d'entrée claquer et les pas furieux de Gracie résonner dans le couloir. Celle-ci lui expliqua qu'elle venait de se disputer avec le marchand de poisson.

— Madame, je ne supporte pas les gens qui prennent des grands airs !

— Je sais, dit Charlotte avant que la jeune fille ne commence à se perdre en récriminations. C'est un impertinent.

Comprenant que Charlotte n'abonderait pas dans son sens, Gracie décida de changer de tactique. La demoiselle avait fêté ses seize printemps et ne manquait pas de rouerie.

— Sans indiscrétion, madame, est-ce que Mr. Pitt travaille sur une affaire intéressante ?

— Un crime politique.

— Oh... Quel dommage ! Tant pis, la prochaine fois, ce sera peut-être plus palpitant...

Sur ces belles paroles, elle entreprit d'agiter la grille de la cuisinière afin de faire redémarrer le feu.

Micah Drummond annonça à Pitt qu'il s'était rendu en personne à la Chambre des communes et qu'il avait rencontré plusieurs des collègues de Vyvyan Etheridge.

— Et je n'ai rien appris de nouveau, conclut-il en secouant la tête.

Il passa sous silence les pressions exercées sur lui par le préfet de police et le ministre de l'Intérieur, mais Pitt n'avait pas besoin de les entendre exposer pour les deviner. Leurs supérieurs se montreraient encore compréhensifs — l'enquête n'en était qu'à son début —, mais l'inquiétude était là, bien que soigneusement dissimulée pour donner l'impression qu'ils contrôlaient la situation face à une opinion publique exigeant sans cesse plus d'explications. Certains hauts fonctionnaires, redoutant d'être accusés d'incompétence ou craignant de perdre leur prestige, voire leur place, ne tarderaient pas à chercher un bouc émissaire.

— Des ennemis politiques ? hasarda Pitt

Drummond haussa les épaules.

— Plutôt des rivaux. L'homme n'était pas assez ambitieux pour se faire de vrais ennemis. Son image ne paraissait pas assez controversée pour susciter de folles réactions. Et ses revenus personnels lui permettaient d'éviter de se laisser corrompre.

— Le Home Rule ?

— Etheridge était contre. Mais trois cent quarante-deux autres parlementaires y étaient également défavorables en 1885 et davantage un an plus tard. De plus, Lockwood y était favorable. Sur d'autres sujets brûlants, Etheridge avait une position modérée. Un humaniste, loin d'afficher des attitudes radicales. Il était partisan d'une réforme pénale, d'une nouvelle loi sur les indigents et d'une nouvelle législation industrielle, mais considérait que le changement devait se faire graduellement et qu'il ne fallait surtout pas déstabiliser la société ni l'économie. Bref, un personnage au parcours politique discret.

Pitt soupira.

— Plus j'y réfléchis, plus ce crime me paraît d'ordre privé. Le pauvre Hamilton aura été victime d'une erreur sur la personne.

Drummond releva la tête, sourcils froncés.

— Oui, mais qui est l'assassin ? Carfax, le gendre, afin d'hériter de sa fortune ? Cela me paraît tiré par les cheveux. Il aurait fini par avoir l'argent. Etheridge n'avait pas prévu de déshériter sa fille, que je sache. Et celle-ci n'avait pas l'intention de quitter son mari, tout de même ! Ce serait un suicide, socialement parlant.

Pitt revit le visage soucieux et vulnérable d'Helen Carfax.

— Non. Au contraire, elle semble très éprise de son époux. Elle lui donne probablement tout l'argent dont il a besoin. L'argent... c'est ce qui semble intéresser le plus Carfax chez son épouse.

Drummond se carra dans son fauteuil.

— Bon, dit-il d'un ton las, cherchez à en savoir un peu plus. Et si, après tout, l'inverse s'était produit ? Si Hamilton était bien la personne visée, le meurtre d'Etheridge n'ayant servi que de paravent pour en cacher le motif ? Bon, c'est vrai, encore une hypothèse tirée par les cheveux. Le risque était trop grand et n'en valait peut-être pas la peine. Et apparemment, aucun des proches d'Hamilton n'avait de raisons de le tuer. Au fait, du nouveau sur le tableau vendu par Helen Carfax ? Avez-vous établi sa valeur ?

— Pas encore. Je pensais m'en occuper aujourd'hui. Il faudrait le faire expertiser.

— Je demanderai à Burrage de s'en occuper. Vous, retournez chez les Carfax, à tout hasard. Voyez si James Carfax avait une liaison, ou plusieurs. Je ne parle pas de la fréquentation de prostituées. Vérifiez s'il avait des dettes importantes, un créancier pressé. Il ne pouvait peut-être pas se permettre d'attendre l'héritage.

— Bien, monsieur. Je reviendrai à l'heure du déjeuner voir si Burrage a du nouveau sur le tableau.

Drummond ouvrit la bouche pour protester, puis se ravisa. En silence, il regarda Pitt sortir de son bureau

Lorsque ce dernier revint au commissariat, vers deux heures et demie, le message qui l'attendait n'avait pas de rapport avec le tableau. Il s'agissait d'une brève missive remise par porteur, émanant d'Helen Carfax. Elle disait se souvenir de la teneur exacte de la lettre reçue par son père. Si Pitt voulait bien passer la voir, elle lui ferait part de son contenu.

Il fut surpris. Il avait cru que cette lettre était pure invention de la part d'Helen, née de son désir de le convaincre et de se convaincre elle-même que la haine et la violence qui entouraient ce meurtre avaient leur source non sous son toit, mais bien dans les profondeurs de quartiers où elle ne s'aventurait jamais, là-bas, dans les ruelles des taudis, des tavernes, des docks de l'est de la capitale, creuset du mécontentement populaire. Pitt s'était dit qu'elle ne ferait plus mention de cette lettre devant lui, sauf de manière très allusive.

Or, elle l'avait fait appeler. Il quitta Bow Street et prit un cab pour Paris Road, sur la rive sud.

Elle le reçut simplement, tantôt intimidée, en baissant les yeux, tantôt le dévisageant hardiment, les bras raidis le long du corps, crispant et décrispant ses poings. Elle ouvrit la porte du salon avec difficulté, tant ses mains tremblaient Pitt ne devait pas perdre de vue qu'elle pensait au monstre qui avait égorgé son père, avant de l'accrocher à un lampadaire, comme un symbole honni de l'ordre établi.

— J'imagine que vous êtes au courant, Mr. Pitt, puisque vous êtes policier...

Elle ne le regardait pas. Ses yeux étaient fixés sur un carré de lumière tombant à ses pieds sur le tapis.

— Il y a trois ans de cela, une femme, nommée Helen Taylor, avait décidé de se porter candidate à la députation...

Sa voix monta d'un cran, comme si, sous son apparente maîtrise d'elle-même, elle était prête à craquer.

— Une femme, vous rendez-vous compte ? L'annonce de cette candidature a provoqué un grand émoi dans les milieux politiques, cela va de soi. Helen Taylor était une femme très bizarre. Dire qu'elle était excentrique serait un euphémisme. Elle portait des pantalons ! Le Dr Pankhurst — vous avez peut-être entendu parler de lui — avait accepté de se montrer en sa compagnie dans des lieux publics. Très inconvenant. Mrs. Pankhurst a vu cela d'un mauvais œil, évidemment. Je crois savoir que son époux a cessé de s'exhiber aux côtés d'Helen Taylor. Mrs. Pankhurst milite ardemment pour le suffrage des femmes...

— J'ai entendu parler de ce mouvement, Mrs. Carfax. En 1867, John Stuart Mill avait rédigé un écrit plein de fougue intitulé *De l'admission des femmes au suffrage électoral*, et Mary Wollstonecraft réclamait déjà en 1792 l'égalité civique et politique des femmes[1].

— Oui, c'est possible. Je ne me suis jamais intéressée à ce mouvement. Certaines femmes défendent cette cause avec beaucoup d'énergie, sans hésiter à recourir à la violence. L'attitude de Miss Taylor est l'exemple le plus frappant de leur mépris pour les règles de la société.

Pitt conserva une expression d'intérêt poli.

— Une attitude pour le moins irréfléchie, commenta-t-il.

Helen Carfax écarquilla les yeux. Pour la première fois, ses mains cessèrent de s'agiter.

— Irréfléchie, dites-vous ?

— Oui, puisque Miss Taylor n'a pas obtenu le

1. Mary Wollstonecraft (1759-1797), féministe britannique, membre d'un groupe d'intellectuels radicaux appelés les Jacobins anglais, qui réclamaient entre autres le droit à l'instruction pour les femmes. Elle mourut en donnant naissance à sa fille Mary, qui épousa le poète Percy Bysshe Shelley et publia en 1818 le célèbre *Frankenstein*. *(N.d.T.)*

résultat qu'elle escomptait, à savoir être élue au Parlement.

— Mais c'était prévisible! Quelle personne saine d'esprit pouvait imaginer qu'elle réussisse?

— Mrs. Carfax... venons-en au fait. Qui, selon vous, menaçait votre père?

— Une femme, une de ces suffragettes, évidemment. Mon père était opposé à leur mouvement.

— Je l'ignorais. Mais il n'était pas le seul. La majorité des députés et une grande partie de la population se déclarent contre le droit de vote des femmes.

La tension nerveuse de la jeune femme était si grande qu'elle tremblait comme une feuille. Elle pâlit et murmura :

— Mr. Pitt, les gens qui ont infligé un tel supplice à mon père et à Sir Lockwood Hamilton sont des malades mentaux.

— Désolé de vous avoir pressée de questions, Mrs. Carfax.

En disant cela Pitt s'excusait d'être le témoin de sa détresse, non de lui avoir demandé des explications. Qu'elle le comprenne ou non n'avait guère d'importance, mais qu'elle sache qu'il compatissait à son malheur, cela seul comptait à ses yeux.

— J'apprécie votre délicatesse, Mr. Pitt. Mais je ne veux pas vous retarder. Merci d'être venu si vite.

Pitt quitta Paris Road, plongé dans ses réflexions. Était-il concevable qu'une personne à ce point éprise de justice et d'égalité puisse égorger deux députés, simplement parce qu'ils faisaient partie de la vaste majorité des gens qui pensaient que le suffrage des femmes était prématuré et même ridicule? Cette hypothèse paraissait aberrante, mais, comme l'avait remarqué Helen Carfax, ces deux crimes étaient le fait d'une créature à l'esprit dérangé, même si ses motivations étaient fondées.

Malgré lui, il revenait sans cesse à James Carfax, dont les mobiles lui semblaient bien plus faciles à comprendre. Il décida de chercher à en savoir davantage à son sujet. Que cachait-il derrière l'image du garçon superficiel décrit par Barclay Hamilton et du mari colérique rencontré le soir de la mort d'Etheridge ?

Afin d'en savoir davantage, il se présenta vers quatre heures de l'après-midi, muni d'une carte de visite, au domicile de Lady Mary Carfax, situé dans le quartier résidentiel de Kensington. Il lui fit demander si elle pouvait avoir l'obligeance de lui accorder un entretien d'une demi-heure, au sujet du récent décès de Mr. Vyvyan Etheridge, député à la Chambre.

Lady Carfax lui fit dire en retour d'attendre dans le salon ; elle le recevrait lorsqu'elle le jugerait opportun.

Elle le fit patienter trois quarts d'heure, pour bien lui faire comprendre qu'un policier ne doit pas se prendre pour ce qu'il n'est pas, et surtout s'imaginer qu'elle n'avait rien d'autre à faire que de le recevoir. Finalement, cédant à la curiosité, elle lui envoya sa femme de chambre, qui le conduisit dans son boudoir, où elle l'attendait, assise sur une bergère rose vif. Trois autres sièges identiques et une méridienne meublaient la pièce. Sur les murs, quelques tableaux, assez agréables à regarder, des portraits de famille et des photographies encadrées ; une demi-douzaine d'entre elles représentaient James Carfax à tous les moments de son existence, de l'enfance à la maturité. Sur la plus récente, on le voyait, pensif et un peu gauche, entourant de son bras les épaules de sa mère.

Lady Carfax ne daigna pas se lever en voyant entrer Pitt. Elle trônait dans son fauteuil, droite et impériale malgré sa petite taille. Elle avait dû être assez jolie dans sa jeunesse ; elle avait conservé une couronne de cheveux naturellement bouclés, un joli teint, un nez droit et délicat, mais ses yeux bleu-gris possédaient une dureté minérale. La courbe de sa mâchoire était affaissée et sa bouche mince et pincée, trait dominant de sa physionomie, traduisait un caractère impitoyable.

Sans prendre la peine de relever la tête, elle l'autorisa à s'asseoir.

— Merci, Lady Mary, fit Pitt en prenant place en face d'elle.

— Eh bien, que puis-je pour vous ? Je m'y connais un peu en politique, mais je ne peux rien vous apprendre sur les anarchistes et les factieux de cet acabit.

— Votre belle-fille, Mrs. James Carfax, pense que son père était menacé par l'une de ces femmes qui militent pour obtenir le droit de vote.

Lady Mary haussa vivement ses sourcils tombants.

— Bonté divine ! Je savais que ces créatures étaient des impudentes, des effrontées dénuées de délicatesse et de raffinement, mais il ne m'était pas venu à l'esprit qu'elles puissent perdre la tête à ce point. Bien sûr, j'avais toujours mis en garde Mr. Etheridge contre toute compassion à leur égard. Il n'est pas normal qu'une femme désire dominer les affaires publiques. Nous ne possédons pas la rigueur nécessaire.

— Vous voulez dire qu'à une certaine époque Mr. Etheridge aurait été partisan du suffrage des femmes ? s'étonna Pitt.

Elle le dévisagea avec mépris.

— Loin de moi cette idée. Il ne serait pas allé jusque-là. Mais il considérait que, tout bien réfléchi, il serait peut-être juste que des femmes, pas n'importe lesquelles bien sûr, des femmes majeures possédant un certain niveau de fortune, puissent voter aux élections municipales et, le cas échéant, obtenir la garde de leurs enfants lorsqu'elles sont séparées de leur mari.

— Des femmes fortunées, uniquement ? Et les autres ? Les plus pauvres ?

— Essayez-vous de faire de l'humour, Mr... Rappelez-moi votre nom ?

— Pitt, madame. Non, je me demandais quelles étaient les idées de Mr. Etheridge sur la question.

— Elles étaient tout à fait déplacées, Mr. Pitt. Les femmes ne sont pas suffisamment instruites pour comprendre les affaires politiques ; elles n'entendent rien au droit, ni au budget des finances, excepté celui de leur propre maison. Imaginez-vous le genre de personnes qu'elles éliraient au Parlement, si elles avaient le droit de vote ? Nous nous retrouverions gouvernés par un écrivaillon romantique ou un théâtreux ! Quelle nation nous prendrait au sérieux ? Si l'Angleterre commençait à montrer des signes de faiblesse à l'intérieur de ses frontières, la fin de l'Empire approcherait ! Toute la chrétienté en pâtirait. Qui souhaite pareille chose ? Personne !

— Selon vous, si les femmes avaient le droit de vote, le pays irait à la catastrophe ?

— Il faut qu'il règne un certain ordre dans la société, Mr. Pitt. Si nous le brisons, c'est à nos risques et périls.

— Mais Mr. Etheridge était bien contre le suffrage des femmes ?

Sur les traits de Lady Mary passa une lueur d'irritation impatiente, sans doute au souvenir d'une affaire ayant nécessité son intervention.

— Oui, au début, mais il s'était laissé apitoyer par une femme qui, par son comportement tout à fait irresponsable, avait attiré le malheur sur sa famille. Elle avait fait appel à lui en tant que député et, durant quelque temps, le jugement de Mr. Etheridge s'est trouvé influencé par les vues quasi hystériques de cette extrémiste. Cependant, il a fini par réaliser que ces suggestions étaient ridicules. Après tout, la majorité de la population ne réclame pas le droit de vote pour les femmes ! Personne, hormis quelques écervelées très indésirables, ne s'est jamais laissé aller à de telles élucubrations.

— Ce fut donc la conclusion de Mr. Etheridge ?

Un très léger sourire éclaira les lèvres de Lady Carfax.

— Bien entendu ! Vyvyan Etheridge n'était pas complètement stupide. Juste un peu trop sentimental. Et cette Florence Ivory ne méritait pas sa pitié. Son influence sur lui n'a pas duré ; il s'est très vite aperçu qu'il avait affaire à une détestable créature.

— Florence Ivory ?

— Une virago, qui n'a rien d'une femme ! Si vous cherchez un assassin qui aurait eu des motifs politiques, Mr. Pitt, un conseil : cherchez du côté d'Ivory et de ses consœurs. Je crois savoir qu'elle vit non loin de Westminster Bridge. Du moins, c'est ce que m'avait dit Mr. Etheridge.

— Je vois. Merci, Lady Mary.

— Je n'ai fait que mon devoir, répondit-elle en relevant le menton. Déplaisante nécessité. Au revoir, Mr. Pitt.

6

Le lendemain, durant toute la matinée, Pitt passa en revue la pile de rapports arrivés depuis la veille, concernant l'affaire Etheridge. Il apprit ainsi la valeur du tableau vendu par Helen Carfax : sa vente avait rapporté cinq cents livres, de quoi, songea-t-il, payer les gages d'une domestique pendant toute son existence, de l'enfance à la vieillesse, et encore, tout l'argent n'aurait pas été dépensé. Qu'avait-elle fait d'une telle somme ? Elle l'avait sûrement donnée à James, sous une forme ou sous une autre : des cadeaux ? une rente ? le paiement de ses dettes au Boodle's ?

On avait retrouvé d'autres cochers, mais leurs témoignages n'ajoutaient rien à ce que l'on savait déjà. Rien non plus du côté des anarchistes, des fenians ou d'autres groupes extrémistes.

Les journaux continuaient à faire leurs titres de l'assassinat des deux députés, et supputaient d'éventuelles émeutes et la prochaine dissolution de la Chambre.

Le ministre de l'Intérieur, inquiet, avait informé Drummond de son souhait de voir l'enquête arriver rapidement à une conclusion, avant que l'agitation populaire ne s'envenime.

Une brève enquête permit à Pitt de s'assurer que Florence Ivory vivait à Walnut Tree Walk, petite avenue qui partait de Kensington Road, à l'est de Westminster Bridge. Lorsqu'il parla d'elle au commissariat de ce district, ses collègues réagirent avec des froncements de sourcils et des haussements d'épaules. Aucune infraction à la loi n'avait été enregistrée à son nom. L'attitude des policiers allait de l'amusement à l'exaspération. Un brigadier répondit aux questions de Pitt avec une grimace bon enfant.

Il se rendit à son domicile en début d'après-midi. Une maison agréable, de taille modeste pour le quartier, mais bien entretenue. Les rebords des fenêtres, fraîchement repeints, étaient agrémentés de jardinières de jonquilles offrant leurs corolles au soleil ; les fenêtres ouvertes étaient garnies de doubles rideaux en chintz.

Une femme de ménage corpulente lui ouvrit la porte, les hanches ceintes d'un tablier. Elle avait posé son balai à franges contre le mur du vestibule pour aller répondre au coup de sonnette.

— Monsieur ? fit-elle d'un air étonné.

— Pourrais-je parler à Mrs. Ivory ? Inspecteur Pitt, du commissariat de Bow Street. Il est possible qu'elle puisse nous aider à...

— J'vois pas en quoi elle pourrait vous aider ! Enfin, j'vais aller la prévenir.

Elle tourna les talons, laissant Pitt sur le perron, et disparut vers le fond de la maison.

Florence Ivory apparut presque aussitôt. D'un geste vif elle s'empara du balai et le fit disparaître derrière la porte d'une pièce située sur la droite, puis posa sur Pitt un regard étonnamment direct. C'était une femme de taille moyenne, très mince, presque maigre, à la poitrine plate, aux épaules carrées et osseuses ; néanmoins, il émanait d'elle une élégance et une féminité singulières. Son visage ne répondait pas aux critères de beauté en vogue : grands yeux écartés, sourcils fournis, grand nez long et droit. Malgré les rides profondes qui entouraient sa bouche, Pitt lui donna au plus trente-cinq ans.

— Bonjour, Mr. Pitt.

Elle avait une voix extraordinaire, à la fois rauque et douce.

— Mrs. Pacey m'informe que vous venez du commissariat de Bow Street. Je ne vois pas en quoi je peux vous être utile, mais si vous voulez vous donner la peine d'entrer...

— Merci, Mrs. Ivory.

Il la suivit jusqu'au fond de la maison, dans une grande pièce dans laquelle il se sentit aussitôt à l'aise : un salon très lumineux, en dépit de ses sombres boiseries. Sur la table cirée s'épanouissait un bouquet de narcisses, dans un vase rond posé sur un plat de faïence ancienne, un peu craquelé, mais encore très beau. Des rideaux de coton blanc brodé d'un motif de fleurs entrelacées ornaient les fenêtres. Le même tissu recouvrait les coussins du canapé. Par la grande porte-fenêtre ouvrant sur un petit jardin, Pitt aperçut la silhouette d'une femme penchée en avant, occupée à bêcher. Elle n'était pas loin mais, sauf à écarquiller les yeux à travers les vitres, Pitt ne voyait d'elle qu'un corsage blanc et une masse de cheveux roux foncé brillant au soleil.

— Eh bien ? fit vivement Florence Ivory. J'imagine que votre temps est précieux, inspecteur. Le mien aussi. D'après vous, je saurais quelque chose qui pourrait intéresser la police. De quoi s'agit-il ?

Depuis la veille, Pitt se demandait comment il pourrait lui présenter le sujet. Or, face à cette femme, les circonlocutions ne paraissaient pas de mise. Son regard pénétrant le fixait avec une impatience frisant l'animosité. Faire preuve d'hypocrisie aliénerait définitivement sa confiance et ferait injure à son intelligence. Elle prendrait très mal la chose.

— Je mène une enquête criminelle, madame.

— Ah ? Personne de mon entourage n'a succombé à une mort violente.

— Mr. Vyvyan Etheridge ?

— Oh...

Mrs. Ivory fut prise au dépourvu. À l'évidence elle n'avait pas eu l'intention de mentir, mais son oubli la fit rougir.

— Oui, évidemment. Pardonnez-moi, mais l'adjectif « criminel » évoquait plutôt pour moi un crime d'ordre passionnel. En ce qui concerne ce décès, j'utiliserais plutôt le terme d'« assassinat ». Je crains de ne rien connaître aux milieux anarchistes. Nous menons une existence très paisible.

Pitt n'aurait su dire, d'après son expression, si dans sa bouche ce qualificatif était élogieux ou critique. Avait-elle rêvé, comme Helen Taylor, d'être élue au Parlement, ou bien les propos venimeux de Lady Mary Carfax n'étaient-ils que le fruit de ses propres griefs, alimentés par de méchants commérages ?

— Mais vous connaissiez Mr. Etheridge ?

— Il ne faisait pas partie de mes fréquentations, si c'est cela que vous voulez savoir, fit-elle avec un rire dans la voix, une voix aux intonations riches et flexibles, capables de traduire toutes les nuances de sa pensée.

— J'entends bien, Mrs. Ivory. Mais je crois savoir que vous avez eu l'occasion de faire appel à lui, en tant que député.

Ses traits se durcirent. La lueur d'humour qui éclairait ses yeux s'éteignit, remplacée par un éclair de haine si intense qu'il en était effrayant. Elle faillit en perdre la respiration. Son corps tout entier se raidit.

D'instinct, Pitt eut un geste vers elle, puis se reprit et attendit. Oui, cette femme aurait pu se glisser derrière un homme, un rasoir à la main, et l'égorger sans hésiter. Même si elle n'en avait pas la force physique, la violence de son désespoir le lui aurait permis.

Un silence tomba dans la pièce, si lourd que le moindre bruit s'en trouvait amplifié : les pas de la bonne dans la cuisine, ceux d'un enfant qui passait en courant derrière les fenêtres, le chant d'un oiseau dans le jardin.

— En effet, dit-elle entre ses dents, sans le quitter des yeux. S'il s'est permis de traiter d'autres personnes comme il m'a traitée, je ne suis pas étonnée qu'on l'ait assassiné. Mais ce n'est pas moi.

— Que vous a-t-il fait de si terrible, Mrs. Ivory, pour que vous le détestiez à ce point ?

— Je lui faisais confiance... Il n'a pas tenu sa promesse. Pardonnez-vous la trahison, Mr. Pitt ? Mais vous n'avez peut-être jamais vécu ce genre d'expérience. Sans doute avez-vous des moyens de vous défendre, des recours si l'on vous abuse ou l'on vous trompe... Oh, ne prenez pas cet air entendu !

Son expression se teinta d'un mépris mêlé d'une ironie amère qu'il n'avait jamais vu auparavant sur un visage.

— Je ne veux pas dire qu'il a brisé mon tendre cœur de midinette. Ce genre de chose arrive hélas, Dieu m'en soit témoin, à bien des femmes. Je n'avais aucune... intimité avec Mr. Etheridge, ça je peux vous l'assurer !

Pitt ne comprit pas aussitôt le sens de la phrase ; puis il se souvint que l'amour pouvait être un sentiment bien étrange, sans parler du désir qui attire deux êtres l'un vers l'autre et qu'ils croient être de l'amour. Florence Ivory possédait une forte personnalité ; il n'était pas impossible que le regard ironique et désabusé qu'elle portait sur le monde ait pu séduire Etheridge.

Les mots qui lui venaient à l'esprit moururent sur ses lèvres.

— J'ai cru comprendre que vous avez eu affaire à lui en tant que parlementaire. J'imagine que c'est à ce titre que vous éprouvez ce sentiment d'injustice ?

Elle partit d'un rire dur.

— Que de fioritures inutiles, Mr. Pitt ! Qui donc espérez-vous épargner en parlant ainsi ? Pas moi, en tout cas ! Rien ne peut plus froisser mon amour-propre. Sachez que tout ce que vous pouvez dire au sujet de Mr. Etheridge n'atteindra jamais la violence de mes propos. À moins que cela fasse partie de votre métier de ne jamais critiquer les gens qui vous sont socialement supérieurs ?

Une demi-douzaine de réponses bien senties vinrent à l'esprit de Pitt, mais il préféra ne pas réagir. Il ne la laisserait pas lui dicter sa façon de faire son travail ou de se comporter.

— Comme policier, il est de mon devoir, Mrs. Ivory, de démasquer l'assassin de Mr. Etheridge. Mon opinion importe peu, ajouta-t-il avec froideur. Nombre de victimes n'auraient pas, de leur vivant, attiré ma sympathie. Par bonheur, la liberté de marcher dans les rues sans crainte d'être assassiné ne dépend pas de votre degré d'amitié avec un membre de la police.

Il crut qu'elle allait se fâcher, mais elle se détendit et lui sourit brusquement.

— C'est tant mieux, sinon je vivrais dans une terreur permanente ! Vous avez l'esprit caustique, Mr. Pitt ! Pour en revenir à Mr. Etheridge, il est vrai que j'avais sollicité son aide, parce que j'habitais à l'époque dans sa circonscription du Lincolnshire.

— Dois-je comprendre qu'il n'a pas répondu à votre sollicitation ?

À nouveau, la haine déforma son visage, presque à l'enlaidir. Un rictus amer tordit sa bouche, si charmante et expressive quelques secondes plus tôt.

— Disons qu'il a promis de m'aider et puis, comme tous les hommes, il s'est rallié à ses pairs. Il m'a trahie et abandonnée !

Sous le coton de sa robe tout son corps tremblait d'indignation. Ses minces épaules étaient rigides.

— Abandonnée, vous m'entendez !

À cet instant, la porte-fenêtre s'ouvrit ; l'autre femme, alertée par ce cri angoissé, entra dans la pièce. Pitt lui donna à peine vingt ans. Elle ne ressemblait pas du tout à Florence Ivory : grande, tout en courbes délicates, avec une poitrine ronde et des bras potelés. Son visage de madone préraphaélite aurait pu servir de modèle à Rossetti pour illustrer ses poèmes et ses tableaux arthuriens. Elle en avait à la fois la légèreté, la naïveté terrienne et la force inconsciente.

Elle s'approcha de Florence Ivory et plaça autour d'elle un bras protecteur, puis fit face à Pitt, furieuse.

Florence posa une main apaisante sur celle de la jeune femme.

— Tout va bien, Africa. Mr. Pitt est de la police. Il enquête sur le meurtre de Vyvyan Etheridge. J'étais en train de lui expliquer quel genre d'homme c'était. Il fallait bien que je lui fasse part de la nature orageuse de nos relations.

Elle se tourna vers le policier.

— Mr. Pitt, je vous présente mon amie et compagne, Miss Africa Dowell, propriétaire de cette maison. Miss Dowell a eu la générosité de m'héberger alors que je n'avais plus de toit.

— Enchanté, Miss Dowell, fit Pitt, d'un ton grave.

Africa Dowell le salua, sur la défensive.

— Que nous voulez-vous ? C'est vrai, nous méprisions Mr. Etheridge, mais nous ne l'avons pas tué. Et nous ignorons qui l'a fait.

Pitt hocha la tête.

— Mais vous savez peut-être, sans en avoir conscience, quelque chose qui pourrait nous mettre sur la piste de l'assassin. Votre témoignage s'ajoutera à ceux que j'ai déjà recueillis ou que je recueillerai ultérieurement.

— Nous ne fréquentons pas les milieux anarchistes.

Il y eut quelque chose, dans sa façon hardie de relever le menton et de le fixer avec méfiance, qui indiqua à Pitt qu'elle ne disait pas tout à fait la vérité.

— Pourquoi soupçonnez-vous les milieux anarchistes, Miss Dowell ?

Elle avala sa salive, troublée. Ce n'était pas la repartie à laquelle elle s'attendait.

Florence fit un pas en avant.

— Inspecteur, si ce meurtre a été commis pour des raisons d'héritage ou de haine personnelle, nous ne pourrons vous être d'aucune aide. Et à ma connaissance, nous n'avons pas, dans notre entourage, de personnes ayant perdu l'esprit.

La réaction de ces deux femmes solidaires, méfiantes et sur la défensive, agaçait Pitt, mais il savait qu'elles avaient été blessées et qu'elles cherchaient à se protéger d'autres blessures.

— Mr. Etheridge pouvait être l'objet d'inimitiés au niveau politique, insista-t-il.

— Inimitié est un mot bien faible, Mr. Pitt, répondit Florence d'un ton amer. Personnellement, je le haïssais.

Sa main serra le bras d'Africa.

— J'imagine qu'il a traité d'autres personnes de la même façon, mais je ne les connais pas. Et si je les connaissais, je ne vous dirais pas leur nom.

— Des personnes que la colère aurait poussées au meurtre, Mrs. Ivory ?

— Je vous l'ai dit, je l'ignore. Parfois récriminations et protestations ne servent à rien. Les hommes au pouvoir ont un toit sur la tête et mangent à leur faim. Ils vivent en sécurité dans leur milieu, entourés de leur famille et veulent qu'il en soit toujours ainsi. Ils ne peuvent pas et ne veulent pas croire que pendant ce temps d'autres pâtissent de douleurs ou d'iniquité. Ils ne désirent pas voir changer l'ordre des choses — en particulier si ce changement implique la transformation d'un système qui les satisfait au plus haut point.

Devant la passion et la véhémence de ses propos, Pitt comprit qu'il ne s'agissait pas là d'une réponse directe à sa question, mais de l'expression de convictions profondes, n'attendant que le moment de jaillir avec toute la force qu'instillent des années de souffrance, de quelque manière qu'elle ait été occasionnée.

Il devait taire ses opinions personnelles, s'abstenir d'abonder dans son sens, en évoquant des injustices qui le faisaient bouillir de rage, ou l'attitude de certaines personnes à qui il aurait volontiers fait ravaler leur suffisance. Le moment eût été mal choisi. Sa tâche consistait à deviner si cette femme avait pu abandonner plaidoyers, débats et soumission à la loi — seule manière de protéger une communauté de la barbarie —, pour se faire justice elle-même, en décidant d'égorger deux députés.

— Si je vous comprends bien, Mrs. Ivory, vous pensez que les nantis refusent le changement et que ce sont les mécontents qui exigent l'amélioration de leurs conditions de vie ; mais ne cherchent-ils pas à prendre le pouvoir pour devenir eux-mêmes des nantis ?

À nouveau, la colère crispa ses traits, mais cette fois sa rage était dirigée contre lui.

— Un instant, Mr. Pitt, j'ai cru que vous aviez de l'imagination et que vous étiez capable d'éprouver de la pitié. Je constate que je me suis trompée ; vous êtes imbu de vous-même, insensible et, tout comme vos semblables, vous craignez de perdre votre misérable petite niche au sein de la société !

— Qui sont mes semblables, Mrs. Ivory ?

— Les gens au pouvoir, Mr. Pitt ! cracha-t-elle. Et qui sont-ils ? Des hommes — presque tous des hommes ! Nous, les femmes, prenons dès notre naissance le nom de notre père. Nous héritons de sa condition. Il choisit l'endroit où habitera sa famille et la manière dont elle vivra. À la maison, il dicte sa loi ; c'est lui qui décide du niveau d'instruction de ses filles et de leur avenir ; il choisit leur époux et la date de leur mariage. Plus tard, notre mari décide de ce que nous devons dire, faire et même penser ! Il choisit notre religion, nos relations et l'avenir de nos enfants. Et nous devons acquiescer à tout, quoi que nous pensions, faire mine d'être persuadées qu'ils sont plus intelligents, plus subtils, plus sages, plus imaginatifs que nous, même si leur stupidité fait peine à voir !

« Les hommes, ajouta-t-elle, tremblante et hors d'haleine, font les lois et les appliquent ; les policiers, les juges sont des hommes ! De quelque côté que je me tourne, ma vie est régie par eux. Nulle part je ne peux faire appel à une femme qui serait à même de comprendre ce que je ressens !

« Savez-vous, Mr. Pitt, qu'il n'y a que quatre ans que j'ai cessé d'être la propriété de mon mari, au regard de la loi ? Un vulgaire objet lui appartenant, au même titre qu'une chaise, une table ou un ballot de linge ? Puis la loi — la loi des hommes — a enfin reconnu que j'étais une personne à part entière, un être humain indépendant, doté d'un cœur et d'un cerveau. Lorsque je suis blessée, ce n'est pas mon mari qui saigne, c'est moi !

Pitt ignorait cet état de fait. Les femmes de son entourage, Charlotte la première, étaient si indépendantes qu'il ne lui était jamais venu à l'esprit de considérer leur statut légal. Il savait cependant que les femmes mariées n'avaient obtenu le droit de garder et d'administrer leurs biens que depuis six ans[1]. Lorsqu'il avait épousé Charlotte, en 1881, il était encore, au regard de la loi, le détenteur de son argent et même de ses vêtements. Il n'y avait jamais prêté attention jusqu'au jour où quelqu'un lui avait fait une remarque malveillante sur le changement intervenu dans ses finances.

— D'après vous, protestations et actions en justice ne servent à rien ? demanda-t-il, détestant être obligé de feindre l'incompréhension, alors qu'il partageait son point de vue.

Fils d'un garde-chasse, élevé sur les terres d'un hobereau de province, il savait ce qu'était l'obéissance envers celui qui possède le droit de propriété.

— Mr. Pitt, lança-t-elle avec dégoût, de deux choses l'une : ou vous êtes stupide, ou vous faites exprès de me traiter avec une condescendance à la fois méprisable et gratuite. Vous essayez de me faire dire qu'il y a des moments où la violence est le seul moyen d'action restant à celui qui a subi un tort considérable. Eh bien, oui, je le pense et je l'affirme !

Elle darda sur lui un regard furibond, le mettant au défi de poser la question qui lui brûlait les lèvres.

— Je ne pense pas être stupide, Mrs. Ivory. Et j'estime que vous êtes une femme intelligente. Quelle qu'ait été la requête que vous avez adressée à Mr. Etheridge, j'imagine que vous ne lui demandiez

1. La loi sur les propriétés des femmes mariées (Married Women's Property Act), leur donnant le contrôle légal de leurs revenus, date en effet de 1882. *(N.d.T.)*

pas de changer la société et d'offrir aux femmes une égalité civique et politique dont elles sont privées depuis deux mille ans. Vous êtes peut-être très ambitieuse, mais à mon avis, votre requête devait être bien précise et d'ordre personnel. De quoi s'agissait-il ?

Sa fureur retomba d'un seul coup, comme si, vidée de toute son énergie, il ne lui restait plus que sa douleur. Elle s'assit sur un banc à haut dossier garni de coussins et regarda le jardin, par la fenêtre ouverte.

— Je suppose que si je ne vous le dis pas, vous l'apprendrez d'une manière ou d'une autre, peut-être avec inexactitude. Autant entendre mon histoire de ma propre bouche. J'ai épousé William Ivory il y a quinze ans. Je possédais une petite propriété dont les revenus m'auraient rapporté de quoi vivre confortablement. Bien entendu, du jour de notre mariage, elle est devenue sienne. Je ne l'ai jamais revue.

Elle parlait calmement, les mains posées sur les genoux, tenant entre ses doigts un mouchoir en dentelle qu'elle avait sorti de sa poche. Seules les jointures crispées de ses phalanges trahissaient sa tension.

— Je ne m'en plains pas, même si je trouve monstrueuse l'idée de priver quelqu'un de ce qui lui appartient. C'était pour les hommes une manière institutionnalisée de voler l'argent de leur épouse et de l'utiliser à leur guise, sous prétexte qu'elles étaient trop sottes ou trop ignorantes des affaires pour gérer leurs biens. Nous étions obligées de regarder nos maris dilapider notre fortune, sans jamais protester, même si nous avions mille fois plus de bon sens qu'eux. D'ailleurs, si les femmes ne savent pas se débrouiller, à qui la faute ? Qui nous interdit l'accès à l'instruction supérieure ? On ne nous apprend qu'à broder et à compter des pots de confitures.

Pitt attendit qu'elle en vînt au fait, sans l'interrompre. Pendant ce temps, Africa Dowell demeurait assise à l'autre bout du banc, immobile, comme l'une de ces héroïnes romantiques auxquelles elle ressemblait tant ; ses sentiments et ses rêves se reflétaient sur son visage ; elle aurait très bien pu à cet instant voir le miroir de Shalott[1] se craqueler de part en part, scellant ainsi son destin. Elle connaissait l'histoire de sa compagne et éprouvait elle aussi la même blessure inguérissable.

— Nous avions deux enfants, reprit Florence. Un garçon et une petite fille. William devenait de plus en plus tyrannique. Nos fous rires le dérangeaient. Il me reprochait de m'amuser en leur compagnie, de leur raconter des histoires, de jouer avec eux. Des gamineries, prétendait-il. Pourtant, si j'orientais nos discussions sur la politique, par exemple la réforme de la loi sur les indigents, il disait que je me mêlais de questions trop compliquées pour moi, que je ne savais pas de quoi je parlais et que cela ne me regardait pas. Ma place était au salon, à la cuisine, à l'étage, et nulle part ailleurs.

« Un beau jour, n'y tenant plus, je l'ai quitté. Tout de suite, j'ai compris que je ne pourrais emmener mon fils ; aussi ai-je pris avec moi ma petite fille de six ans, Pansy...

La simple mention de ce prénom parut lui déchirer le cœur.

— Notre vie a été très difficile. J'avais très peu d'argent et peu de moyens d'en gagner. Au début, j'ai été hébergée ici, à Londres, par une amie qui comprenait ma terrible situation et qui avait pitié de moi. Mais elle a subi un revers de fortune et je me suis sentie moralement obligée de la dégager du fardeau

1. Référence au célèbre poème de Tennyson *The Lady of Shalott* : la dame de Shalott est condamnée par le roi Arthur à ne voir du monde extérieur que son reflet dans un miroir. *(N.d.T.)*

financier de notre présence. C'est à ce moment-là, il y a trois ans environ, qu'Africa a accepté de nous héberger sous son toit.

Elle leva les yeux vers Pitt et décela sur son visage un mélange de trouble et d'impatience. Son histoire était très triste, mais il ne voyait toujours pas à quel moment intervenait Vyvyan Etheridge.

— Je soutenais la réforme électorale, poursuivit-elle d'un ton amer. J'ai même appuyé la candidature d'Helen Taylor à la députation. J'exprimais librement mon point de vue sur le droit des femmes ; j'estime qu'elles doivent pouvoir voter, occuper des fonctions officielles, avoir droit de regard sur leur argent et l'éducation de leurs enfants et accéder à un degré d'instruction qui leur permettrait de choisir le nombre d'enfants qu'elles désirent, plutôt que de passer vingt ans de leur existence engrossées jusqu'à épuisement physique et moral, et sans un sou en poche.

Sa voix se durcit ; son humiliation, son amertume s'étalaient comme une plaie ouverte, encore à vif.

— Mon mari a entendu parler de mes prises de position et a porté l'affaire devant les tribunaux, arguant que je n'étais pas digne d'avoir la garde de ma fille. J'ai donc plaidé ma cause auprès de Vyvyan Etheridge. Celui-ci m'a déclaré qu'il voyait bien que mes idées politiques étaient sans incidence sur ma capacité à élever un enfant et que je ne devais pas être privée de ma fille à cause de mes opinions.

« J'ignorais à l'époque que mon mari connaissait des gens suffisamment haut placés pour faire pression sur un député. Il a usé de leur influence en sa faveur, et a fini par rencontrer Mr. Etheridge. Un jour, j'ai reçu une lettre de celui-ci, m'expliquant qu'il avait mal interprété ma requête, et que, après examen approfondi, il partageait le point de vue de mon mari, selon lequel j'étais une femme instable, nerveuse et influençable ; en conséquence, il valait mieux que ma fille retournât auprès de son père. Le même jour, ils sont venus me l'arracher. Je ne l'ai jamais revue depuis.

Elle hésita, se dominant avec difficulté, s'obligeant à chasser ce terrible souvenir de sa mémoire, puis poursuivit d'un ton plat et monocorde :

— Suis-je affligée par le décès de Vyvyan Etheridge ? Non ! Je suis seulement désolée qu'il n'ait pas eu le temps de souffrir, de voir le visage de son assassin et de connaître ses raisons. Un lâche et un traître, voilà ce qu'il était. Il savait que je n'étais ni hystérique ni simple d'esprit. J'aimais ma fille plus que tout au monde ; elle m'aimait et me faisait confiance. J'aurais pu l'aimer au-delà de tous les intérêts, de toutes les causes ; je lui aurais enseigné le courage, la dignité et l'honneur. L'aimant moi-même, je lui aurais appris à aimer les autres. Que va lui apprendre son père ? Qu'elle n'est bonne qu'à écouter et obéir ! Il lui sera interdit de penser, de rêver, de se passionner pour une cause qu'elle croit juste ou bonne...

Elle dut s'interrompre, brisée par le souvenir de l'enfant qu'elle avait portée, aimée et perdue.

— Etheridge le savait, reprit-elle après un très long silence, mais il a cédé face à la pression d'autres hommes, de gens qui, sachant qu'il me soutenait, auraient pu gêner sa carrière politique. Il était plus facile pour lui de ne pas se battre. Il les a laissés me prendre ma fille pour la remettre entre les mains d'un père tyrannique et sans cœur.

Son visage reflétait une telle douleur que Pitt jugea indécent de la regarder. Les larmes coulaient sur ses joues, sans qu'elle cherchât à les retenir ; l'intensité de son désespoir lui conférait une extraordinaire et terrible beauté.

Africa s'agenouilla à ses pieds et lui prit doucement la main. Elle ne l'entoura pas de ses bras ; peut-être l'avait-elle souvent fait par le passé et jugeait-elle le geste désormais inutile. Elle regarda Pitt par-dessus la mousseline fleurie de la robe de Florence.

— Des hommes tels qu'Etheridge méritent la mort, chuchota-t-elle d'une voix grave. Mais nous ne l'avons pas tué. Si vous espériez découvrir l'assassin en venant ici, vous avez perdu votre temps.

Pitt savait qu'il devait leur demander où elles se trouvaient les soirs de la mort des deux députés, mais il n'eut pas le courage de le faire. De toute manière, elles jureraient être restées ensemble chez elles toute la soirée. Où peut se trouver une femme honnête passé minuit, sinon dans son lit ? Et il n'avait aucun moyen de les confondre.

— Je veux appréhender le meurtrier de Mr. Etheridge et de Sir Lockwood Hamilton, Miss Dowell, et j'espère que ce n'est pas vous. Je souhaite simplement que vous puissiez me le prouver.

— La porte est derrière vous, Mr. Pitt, répliqua Africa. Ayez l'amabilité de nous laisser seules.

Pitt rentra chez lui au crépuscule. Dès qu'il franchit le seuil de la porte, il essaya de chasser l'affaire Etheridge de son esprit. Daniel avait déjà soupé et était prêt à monter se coucher. Il le serra très fort contre lui et lui souhaita une bonne nuit. Jemima, de deux ans plus âgée, avait des devoirs, mais aussi des privilèges, en qualité d'aînée. Ils se trouvaient seuls tous les deux dans le salon, près de la cheminée. La fillette se pencha pour ramasser les pièces d'un puzzle en bois, tout en maugréant. Pitt comprit que le désordre avait été laissé par Daniel, et que Jemima se jugeait éminemment vertueuse de ranger tous les morceaux du puzzle. En prenant bien soin de cacher son sourire, il observait sa fine silhouette et, lorsqu'elle se tourna enfin vers lui, le visage éclairé par une intense satisfaction, il lui offrit une expression très grave et ne fit aucun commentaire : la discipline faisait tacitement partie des prérogatives de Charlotte, tant que les enfants étaient petits. Il préférait traiter sa fille comme une petite camarade qu'il chérissait avec une intensité et une douceur qui le prenaient parfois au dépourvu, lui serrant la gorge et accélérant les battements de son cœur.

— J'ai fini, dit-elle, solennelle.

— Oui, je le vois.

Elle vint vers lui, grimpa sur ses genoux comme elle l'aurait fait sur une chaise, se retourna et s'assit. Son petit visage rond était très sérieux. « Elle a les yeux gris, le front et les cheveux cuivrés de sa mère », songea Pitt, admiratif, sans remarquer qu'elle avait hérité de lui ses boucles épaisses.

— Papa, raconte-moi une histoire, s'il te plaît...

Étant donné la façon dont elle s'était installée sur ses genoux et à entendre sa voix assurée, il s'agissait davantage d'un ordre que d'une supplique.

— Quelle histoire ?

— Celle que tu veux.

Pitt était fatigué et son imagination épuisée à force de réfléchir au mystère de la mort des deux députés.

— Je peux t'en lire une... suggéra-t-il, plein d'espoir.

Elle lui lança un regard de reproche.

— Papa, je sais lire toute seule ! Non, je veux une histoire de grandes dames, de princesses !

— Je ne connais pas d'histoire de princesses.

— Oh...

Il lut une telle déception dans son regard qu'il s'empressa de se reprendre.

— Enfin, j'en connais une.

Le visage de la fillette s'illumina. Une seule histoire ferait l'affaire.

— Il était une fois une princesse...

Il lui conta la vie de la grande Élisabeth, fille d'Henri VIII, qui, après bien des dangers et des tribulations, devint reine d'Angleterre. Il était tellement pris par son récit qu'il ne remarqua pas la présence de Charlotte, debout sur le seuil de la porte. Il raconta tout ce qu'il savait, puis s'interrompit et regarda sa fille qui écoutait, captivée.

— Et ensuite ?

— Je t'ai dit tout ce que je savais, avoua-t-il.

Elle écarquilla les yeux, très impressionnée.

— Cette reine a vraiment existé, papa ?

— Oh, oui. Comme toi et moi.

Charlotte entra dans la pièce.

— Jemima, c'est l'heure d'aller au lit !

La fillette passa ses bras autour de son père et lui fit un gros baiser.

— Merci, papa. Bonne nuit !

— Bonne nuit, ma chérie.

Charlotte croisa le regard de Pitt et sourit, puis prit la fillette dans ses bras et la porta jusqu'à sa chambre. En les voyant s'éloigner, Pitt repensa à Florence Ivory et à sa petite Pansy, qu'on lui avait arrachée.

Un tribunal jugerait-il Charlotte « digne » d'élever un enfant ? Elle s'était mariée au-dessous de son rang, se mêlait régulièrement d'affaires criminelles qui avaient mené ses pas dans des cabarets ou des morgues ; récemment, elle s'était déguisée en demimondaine pour les besoins d'une enquête ; un soir, par une terrible tempête de neige, elle avait poursuivi en attelage une meurtrière en fuite. La cavalcade effrénée s'était terminée en pugilat dans le salon d'une maison de prostitution ! Et elle avait toujours fait campagne, à sa manière, en faveur de réformes.

Pitt n'arrivait pas à concevoir ce qu'il ressentirait, si, à la suite d'une décision d'un tribunal jugeant son comportement social indigne, on venait lui enlever ses enfants. Cela dépassait son imagination.

Au fond, il comprenait fort bien que Florence Ivory ait pu haïr Etheridge au point de l'égorger. Et Africa Dowell aussi, si elle avait aimé l'enfant et vu la souffrance de son amie. Il ne pouvait négliger cette conclusion, hélas, et Dieu sait pourtant qu'il en avait envie. Ce soir-là, il ne parla pas à Charlotte de sa visite aux deux femmes.

Le lendemain matin, lorsqu'il vit dans ses mains une enveloppe portant le cachet de la poste de Venise, il se dit que cette lettre devait contenir des nouvelles excitantes et romantiques. Emily avait dû se demander s'il lui fallait insister sur les merveilles qu'elle voyait ou si elle devait tempérer son enthousiasme afin d'épargner sa sœur. La connaissant, Pitt se doutait qu'elle ne chercherait pas à protéger Charlotte en omettant de lui donner les détails les plus passionnants. Il devinait le mélange de bonheur et d'envie que Charlotte pouvait ressentir, mais aussi son sentiment d'être laissée pour compte.

Elle ne se plaindrait pas, bien entendu. Elle ne lui avait pas montré la première lettre, pas plus qu'elle ne lui montrerait celle-ci, parce qu'elle voulait lui faire croire que seul comptait pour elle le bonheur de sa sœur, et qu'elle se moquait bien de son argent — ce qui au fond était l'absolue vérité.

Il choisit ce moment pour lui parler de l'enquête sur les meurtres de Westminster Bridge, à la fois pour lui faire oublier la lune de miel enchanteresse d'Emily, mais aussi pour soulager la sensation d'isolement qu'il éprouvait ; contrairement à son habitude, il ne lui avait pas fait part de ses doutes, et de sa frustration de voir l'enquête piétiner.

Ils étaient assis à la table du petit déjeuner. Pitt prit

un toast et le tartina de marmelade de citrons, piquante et acide à souhait.

— Hier, j'ai rencontré une femme qui pourrait bien avoir égorgé deux hommes sur Westminster Bridge, dit-il, la bouche pleine.

— Vous ne m'aviez pas dit que vous travailliez sur cette affaire ! s'exclama Charlotte, la cuillère en l'air.

Il sourit.

— Nous n'avons guère eu l'occasion de parler, avec tous les préparatifs du mariage d'Emily. Et puis la routine a repris le dessus... Triste affaire. Mais rassurez-vous, elle ne concerne personne de votre entourage.

Elle eut une petite grimace d'excuse, devinant son besoin jusque-là inexprimé de lui confier ses soucis et ses craintes. Ils échangèrent un regard à la fois tendre et complice.

— Une femme, vraiment ? Voulez-vous dire qu'elle a payé quelqu'un pour le faire à sa place ?

— Non, à mon avis, elle est capable de tuer. Elle possède l'énergie du désespoir et croit être dans son bon droit.

— L'est-elle ?

— Peut-être.

Il prit un toast, qui s'effrita dans ses mains. Il picora les miettes avant d'en reprendre un autre.

— C'est aussi ce que vous auriez pensé, dit-il, sen tant Charlotte s'impatienter.

Il lui traça à grands traits ce qu'il savait de l'affaire ; au fur et à mesure qu'il décrivait la personnalité des deux femmes, en cherchant les mots justes pour exprimer sa pensée, un nouveau monde, profond et subtil, s'ouvrait à lui.

Charlotte l'écouta sans l'interrompre, sauf pour lui préciser qu'elle avait entendu parler de Florence

Ivory au cours d'un meeting; mais étant donné qu'elle ne savait rien sur elle, sinon qu'elle était objet de compassion ou de mépris, elle n'en dit pas plus. Quand il eut terminé son récit, ils n'eurent pas le temps d'en discuter plus longtemps car Pitt était en retard.

Il partit à son travail d'un pas rapide, le cœur allégé d'un lourd fardeau, bien que leur discussion n'ait apporté aucun éclairage nouveau à l'affaire.

Tout en marchant dans l'avenue où il pensait trouver un cab pour Westminster, il se prit à rêver de pouvoir emmener Charlotte dans une contrée ensoleillée et lui offrir des souvenirs éblouissants qui lui permettraient de rivaliser avec ceux d'Emily. Mais il avait beau réfléchir, il ne trouvait pas le moyen de financer un tel voyage.

Après son départ, Charlotte songea longtemps au destin de Florence Ivory. Puis elle décida de ne plus y penser et décacheta la lettre d'Emily, postée de Venise.

Charlotte chérie,

Quel voyage interminable! Et le bruit! Il y avai‘ une certaine Mme Charles, une Parisienne, qui par lait sans arrêt et dont le rire ressemblait à un hennissement. J'espère ne plus jamais entendre le son de cette horrible voix. En descendant de la voiture j'étais si sale et si fatiguée que j'avais envie de pleurer. Il faisait nuit. Nous avons pris un fiacre qui nous a emmenés à l'hôtel. Je ne pensais qu'à faire ma toilette pour me débarrasser de toute cette crasse, à grimper dans un lit et à dormir pendant une semaine!

Mais au réveil, la magie a opéré. Lorsque j'ai ouvert les yeux, les rayons du soleil jouaient sur un plafond tout scintillant de lumières mouvantes et j'ai entendu, merveille des merveilles, une voix d'homme, chantant comme un ange, s'élever sous mes fenêtres.

J'ai bondi du lit en chemise de nuit, les cheveux en désordre. Je me moquais bien de mon apparence ou de ce que Jack penserait de moi ! J'ai couru à la fenêtre, une immense fenêtre qui doit bien faire cinquante centimètres d'épaisseur, et je me suis penchée pour regarder dehors.

De l'eau, Charlotte, de l'eau partout ! Une eau verte, lisse comme un miroir, qui vient lécher les murs des maisons. En me penchant j'aurais pu tomber dans le canal qui passe à trois mètres sous nos fenêtres. C'était le reflet de l'eau ridée par la brise que j'avais vu miroiter au plafond.

L'homme qui poussait la chanson se tenait debout, mince et souple comme un roseau à l'arrière d'une embarcation qui glissait au fil de l'eau, actionnée par un long bâton, je ne sais si on doit appeler ça une rame ou un aviron. Tout en chantant, il bougeait son corps de manière très gracieuse pour faire avancer la barque. On sentait qu'il chantait par pur plaisir. Pourquoi pas ? Il fait si beau ici ! Jack soutient qu'il chante pour soutirer de l'argent aux touristes, mais je refuse de le croire. Moi aussi j'aurais chanté de bonheur, si je m'étais trouvée sur le canal par une si belle matinée !

En face de l'hôtel, il y a un palais tout en marbre. J'ai fait une promenade dans ces barques que l'on appelle gondoles, et j'ai traversé la lagune pour aller visiter Santa Maria della Salute. Charlotte, même en rêve on ne peut imaginer si belle église ! On croirait la voir flotter à la surface de l'eau. Une vision féerique. Tous les bâtiments sont en marbre blanc, le ciel est bleu, l'eau est bleue et la lumière du soleil dorée. Il y a ici une luminosité qui change les couleurs.

J'aime la musicalité de l'italien. Je le préfère au français, bien que je n'entende rien à ces deux langues.

Seul point noir au tableau : les odeurs! Elles sont très fortes et très gênantes, mais je ne les laisserai pas me gâcher une seule minute de mon plaisir. D'ailleurs j'ai l'impression que je commence déjà à m'y adapter.

Il m'a également fallu un peu de temps pour m'habituer à la cuisine locale. Je porte toujours les mêmes vêtements, c'est un peu agaçant, mais je n'ai pas pu emporter beaucoup de toilettes de rechange. Et le service de nettoyage laisse à désirer.

J'ai déjà acheté plusieurs tableaux, pour toi et Thomas, pour maman et pour moi, car je tiens à conserver un souvenir de cet inoubliable séjour.

Tu me manques, malgré toutes ces merveilles et bien que Jack soit toujours aussi adorable. J'ignore encore notre prochaine étape et la date de notre départ de Venise; ne sachant pas combien de temps met le courrier pour parvenir jusqu'ici, je ne peux te donner d'adresse où tu puisses m'écrire. J'attends donc impatiemment de te revoir. J'ai hâte d'entendre tout ce que tu as à me raconter!

Embrasse Thomas et les enfants de ma part. J'ai écrit à maman et à Edward, bien entendu. Attention, ne te lance pas dans de nouvelles aventures sans moi!

Ta sœur qui t'aime,
Emily.

Charlotte replia la lettre et la remit dans son enveloppe. Tout à l'heure, elle la rangerait dans sa boîte à ouvrage, un endroit où Pitt n'irait pas la chercher. Inutile qu'il sache ce que faisaient Jack et Emily, cela lui ferait trop de peine. Elle lui dirait simplement qu'ils s'amusaient beaucoup. Elle ne pouvait décréter qu'elle ne les enviait pas, ni qu'elle ne rêvait pas de visiter une ville aussi belle, romantique et chargée d'histoire que Venise. Il ne la croirait pas ! Mieux valait lui laisser supposer qu'elle ne lui montrait pas la lettre parce que celle-ci contenait des petits secrets, des détails intimes que seules deux sœurs peuvent partager. Emily ne vivait-elle pas sa lune de miel ?

Elle glissa la lettre dans la poche de son tablier et commença à organiser sa journée. Le printemps arrivant, le moment était venu de faire un grand nettoyage et de redécorer la maison. Elle avait déjà sa petite idée sur la couleur des nouvelles tentures.

Pitt se rendit à la Chambre des communes et obtint l'autorisation d'entrer dans le bureau de Vyvyan Etheridge, afin d'examiner les lettres et documents pouvant avoir un rapport avec William ou Florence Ivory. Il décida également de demander si, dans la circonscription d'Etheridge, il existait un bureau où était archivée la correspondance du député.

Un jeune fonctionnaire portant col cassé et pince-nez cerclé d'or le regarda d'un air dubitatif.

— Ivory ? Le nom ne me dit rien. De quelle affaire s'agit-il ? De nombreux habitants de sa circonscription réclamaient son intervention, sur des sujets divers.

— Un problème de garde d'enfant.

L'employé l'observa par-dessus son pince-nez.

— Il y a une loi qui régit ce problème. J'imagine que Mr. Etheridge en aura informé par écrit Mr. ou Mrs. Ivory ; peut-être aurons-nous conservé une copie de sa réponse. La place réservée au classement du courrier est malheureusement très réduite ; nous ne conservons pas longtemps des lettres sans importance.

— La garde légale d'un enfant n'est pas sans

importance, que je sache ! s'exclama Pitt, contenant sa colère avec peine. Si vous ne mettez pas la main sur ces lettres, j'enverrai une équipe qui épluchera tous vos documents jusqu'à ce que l'on trouve quelque chose susceptible de nous intéresser. S'il n'y a rien ici, nous irons chercher dans le Lincolnshire.

L'employé rougit, davantage par irritation que par embarras.

— Vraiment, inspecteur, vous exagérez ! Vous n'avez pas de mandat pour perquisitionner dans le bureau de Mr. Etheridge !

— Alors, trouvez dans son courrier tout ce qui peut faire référence à Mr. ou Mrs. Ivory ! J'imagine que vous aurez deviné que cela peut avoir une relation avec son assassinat !

Lèvres pincées, l'homme pivota sur lui-même et partit à grands pas dans un long couloir, Pitt sur les talons. Ils entrèrent dans le bureau qu'Etheridge partageait avec un autre député. Là, l'employé murmura quelque chose à l'oreille d'un jeune gratte-papier. Celui-ci alla se planter devant un meuble rempli de dossiers et jeta un coup d'œil inquiet en direction de Pitt.

— Ivory ? répéta-t-il, confus. Le nom ne me dit rien. Quelle date, dites-vous ?

Pitt réalisa qu'il n'en savait rien. Il avait oublié de demander ce détail à Florence Ivory. Un oubli stupide et irrattrapable.

— Je l'ignore, répondit-il aussi froidement qu'il le put. Commencez par les dossiers les plus récents, et remontez dans le temps.

Le jeune homme le regarda comme s'il tombait de la lune, puis, se tournant vers une pile de dossiers, commença à les feuilleter.

L'autre fonctionnaire soupira puis s'excusa et s'éloigna ; le bruit de ses pas se perdit dans le couloir. Pitt, immobile, attendit.

Son attente fut finalement de courte durée. Cinq minutes plus tard, l'employé exhibait une chemise d'où il sortit une lettre, qu'il lui tendit d'un air vaguement dégoûté.

— Tenez, voici ce que vous cherchez, monsieur. Une lettre de Mr. Etheridge adressée à une certaine Mrs. Florence Ivory, en date du 4 janvier 1886. Je ne vois pas en quoi elle peut intéresser la police...

Pitt la lut.

Madame,

Je comprends la détresse bien naturelle que vous éprouvez en ce qui concerne votre fille, mais l'affaire ayant été tranchée par la justice, je crains de ne plus pouvoir, à l'avenir, m'entretenir avec vous par écrit de ce sujet.

Je suis sûr qu'un jour vous comprendrez que cette action était de l'intérêt de l'enfant, intérêt qu'en tant que mère vous devez avant tout garder à l'esprit.

Veuillez agréer, chère madame, l'expression de mes sentiments distingués.

Vyvyan Etheridge, M.P.

— Il est impossible que cette lettre soit la seule contenue dans le dossier ! s'exclama Pitt, péremptoire. Celle-ci est visiblement la dernière d'un abondant courrier ! Où sont les autres ?

L'employé renifla.

— C'est tout ce que j'ai. La plaignante habitant la circonscription de Mr. Etheridge, le reste doit se trouver dans le Lincolnshire.

— Dans ce cas, donnez-moi une adresse, exigea Pitt. J'irai perquisitionner sur place.

L'homme griffonna d'un geste las quelques lignes sur une feuille de papier et la lui tendit. Pitt la prit vivement et s'en alla.

De retour à Bow Street, il monta sans attendre dans le bureau de Micah Drummond.

Celui-ci leva les yeux de la pile de dossiers qu'il était en train d'étudier. Il parut soulagé de le voir.

— Ah, vous voilà enfin ! Du nouveau, de votre côté ? L'enquête dans les milieux anarchistes ne donne aucun résultat.

Pitt, très préoccupé, s'assit sans y avoir été invité.

— Apparemment, Etheridge avait promis à une habitante de sa circonscription d'intervenir en sa faveur dans un problème de garde d'enfant. Mais il aurait changé d'avis et se serait rangé du côté du père. La mère, privée de son droit de garde, est au désespoir. Elle a admis devant moi considérer que la violence est parfois l'ultime recours pour faire valoir ses droits. Il est vrai qu'Etheridge a trahi sa confiance. Toutefois, elle affirme ne pas l'avoir tué.

— Mais vous pensez qu'elle a pu le faire ?

La brève étincelle de plaisir qui s'était allumée dans le regard de Drummond à l'idée que l'affaire trouvait un commencement d'explication s'éteignit très vite. Il comprenait la douleur de la mère et décelait aussi dans la réaction de Pitt une colère qui n'était pas dirigée contre celle-ci.

— Je l'ignore. Mais, par précaution, mieux vaut explorer cette piste. Il est possible que leur échange de courrier se trouve dans le Lincolnshire, circonscription du député. Il faut que j'aille là-bas. J'ai besoin d'un mandat de perquisition, au cas où un employé refuserait de m'autoriser à compulser le dossier. Et aussi d'un billet de train.

— Voulez-vous partir aujourd'hui même ?

— Oui.

Drummond observa Pitt en silence puis agita sa sonnette. Aussitôt un agent apparut sur le seuil.

— Allez au domicile de Mr. Pitt informer Mrs. Pitt que son époux ne rentrera pas ce soir. Demandez-lui de préparer une valise et des sandwichs et revenez aussitôt. Dites au cab d'attendre en bas. Ah, avant de partir, dites à Parkins de préparer un mandat de perquisition pour le domicile de Mr. Vyvyan Etheridge, dans le Lincolnshire, au sujet de papiers et de lettres qui pourraient contenir des menaces contre lui, émanant de...

— Florence ou William Ivory, conclut Pitt.

— Bien. Allez, mon vieux, plus vite que ça !

L'agent disparut.

— Pensez-vous que cette malheureuse a agi seule ?

— C'est peu probable.

Pitt se souvint de la silhouette fragile de Florence Ivory, de son visage passionné, et du bras rond et protecteur de sa compagne, plus jeune et plus robuste.

— Elle est hébergée par une certaine Miss Africa Dowell, qui connaissait aussi l'enfant ; Miss Dowell paraît éprouver une grande affection pour Mrs. Ivory et grandement compatir à son malheur.

— C'est compréhensible, fit Drummond, grave et triste.

Il avait des enfants, désormais adultes, et son épouse était décédée. La vie de famille lui manquait.

— Reparlons un peu du meurtre de Lockwood Hamilton. Qu'en pensez-vous ? Erreur sur la victime ?

— Si la meurtrière est Florence Ivory, oui, il s'agit d'une erreur de sa part. En fait, j'ignore combien de fois elle a rencontré Etheridge, ou si d'ailleurs elle l'a rencontré en personne.

— Et cette... Miss Dowell ? Africa, avez-vous dit ?

Pitt sourit légèrement

— C'est ainsi que l'a prénommée Mrs. Ivory. Africa.

— Eh bien, si cette Africa Dowell l'a hébergée, cela veut dire que Mrs. Ivory a peu de moyens de subsistance. Donc elle n'a pu payer quelqu'un pour égorger Etheridge. Tout de même... une méthode aussi violente est rarement utilisée par les femmes. À quoi ressemble-t-elle ? Quel est son passé ? Une fille de ferme, une femme ayant travaillé dans une boucherie qui aurait appris à manier des couteaux tranchants ?

— Je l'ignore, avoua Pitt.

Encore un détail qu'il avait omis de demander.

— Mrs. Ivory est un être passionné, intelligent et courageux. Elle serait capable de tuer quelqu'un, si elle le décidait. Mais ces deux femmes habitent un quartier résidentiel et leur maison est meublée avec goût. Miss Dowell doit avoir une certaine fortune personnelle. Elles ont pu faire appel à un tueur.

Drummond fit une petite grimace.

— Bon. Tueur ou pas, cela expliquerait pourquoi Hamilton a été confondu avec Etheridge. Allez dans le Lincolnshire voir ce que vous pouvez trouver et ramenez tout le dossier ici.

Il releva la tête, croisa le regard de Pitt, faillit ajouter quelque chose, puis se ravisa et haussa les épaules.

— Venez au rapport dès votre retour, conclut-il simplement.

— Bien, monsieur.

Pitt descendit au rez-de-chaussée pour attendre l'agent qui devait lui ramener sa valise. Il savait ce que Drummond avait failli lui dire : l'affaire devait être résolue au plus vite. Comme ils l'avaient craint, la réaction de l'opinion publique était violente ; certains journaux publiaient des articles frisant l'hystérie. Les deux victimes étant des parlementaires, leur assassinat touchait aux fondements de la société britannique : liberté de penser, stabilité politique et ordre social ; il aggravait la menace d'une émeute populaire au cœur de la capitale. Ces meurtres semblaient être le reflet d'un courant révolutionnaire dangereux et irraisonné qui pouvait en se déchaînant tout détruire sur son passage. Certains n'hésitaient pas à évoquer le règne tragique de la Terreur, où la guillotine faisait couler le sang sur le pavé parisien.

Pourtant ni Pitt ni Drummond n'acceptaient l'idée qu'une mère privée de son enfant ait pu décider de se venger d'une manière aussi atroce.

Pitt arriva juste à temps à la gare pour prendre un train en partance pour le Lincolnshire. Il claqua la portière du wagon au moment où la locomotive crachait un jet de vapeur ; le chauffeur alimenta la chaudière. Dans un fracas métallique, le train quitta la gare à l'immense coupole noircie par la suie et la fumée pour rouler au grand jour, longeant des usines, des rangées de maisons, traversant l'immense ceinture de banlieue qui entourait la ville la plus riche et la plus peuplée du monde. Londres comptait plus d'Écossais, d'Irlandais et de catholiques qu'il n'y en avait en Écosse, en Irlande ou à Rome.

Le grouillement de cette énorme métropole était impressionnant. Pitt, assis le nez à la vitre, regardait défiler d'interminables alignements de maisons collées les unes aux autres, salies par la fumée et les escarbilles s'échappant des innombrables convois qui passaient chaque jour. Environ quatre millions de personnes vivaient là, des enfants abandonnés au visage cireux, mourant de faim et de froid, aux gens les plus beaux, les plus riches et les plus doués de cette nation civilisée. Londres était le cœur d'un empire qui s'étendait dans le monde entier, berceau des arts, du théâtre, de l'opéra, du music-hall, du rire, mais aussi capitale de toutes les exactions, de tous les abus, où régnait une volonté d'enrichissement effrénée.

Il mangea les sandwichs à la viande froide et aux pickles préparés par Charlotte, puis descendit à la gare de Grantham en début d'après-midi, heureux de pouvoir se dégourdir les jambes. Il changea de train, puis emprunta une voiture des postes et enfin loua un cabriolet. Une heure et demie plus tard, il se présentait à la porte de la résidence de feu Vyvyan Etheridge.

Il fut reçu par un gardien qu'il eut toutes les peines du monde à convaincre de la raison officielle de sa visite.

Vers quatre heures, il entra dans le bureau d'Etheridge, vaste pièce élégante aux murs tapissés de livres. Recroquevillé sur lui-même tant l'endroit était glacial, il commença à fouiller les papiers du député à la lueur d'une lampe à gaz. Finalement, au bout d'une heure, il trouva ce qu'il cherchait.

La première lettre, très simple, remontait à deux ans.

Monsieur le député,

Je fais appel à vous en tant que parlementaire, en espérant que vous pourrez soulager ma détresse. Mon histoire est très simple : j'ai épousé, à dix-neuf ans, selon le vœu de mes parents, un homme plus âgé que moi, au caractère sombre et dominateur. J'ai tenté, douze années durant, de le contenter et j'ai essayé d'être heureuse. Durant cette période, j'ai mis au monde trois enfants. L'un n'a pas survécu, mais j'ai offert aux deux autres, un garçon et une fille, toute la tendresse d'une mère.

Cependant, au fil du temps, l'humeur de mon mari s'aigrissait de plus en plus. Il devenait tyrannique à tout propos, dans les détails les plus infimes de la vie quotidienne. J'étais si malheureuse que j'ai décidé de me séparer de lui. Lorsque je lui en ai parlé, il ne s'est pas opposé à cette décision; à mon avis, ma présence lui pesait et la perspective d'être débarrassé de moi sans déshonneur lui semblait une solution somme toute agréable.

Il a insisté pour garder notre fils aîné, afin de le soustraire à mon influence, mais a toutefois accepté de me laisser emmener notre petite Pamela, que nous surnommions Pansy.

Je ne lui ai demandé aucune compensation financière, ni pour moi ni pour l'enfant alors âgée de six ans. J'ai trouvé à me loger, en échange de menus travaux, chez une femme relativement aisée. Tout allait pour le mieux jusqu'à ce que, le mois dernier, mon mari ait brusquement décidé de me réclamer la garde de l'enfant. Monsieur le député, l'idée de perdre ma petite fille m'est intolérable. Elle est heureuse avec moi et ne manque de rien. Elle reçoit tous les soins et l'instruction nécessaires à une enfant de son âge.

Ne sachant vers qui me tourner, je me permets de faire appel à vous pour me défendre.

Restant à votre entière disposition, je vous prie d'agréer, Monsieur le député, l'expression de mes salutations distinguées.

Florence Ivory.

Suivait une copie de la réponse d'Etheridge :

Chère Madame,

Profondément touché par la triste situation qui est la vôtre, je vous promets de m'occuper de votre requête dans les plus brefs délais.

L'accord que vous aviez conclu avec votre mari me paraît tout à fait raisonnable, et, dans la mesure où vous ne lui réclamez aucune pension, son changement d'attitude me semble fort peu honorable. Il n'a donc aucun droit sur vous et surtout pas celui d'arracher une enfant si jeune à la garde de sa mère.

Je vous enverrai un courrier dès que j'aurai du nouveau.

En attendant, veuillez croire, chère Madame, à l'expression de mes sentiments les meilleurs.

Vyvyan Etheridge.

Deux semaines plus tard, le député envoyait une autre lettre à la plaignante, lettre dont il avait gardé copie.

Chère Mrs. Ivory,

Après avoir examiné de plus près votre dossier, j'estime qu'il n'y a aucune raison de craindre pour votre bonheur ou celui de votre fille. Une enfant de l'âge de Pansy doit être confiée aux soins de sa mère plutôt qu'à ceux d'une gouvernante ou d'une nurse. De plus, comme vous l'avez souligné, l'enfant ne manque de rien et reçoit tous les soins, l'instruction et l'éducation morale dont elle a besoin.

Je pense que vous n'avez aucun souci à vous faire, mais dans le cas contraire, n'hésitez pas à m'en tenir informé ; je veillerai à ce que vous bénéficiiez de la défense d'un avocat et qu'une décision de justice soit prise en votre faveur. Ne vous sentant plus menacée, vous pourrez désormais avoir l'esprit tranquille.

Veuillez agréer, chère Madame, l'expression de mes meilleurs sentiments.

Vyvyan Etheridge.

La lettre suivante, en revanche, était rédigée dans un tout autre esprit.

Cher Mr. Etheridge,

Suite à notre entretien du 4 du mois dernier, je crois que vous ignorez tout du comportement et du caractère de ma femme, Mrs. Florence Ivory, qui s'est présentée à vous de façon mensongère, lorsqu'elle vous a demandé d'intervenir pour m'empêcher d'obtenir la garde de ma fille, Pamela Ivory.

C'est une créature au tempérament violent, immature et fantasque. Elle n'a aucune notion de la bienséance, elle est sujette à des lubies et a tendance à s'apitoyer sur son sort. Cela fait peine à dire, mais je la juge indigne d'élever un enfant, surtout une petite fille, dont elle va polluer l'âme et l'esprit avec ses idées folles et tout à fait déplacées.

Les circonstances m'obligent à vous informer que mon épouse a en effet des positions politiques très radicales, en particulier sur le suffrage des femmes. Elle s'est investie dans ce combat aberrant, allant même jusqu'à se montrer en public aux côtés de Miss Helen Taylor, une créature fanatique aux idées révolutionnaires, qui s'amuse à parader en pantalon !

Elle professe également une admiration sans bornes pour Mrs. Annie Besant, une virago qui a, elle aussi, abandonné le domicile de son époux, le révérend Besant, et s'emploie elle-même à exciter la grogne des ouvrières de l'usine d'allumettes Bryant & Mays, fomente des troubles et pousse les employées à la grève !

Je suis sûr que vous comprenez désormais que cette femme ne mérite pas de conserver la garde de ma fille. En conséquence, je vous demande de cesser de lui prêter assistance. Une telle attitude irait à l'encontre des intérêts de l'enfant et la mènerait à sa perte, au cas où sa mère en obtiendrait malgré tout la garde.

Votre très obéissant serviteur,
William Ivory.

Suivait en retour la lettre du député :

Cher Mr. Ivory,

Merci de votre lettre, où vous me faites part de votre inquiétude concernant la garde de votre fille par sa mère, Mrs. Florence Ivory. J'ai rencontré cette dernière et tiens à vous dire que c'est une femme de caractère, aux opinions bien arrêtées, même si elles sont mal fondées en ce qui concerne certains problèmes sociaux. Mais son comportement était des plus normaux. Elle aime manifestement beaucoup sa fille, la soigne, l'éduque et l'instruit de façon très satisfaisante.

Bien que je déplore comme vous les prises de posi tions extrémistes de Miss Taylor, qui ne peuvent pro· fiter à sa cause, je pense que le soutien que lui apporte votre épouse ne constitue pas une preuve d'incapacité à élever un enfant; comme vous devez le savoir, une nouvelle loi permet désormais aux veuves d'assurer seules l'éducation de leurs enfants. Mon sentiment en l'occurrence est qu'une enfant comme Pansy devrait rester à la garde de sa mère, en espérant que cet état de fait puisse perdurer.

Veuillez croire, Monsieur en l'expression de mes salutations distinguées.

Vyvyan Etheridge.

Ensuite, comme le montrait l'écriture de la lettre suivante, une quatrième personne intervenait dans l'affaire.

Cher Vyvyan,

J'ai appris par mon ami William Ivory que vous étiez intervenu en faveur de sa malheureuse épouse, dans l'affaire de la garde de leur fille Pamela. Je vous dis très franchement que vous avez été mal conseillé.

Il s'agit d'une créature obstinée qui a publiquement épousé des causes immorales et déraisonnables, notamment le droit de vote pour les femmes. Pis encore, elle milite au sein d'organisations qui soutiennent les ouvriers les moins qualifiés de la capitale.

Elle a ouvertement manifesté sa solidarité à l'égard des ouvrières de l'usine d'allumettes Bryant & Mays et les a encouragées à cesser le travail!

Si nous soutenons de telles personnes, qui sait

jusqu'où nous mèneront les dissensions et les révoltes ? Vous devez avoir conscience qu'il règne en ce moment une forte agitation sociale ; de nombreux éléments factieux désirent renverser l'ordre établi, pour le remplacer par Dieu seul sait quoi. L'anarchie, probablement, si l'on s'en tient à leurs revendications.

Je vous conseille donc fortement de ne pas donner suite à la plainte de Florence Ivory et de tout faire pour que ce pauvre William obtienne la garde de sa fille, avant qu'elle ne soit davantage perturbée par le comportement excentrique et indiscipliné de sa mère.

Croyez, cher Vyvyan, à toute mon amitié.

Garnet Royce, M.P.

Garnet Royce ! Ainsi cet homme si raffiné, si épris de justice, qui prenait tant à cœur les affaires de sa sœur, qui cherchait à aider la police dans ses recherches, s'était rangé du côté des conventions et avait contribué à priver Florence Ivory de la garde de sa fille. Pour quelle raison ? Ignorance ? Esprit conservateur ? Avait-il une faveur à rendre à William Ivory ? Ou bien pensait-il réellement que Florence était indigne d'élever son enfant ?

Suivait la copie de la dernière lettre d'Etheridge à Mrs. Ivory.

Chère Madame,

Je suis au regret de vous informer qu'après avoir étudié de plus près la requête de votre époux concernant la garde de votre fille, je constate que l'affaire se présente sous un jour différent de celui que vous m'aviez présenté.

En conséquence, je me vois dans l'obligation de vous retirer mon soutien et de l'accorder à votre époux pour qu'il obtienne la garde de ses deux enfants afin de pouvoir les élever dans le respect et la crainte de Dieu.

Veuillez agréer, Madame, l'expression de mes salutations distinguées.

Vyvyan Etheridge.

La réponse de Florence Ivory ne s'était pas fait attendre :

Monsieur,

Je n'ai pu en croire mes yeux lorsque j'ai lu votre lettre. Je me suis aussitôt rendue à votre domicile, mais votre majordome a refusé de me laisser entrer. J'étais certaine qu'après m'avoir rendu visite et promis votre aide vous ne pourriez pas trahir ma confiance.

Si vous ne venez à mon secours, je perdrai Pansy ! Mon mari a juré que s'il obtenait sa garde, il ne me permettrait pas de la revoir. Je ne pourrai plus jamais lui parler, jouer avec elle, lui apprendre tout ce que j'aime et ce en quoi je crois, lui dire que si nous sommes séparées ce n'est pas de mon plein gré et que je l'aimerai de toutes mes forces aussi longtemps que je vivrai.

Je vous en conjure, Mr. Etheridge, aidez-moi.

Florence Ivory.

Suivait une courte missive :

Mr. Etheridge,

Vous n'avez pas répondu à ma dernière lettre. Je vous en supplie, écoutez-moi ! Je suis capable d'élever mon enfant. Quelle offense ai-je donc commise ?

Florence Ivory.

Puis un dernier mot, griffonné à la hâte, sous le coup d'une vive émotion :

Pansy n'est plus là. Je suis bien incapable d'exprimer ma douleur par écrit, mais un jour vous souffrirez autant que j'ai souffert, et ce jour-là vous regretterez de m'avoir trahie !

Florence Ivory.

Pitt replia ce dernier message et le glissa, avec toutes les autres lettres, dans une grande enveloppe. Il se leva, se cognant au passage le genou contre le tiroir du bureau, mais il ne sentit même pas la douleur. Il revoyait en pensée les ténèbres de Westminster Bridge et le salon ensoleillé de Walnut Tree Walk où il avait rencontré deux femmes éperdues de douleur.

7

Le lendemain du jour où Pitt s'était rendu dans le Lincolnshire, Charlotte reçut, peu avant midi, une lettre portée par un valet. Reconnaissant sur l'enveloppe l'écriture de Lady Cumming-Gould, elle crut un instant que la vieille dame était tombée malade, mais le valet, en livrée ordinaire, ne semblait ni inquiet ni attristé.

Charlotte le pria d'attendre dans la cuisine et partit au salon où elle déchiffra l'écriture sèche et penchée de Vespasia.

Ma chère Charlotte,

L'une de mes vieilles amies, qui vous plairait beaucoup, est venue me demander de l'aide. Elle craint que sa nièce préférée ne soit soupçonnée de meurtre. À mon tour de m'en remettre à vous. Grâce à votre expérience et à votre habileté, nous devrions être en mesure de découvrir la vérité, ou du moins d'essayer de le faire.

Si vous pouvez, dès réception de cette lettre, accompagner mon valet jusqu'à mon domicile, nous pourrions dresser un plan de campagne dès cet après-midi. Si vous n'êtes pas libre, faites-moi part de votre disponibilité. J'ai bien peur que le temps nous soit compté.

Affectueusement,
Vespasia Cumming-Gould.

P.-S. Nul besoin de vous mettre sur votre trente et un. Nobby est une personne très simple. Le souci qu'elle se fait pour sa nièce dépasse de loin toute considération vestimentaire.

Charlotte savait très bien ce que l'on ressent lorsqu'une personne chère est soupçonnée d'homicide ; elle avait vécu cette situation l'année précédente, lors du décès du mari d'Emily : crainte de l'arrestation, de l'emprisonnement, d'un procès, cauchemar d'une éventuelle condamnation à mort. Dans ces moments difficiles, Lady Cumming-Gould avait toujours été à leurs côtés. La réponse était donc évidente : elle se rendrait sur-le-champ à son invitation.

— Gracie ! cria-t-elle en se dirigeant vers la cuisine. On m'appelle d'urgence. Faites déjeuner les enfants. Et faites-les goûter aussi, si je suis en retard. J'ignore l'heure à laquelle je rentrerai.

Gracie, qui était en train de servir une tasse de thé au valet, se tourna vers elle, incapable de dissimuler la lueur d'excitation qui brillait dans ses yeux.

— Bien, madame ! Quelqu'un est-il malade ou bien..

Elle ne trouva pas les mots pour exprimer à la fois sa crainte et son enthousiasme de voir Charlotte se lancer dans une nouvelle aventure. Elle savait que sa maîtresse participait, parfois au péril de sa vie, à des enquêtes criminelles, mais n'osait en parler ouvertement en présence d'un tiers.

Charlotte sourit.

— Non Gracie, personne n est malade

La jeune fille poussa un soupir de ravissement, subodorant une intrigue inquiétante et merveilleuse.

— Oh, madame, soyez prudente !

Quarante minutes plus tard, l'attelage s'arrêtait devant la résidence de Lady Vespasia. Aidée du valet, Charlotte descendit de voiture, puis gravit les marches du perron. Avant qu'elle n'ait eu le temps de saisir le heurtoir, la porte s'ouvrit, signe qu'elle était très attendue. Le majordome l'accueillit, grave et élégant.

— Bonjour, Mrs. Pitt. Lady Cumming-Gould vous attend dans son salon. Le déjeuner va être servi.

— Merci.

Charlotte lui tendit sa cape et le suivit dans le vestibule au parquet ciré. Il l'introduisit dans le grand salon. Vespasia était assise dans son fauteuil, à sa place favorite, près de la cheminée. En face d'elle se tenait une femme d'une impressionnante maigreur ; son visage, franchement laid, reflétait une telle vitalité et une telle intelligence qu'il en devenait presque beau. Charlotte lui donna une soixantaine d'années. Elle avait des yeux noirs, de grands sourcils arqués, un nez puissant, une bouche pleine d'humour et le teint buriné des voyageurs qui ont affronté tous les climats, des tempêtes océaniques au soleil tropical. Elle observa la visiteuse avec une curiosité non dissimulée.

— Entrez, entrez, ma chère ! fit Vespasia. Merci, Jeavons. Prévenez-nous dès que le déjeuner sera prêt Voici Charlotte, ajouta-t-elle en se tournant vers son amie. Si quelqu'un peut nous aider, c'est bien elle. Charlotte, je vous présente Miss Zenobia Gunne.

— Enchantée, Miss Gunne, dit Charlotte, qui avait compris au premier coup d'œil que les formules alambiquées n'étaient pas de mise.

— Asseyez-vous, fit Vespasia, avec un geste gracieux de son poignet orné de dentelle. Nous avons beaucoup à faire. Nobby va vous dire tout ce qu'elle sait.

Charlotte s'exécuta, décelant une urgence dans la voix de Vespasia. Miss Gunne devait être très inquiète pour être ainsi venue quérir de l'aide auprès d'une inconnue.

— Je vous remercie de m'écouter, fit celle-ci. Voilà les faits : ma nièce a reçu en héritage, à la mort de ses parents — mon jeune frère et son épouse, décédés il y a douze ans —, une petite maison près de la Tamise. Mon frère a prénommé sa fille Africa par affection pour moi : j'ai en effet passé de nombreuses années à explorer le continent africain. C'est une jeune personne intelligente, aux opinions bien arrêtées, pleine de compassion pour le malheur des autres, surtout lorsque ceux-ci ont été, selon elle, victimes d'une injustice.

Zenobia ne quittait pas Charlotte des yeux, essayant de deviner l'impression que celle-ci pouvait se faire de sa nièce.

— Voilà deux ou trois ans, Africa a rencontré une femme de douze ou treize ans son aînée, qui venait de quitter son mari en emmenant avec elle sa petite fille. Elle avait réussi à survivre quelque temps grâce au peu d'argent qu'elle gagnait, mais la perte de son travail l'a privée de ressources. Africa lui a offert un toit et, au fil du temps, s'est beaucoup attachée à elle ainsi qu'à l'enfant. Et cette affection est partagée.

« J'en viens à l'essentiel : le mari de cette femme a cherché à obtenir la garde de l'enfant. Elle a fait appel au député de son ancienne circonscription, qui lui a promis de l'aider, ce qu'il a fait pendant quelque temps. Mais il a soudain changé d'avis et en définitive s'est rallié à l'opinion du mari ; la mère a alors été privée de son droit de garde. Elle n'a jamais revu sa fille.

— Le mari a été tué ? hasarda Charlotte, craignant déjà de ne rien pouvoir faire pour les aider.

Dans le regard sombre et résolu de Zenobia, qui la fixait intensément, elle vit passer une réelle inquiétude et comprit que les craintes de Vespasia étaient justifiées.

— Non. C'est le député qui a été assassiné, Mrs. Pitt.

Charlotte frissonna, comme si le froid et le brouillard de Westminster Bridge venaient d'envahir la pièce. Il s'agissait donc de l'enquête sur laquelle travaillait Thomas et qui lui donnait tant de souci ! Toute la capitale était encore sous le choc de ces deux crimes, non seulement à cause de leur nature odieuse, mais aussi du fait de la personnalité des victimes. Comment deux parlementaires estimés et respectés avaient-ils pu être assassinés de la sorte à quelques centaines de mètres de la Chambre des communes ?

— Oui, murmura Zenobia, les meurtres de Westminster Bridge. La police, j'en ai peur, s'imagine que les assassins sont Africa et sa locataire. Cette dernière avait certainement de sérieuses raisons de vouloir se venger... et toutes deux sont incapables de prouver leur innocence.

Le compte rendu qu'avait fait Pitt de sa visite à Walnut Tree Walk était encore très présent à l'esprit de Charlotte ; il avait décelé chez Florence Ivory colère, douleur et passion, trois motivations susceptibles de l'entraîner à commettre un meurtre. Ces femmes étaient-elles *vraiment* des criminelles ?

— Nous devons faire tout ce qui est en notre pouvoir pour les aider, intervint Vespasia avant que le silence ne devienne trop pesant. Par où commencer, selon vous ?

Charlotte, intriguée, se demandait quel était le degré d'intimité existant entre Vespasia et cette femme au visage extraordinaire. Elles étaient si différentes ! Des amies de longue date qui s'étaient perdues de vue et qui se croisaient de temps en temps dans les salons ? Leur amitié avait-elle survécu aux années ? Leurs deux vies, marquées par des expériences et des rencontres différentes, avaient-elles modifié les valeurs qu'elles partageaient dans leur jeunesse ? Pour quelle raison une femme partait-elle explorer l'Afrique ? Et avec qui ? Zenobia Gunne plaçait-elle si haut la défense de sa famille qu'elle était prête à couvrir le meurtre de gens n'appartenant ni à sa classe ni à son sang ? Charlotte n'osait leur poser ouvertement toutes ces questions.

Zenobia répondit à sa place, avec gravité :

— Commençons par le début. Je crois a priori à l'innocence d'Africa, mais je ne peux la prouver. Il est possible qu'en cherchant à l'aider, nous découvrions sa culpabilité. Mais je prends le risque d'affirmer qu'elle n'est pas coupable.

Charlotte tenta d'ordonner logiquement ses pensées.

— Si leur innocence est impossible à démontrer, il nous faut démasquer le véritable assassin et prouver sa culpabilité.

Elle jugea inutile de feindre l'ignorance ou l'ingénuité.

— J'ai lu des articles relatant cette affaire dans les journaux, admit-elle, sans aller jusqu'à dire qu'elle était l'épouse de l'inspecteur chargé de l'enquête.

Il était trop tôt pour le dévoiler ; si elle l'apprenait, Zenobia ne la croirait pas capable de se montrer impartiale, et Vespasia, de son côté, se trouverait dans une situation extrêmement inconfortable, étant donné son amitié pour l'une et l'autre.

Une dame de la bonne société n'était pas censée lire les journaux, à l'exception des chroniques mondaines et des critiques théâtrales, littéraires ou artistiques ; mais si Charlotte devait se lancer sur la piste d'un criminel aussi dangereux que l'égorgeur de Westminster Bridge, elle n'avait aucune raison de se faire passer pour une créature fragile et délicate, bien qu'elle fût assez douée pour jouer la comédie.

— Reprenons les faits, commença-t-elle. Deux députés, Sir Lockwood Hamilton et Mr. Vyvyan Etheridge, sont égorgés, à quelques jours d'intervalle, vers minuit, sur Westminster Bridge, avant d'être pendus par leur écharpe à un réverbère.

Elle regarda Zenobia.

— Pourquoi cette femme... comment s'appelle-t-elle déjà ?

— Florence Ivory.

— Pourquoi Mrs. Ivory les aurait-elle tués tous les deux ? Étaient-ils intervenus dans le problème de la garde de son enfant ?

— Seulement Mr. Etheridge. Je ne vois pas pourquoi la police s'imagine qu'elle est aussi la meurtrière de Sir Hamilton.

— Êtes-vous vraiment sûre que Mrs. Ivory ait des raisons valables de s'inquiéter, Miss Gunne ? demanda Charlotte, perplexe. La police n'est-elle pas simplement en train d'interroger tous les gens susceptibles de détester l'un ou l'autre des députés, dans l'espoir de découvrir une piste ? Mrs. Ivory et votre nièce ne sont peut-être pas véritablement suspectes.

Une expression à la fois railleuse, amusée et pleine de regret éclaira le visage de Zenobia.

— C'est un espoir auquel il faut s'accrocher, Mrs. Pitt, mais, selon Africa, le policier venu les interroger était un homme assez étrange. Il ne s'est pas répandu en menaces, et ne paraissait pas se contenter du fait qu'elles avaient de sérieuses raisons d'en vouloir à Etheridge. Florence lui a raconté son histoire, sans chercher à lui cacher sa haine et sa détresse. Selon Africa, qui observait le policier pendant l'interrogatoire, il aurait préféré découvrir un autre mobile que la soif de vengeance d'une mère au désespoir. Elle est certaine que le récit de Florence l'a beaucoup troublé et qu'il reviendra les interroger. Malheureusement, tout les accable : elles habitent non loin de Westminster Bridge ; aucun témoin ne peut attester de leur présence à leur domicile à l'heure où les meurtres ont été commis ; elles avaient un sérieux motif de vengeance, et Africa est assez riche pour avoir payé un tueur. Elles craignent donc d'être arrêtées.

Charlotte ne pouvait qu'approuver son raisonnement, concernant le meurtre d'Etheridge ; en revanche, il était improbable qu'elles aient aussi tué Hamilton. Peu probable également, mais pas impossible, qu'un autre tueur rôdât dans Londres.

— Si ce n'est ni Africa ni Mrs. Ivory, c'est quelqu'un d'autre, remarqua-t-elle en bonne logique. Nous devons trouver qui !

Zenobia parvint à surmonter l'affolement qui la gagnait, mais Charlotte vit clairement dans ses yeux qu'elle se rendait compte de l'ampleur de la tâche qui les attendait et de leurs faibles chances de réussite.

Vespasia se redressa dans son fauteuil et releva le menton, plus par défi que par assurance.

— Je suis certaine que Charlotte aura une idée. Nous en parlerons pendant le déjeuner. Voulez-vous passer à table ? La pièce donne sur le jardin. La vue est très agréable et les jonquilles sont en fleur.

Elle se leva et, refusant le bras que lui offrait Charlotte, conduisit ses invitées vers la salle à manger, comme si ce repas était l'occasion de simples retrouvailles entre vieilles amies allant parler chiffons et se demandant à qui elles pourraient rendre visite le lendemain.

Tout comme dans le vestibule, un parquet ciré recouvrait le sol de la salle à manger. Des portes-fenêtres donnaient sur une terrasse pavée. Des assiettes en faïence bleu et blanc de la fin du XVIIIe, signées Thomas Minton, et un service complet de porcelaine de Rockingham décorée à l'or fin étincelaient derrière leurs vitrines. Debout à côté de la table à abattants dressée pour trois convives, une domestique attendait pour servir le potage.

Après qu'on leur eut servi le plat principal, un excellent poulet accompagné d'une jardinière de légumes de saison, Vespasia leva les yeux vers Charlotte. Celle-ci comprit que le moment était venu de prendre la parole.

— S'il s'agit d'un complot anarchiste ou de l'œuvre d'un dément, commença-t-elle, il y a peu de chances que nous puissions démasquer le coupable.

Elle essayait d'ordonner ses idées, sans penser à Florence Ivory et à sa fille, ni à Zenobia Gunne qui cachait son tourment sous une apparence calme et assurée.

— Donc, portons nos efforts là où nous avons quelque chance de succès ; partons du principe que ces hommes ont été assassinés par quelqu'un qui avait des raisons personnelles de souhaiter leur mort. À mon avis, seuls trois sentiments sont assez puissants pour conduire une personne normale à une telle extrémité : la haine, née du désir de se venger de graves torts subis dans le passé, la cupidité, ou la peur de perdre un bien aussi précieux que la réputation, l'amour, l'honneur, la position sociale ou simplement la tranquillité d'esprit.

— Nous savons peu de chose au sujet des victimes, intervint Zenobia, en fronçant les sourcils.

Elle constatait, une fois encore, que la tâche qui les attendait était plus complexe qu'elle ne l'avait imaginé lorsqu'elle avait fait appel à Vespasia.

Charlotte redoutait moins la difficulté de l'entreprise que de découvrir la culpabilité de Florence Ivory, qui aurait bel et bien été à l'origine de ces meurtres, soit directement, soit en payant les services d'un tueur.

— En effet, répondit-elle. C'est donc par là qu'il nous faut commencer.

Elle repoussa ses légumes sur le bord de son assiette ; elle n'avait plus du tout faim.

— Nous sommes mieux placées que la police pour rencontrer les gens à des moments et dans des circonstances où ils ne sont pas sur leurs gardes. Appartenant au même milieu, nous comprenons plus aisément leur mode de pensée et ce que dissimulent leurs paroles.

Vespasia, les mains posées sur ses genoux, l'écoutait attentivement, comme une écolière devant son institutrice.

— Par qui commencer ? demanda-t-elle.

— Mr. Etheridge, par exemple. Que savons-nous de lui ? Avait-il de la famille, une épouse, une maîtresse ?

Elle constata avec satisfaction que Zenobia n'avait pas réagi en entendant ce dernier mot.

— Si ces pistes s'avèrent infructueuses, nous essaierons autre chose. Avait-il des rivaux, des ennemis au Parlement ou ailleurs ?

— J'ai lu dans le *Times* qu'il était veuf et laissait une fille unique, mariée à un certain James Carfax, indiqua Vespasia. Sir Lockwood Hamilton, lui, était marié et avait un fils d'un premier lit.

— Parfait. Commençons par les femmes. Il nous est plus facile de les rencontrer et d'observer leurs réactions ; nous pourrons apprendre des détails utiles et nous forger ainsi notre propre opinion. Récapitulons : la fille de Mr. Etheridge...

— Helen Carfax, précisa Vespasia.

— Et Lady Amethyst Hamilton. Le beau-fils est-il marié ?

— Pas à ma connaissance.

Zenobia se pencha en avant.

— Autrefois, j'ai connu Lady Mary Carfax. Je crois me souvenir que son fils s'appelle James.

— Eh bien, renouez connaissance ! s'exclama Vespasia.

Zenobia eut une grimace dépitée.

— Nous avions peu d'affinités, avoua-t-elle. Elle n'a pas caché sa désapprobation en apprenant mon départ pour l'Afrique, entre autres choses... Selon elle, je faisais honte à ma naissance et à mon sexe en ne respectant jamais les convenances. Pour ma part, je la trouvais prétentieuse, étroite d'esprit et totalement dépourvue d'imagination.

— Vous aviez raison toutes les deux, observa Vespasia. Il est peu probable qu'elle se soit améliorée avec l'âge ! Mais puisque c'est vous qui avez besoin de lui soutirer des informations, et non le contraire, adaptez-vous à son caractère et à ses préjugés. Pensez très fort à votre nièce et soyez aimable, quoi qu'il vous en coûte.

Dans sa jeunesse, Zenobia, faisant fi des protestations outragées de sa famille, était partie pour le continent africain ; elle avait affronté la canicule et les insectes au Congo, enduré les longues marches à travers le désert, descendu des fleuves en pirogue, lutté contre l'épuisement et la maladie, argumenté avec des fonctionnaires entêtés et des peuplades hostiles, supporté peines de cœur, ostracisme et solitude. Elle devait bien être capable de se maîtriser face à Lady Carfax, puisque la situation l'exigeait.

— Bien sûr, acquiesça-t-elle simplement. Et ensuite ?

— L'une d'entre nous ira rendre visite à Lady Hamilton, poursuivit Charlotte. Il vaudrait peut-être mieux que ce soit vous, tante Vespasia. Ne la connaissant pas, il faudra trouver un prétexte à votre visite. Vous pourriez lui dire que vous avez rencontré son mari lors de réunions de travail sur les réformes sociales et que vous venez lui présenter vos condoléances.

— Je n'ai pas connu Sir Lockwood, précisa Vespasia, qui ajouta avec un petit geste de la main : Mais c'est sans importance. Cela dit, puisque nous devons mentir, vous pouvez très bien lui rendre visite à ma place. De mon côté, j'irai voir Somerset Carlisle pour lui demander ce qu'il sait du passé des deux parlementaires. Le crime a peut-être une origine politique ; nous avons tout intérêt à ne pas négliger cet aspect de la question.

— Somerset Carlisle ? s'étonna Zenobia. Ce nom me dit quelque chose...

— Un jeune et fringant député réformateur, révolté par l'injustice et doté d'un humour très sombre, répondit Vespasia.

En voyant l'étincelle d'amusement qui passait dans ses yeux bleus, Charlotte comprit à quelle aventure passée Lady Cumming-Gould pensait en disant cela[1].

— Si je lui explique la situation, il fera tout son possible pour nous aider, ajouta Vespasia, le regard perdu dans le lointain.

— Quand commençons-nous ? s'enquit Zenobia, essayant d'imprimer un peu d'optimisme à sa voix.

— Dès que nous aurons fini de déjeuner, répondit Vespasia.

Une pointe de satisfaction passa sur son visage lorsqu'elle vit son amie se détendre imperceptiblement et une lueur d'espoir briller dans ses yeux.

1. Voir *Resurrection Row*, 10/18, n° 2943.

Une fois le repas terminé se posa le problème des toilettes qu'elles allaient porter. Les vêtements qu'elles avaient choisis pour ce simple déjeuner n'étaient pas adaptés aux visites qu'elles se proposaient de faire, notamment la tenue de Zenobia. Sa vue offenserait une personne aussi à cheval sur les convenances que Lady Mary Carfax. Zenobia rentra donc chez elle se changer, espérant trouver dans sa garde-robe quelque chose qui puisse être à la hauteur de la situation. Elle revint, habillée d'une robe unie un peu démodée, mais qui constituait néanmoins une nette amélioration par rapport à la tenue qu'elle portait au déjeuner. Elle ne manquait pas de moyens financiers, mais choisissait ses habits en fonction de leur côté pratique et non pour l'apparence qu'elle voulait se donner.

Elle s'inquiéta de savoir si elle devait soutirer des renseignements précis à Lady Carfax ; Charlotte, craignant que leurs retrouvailles ne fussent orageuses, lui conseilla de chercher simplement à renouer connaissance.

Comme il faisait encore frais dehors, Lady Cumming-Gould avait troqué sa tenue d'intérieur contre une robe de lainage bleu clair et une veste assortie. Elle y ajouta quelques accessoires très chics car elle aimait les belles choses, en toutes circonstances. Si elle avait envisagé de descendre le Congo à la rame, elle aurait coiffé ses cheveux avec soin et revêtu une tenue à la fois originale et à la mode ! De plus, elle éprouvait une grande affection pour Somerset Carlisle et tenait, par coquetterie, à se présenter à lui sous son meilleur jour. Elle avait beau avoir trente-cinq ans de plus que lui, Somerset Carlisle était un homme.

Elle choisit pour Charlotte une robe gris anthracite rehaussée d'une charmante tournure, tenue suffisamment sobre et élégante pour passer pour une vraie lady allant présenter des condoléances. Vespasia, prévoyante, l'avait fait reprendre par sa camériste le matin même pendant que son valet allait chercher Charlotte.

Elles montèrent toutes deux dans la voiture de Vespasia qui déposa celle-ci devant la résidence de Somerset Carlisle, avant de poursuivre son chemin en direction de Royal Street, domicile de Lady Hamilton.

En partant, Charlotte s'était sentie pleine d'audace, mais lorsqu'elle vit Lady Cumming-Gould, droite et majestueuse, coiffée d'une grande capeline fièrement inclinée sur sa tête, disparaître derrière la porte de Mr. Carlisle, elle comprit la folle intrépidité de l'entreprise. Flattée que Vespasia et Miss Gunne aient fait appel à ses talents de détective, elle leur avait laissé croire au cours du repas qu'elle était capable d'accomplir des miracles ! En fait, elle allait se ridiculiser devant une femme devenue veuve dans des circonstances particulièrement tragiques et offrir de faux espoirs à deux vieilles dames qui lui faisaient confiance ; ayant les moyens de payer les honoraires d'un bon avocat, elles auraient mieux fait de s'en remettre à la justice !

L'attelage roulait bon train dans Whitehall ; l'avenue était peu fréquentée en ce début d'après-midi et la circulation y était aisée. Il n'allait pas tarder à passer dans l'ombre de Big Ben. Charlotte avait tout juste le temps de se composer une expression de circonstance, car bientôt la voiture traverserait Westminster Bridge et s'engagerait dans Royal Street. Pendant le déjeuner l'aventure lui avait paru excitante ; à présent elle la jugeait grotesque et déplacée.

Devait-elle demander au cocher de faire deux fois le tour du pâté de maisons, pour lui laisser le temps de réfléchir à ce qu'elle allait dire à Amethyst Hamilton afin d'expliquer sa venue? « Bonjour, Lady Hamilton, vous ne me connaissez pas, mais je suis l'épouse de l'inspecteur de police qui enquête sur le meurtre de votre mari; je me suis mis en tête de démasquer son assassin. Pour commencer, nous allons faire connaissance. Parlez-moi de vous... »

Devait-elle se montrer subtile? Ou la franchise était-elle son seul atout?

Trop tard. La voiture s'était arrêtée. La portière s'ouvrit sur le valet qui lui tendit la main pour l'aider à descendre. Les jambes en coton, elle se figea sur le trottoir, se sachant observée par le cocher et le valet.

— Attendez-moi, haleta-t-elle, et, ramassant le bas de ses robes, gravit le perron jusqu'à la porte d'entrée.

Elle n'avait même pas de carte de visite!

La porte s'ouvrit sur une soubrette vêtue de noir à qui des années d'expérience avaient appris à dissimuler sa surprise.

— Madame?

Charlotte n'avait plus qu'à se jeter à l'eau.

— Bonjour, je m'appelle Charlotte Ellison...

Elle préférait utiliser son nom de jeune fille. La soubrette pouvait se souvenir du nom du policier.

— J'espère ne pas déranger, mais j'éprouvais une telle admiration pour Sir Lockwood que je tenais à venir en personne exprimer mes condoléances à Lady Hamilton, plutôt que de les lui envoyer par courrier.

Elle vit que la soubrette portait un petit plateau d'argent destiné à recevoir les cartes de visite.

— Je... je suis navrée, balbutia-t-elle en rougissant, j'étais en vacances à l'étranger, et j'ai défait mes bagages si vite... Auriez-vous l'amabilité de dire à Lady Hamilton que Miss Ellison souhaite s'entretenir avec elle quelques minutes pour lui faire part de sa tristesse et de celle des nombreuses personnes qui admiraient Sir Lockwood pour sa courtoisie et son humanité ? Nous avons tiré grand profit de ses conseils avisés au cours de notre campagne pour la réforme de la loi sur les indigents et l'instruction des enfants défavorisés.

Voilà qui faisait une bonne introduction. Elle connaissait bien la question, ayant lutté aux côtés de Lady Cumming-Gould et de Somerset Carlisle pour que cette loi fût votée, à l'époque des meurtres de Resurrection Row.

Elle adressa son plus charmant sourire à la soubrette et attendit. Celle-ci posa son plateau sur un guéridon et referma la porte.

— Bien sûr, madame. Si vous voulez bien patienter dans le petit salon, je vais voir si Lady Hamilton peut vous recevoir.

Charlotte embrassa la pièce du regard, pour se faire une idée de la personnalité de la maîtresse de maison. Un salon élégant, meublé avec originalité, sans fioritures. On n'y voyait pas l'opposition de deux tempéraments, de deux goûts ; rien ne montrait que la seconde épouse avait supplanté la première. Aucune disharmonie, aucun souvenir désaccordé. Seul élément un peu incongru : un tableau naïf et coloré représentant un jardin à la campagne, dont les tons tranchaient sur ceux des pastels et des aquarelles, mais très agréable à regarder ; on semblait l'avoir laissé là en souvenir du passé.

La porte s'ouvrit sur une femme d'environ quarante-cinq ans, grande et mince dans ses habits de deuil. Son beau visage triste, marqué par l'existence, était auréolé d'une chevelure sombre parsemée de quelques mèches grises. On n'y lisait nulle trace de colère ou d'apitoiement sur son sort.

— Je suis Amethyst Hamilton, fit-elle poliment.

Ma camériste me dit que vous êtes venue me présenter vos condoléances. J'avoue que mon mari n'a jamais mentionné votre nom devant moi, mais c'est très aimable à vous d'être venue. En ce moment, je ne reçois personne et je ne rends aucune visite à l'extérieur. Auriez-vous la bonté de rester prendre le thé avec moi ?

Un bref sourire éclaira ses traits.

— Peu de gens se sentent à l'aise dans une maison endeuillée. Votre compagnie est donc la bienvenue. Mais je comprendrais parfaitement que vous ayez d'autres visites à faire...

Charlotte se sentit coupable. L'isolement que provoque le deuil est terrible ; elle se souvenait de la solitude d'Emily, l'année précédente, après le décès de George. Tout comme Lady Hamilton, sa sœur avait dû endurer, outre son chagrin, le poids de l'enquête criminelle, le scandale, les craintes et les soupçons de ses proches. Et elle était là, à dire des mensonges sous des airs faussement compatissants pour essayer de percer des secrets de famille, rechercher des détails qui ne seraient jamais révélés en présence de la police, tout cela parce qu'elle se croyait plus fine, plus subtile, plus à même de pénétrer la fragile coquille d'une femme qui appartenait à son milieu !

— J'accepterai volontiers une tasse de thé, Lady Hamilton, dit-elle d'une voix fêlée.

Elle ne devait pas oublier que Florence Ivory avait peut-être assassiné Sir Hamilton, en le confondant, sous la lueur d'un réverbère, avec Vyvyan Etheridge.

— Allons nous installer dans le grand salon, proposa Lady Hamilton. Il y fait plus chaud. Vous me raconterez comment vous avez fait la connaissance de mon mari.

Que répondre ? Il ne lui restait plus qu'à mêler quelques mensonges à tous ses souvenirs.

— Voici quelques années, je travaillais avec certaines personnalités sages et influentes désireuses d'amender la loi sur le travail dans les asiles. Oh, je n'étais que la cinquième roue du carrosse : je me contentais de collecter des informations. Sir Lockwood nous avait écoutés avec attention ; c'était un homme à la fois intègre et généreux.

Amethyst lui fit signe de prendre place près du feu.

— Oui, dit-elle en s'asseyant à son tour, on ne peut donner meilleure description de mon mari. Beaucoup de gens étaient en désaccord avec lui sur certaines questions, mais personne ne l'a jamais accusé de malhonnêteté ou d'égoïsme.

Elle sonna la soubrette et, dès que celle-ci parut, lui demanda de servir le thé, des canapés et des gâteaux.

— Il est étrange, poursuivit-elle après le départ de la domestique, de voir à quel point les gens n'aiment pas parler de la mort. Certes, ils m'envoient des cartes, des fleurs, mais quand ils m'appellent, c'est pour me parler du temps qu'il fait, de ma santé ou de la leur, de choses et d'autres, mais pas de Lockwood. Ils font comme s'il n'avait jamais existé ; j'ai l'impression, sans doute exagérée, que l'on ne s'intéresse pas vraiment à ce que je ressens.

— Les gens se sentent peut-être gênés..., commença Charlotte, puis, se souvenant qu'il était déplacé d'exprimer une opinion personnelle lors d'une visite de politesse chez une personne inconnue, elle ajouta : Je suis désolée.

Amethyst se mordilla la lèvre.

— Vous avez tout à fait raison, Miss Ellison. Nous autres Anglais, nous savons rarement comment réagir avec sincérité à la douleur des autres, quand nous ne la partageons pas. C'est sans doute peu patriote de ma part de dire cela, mais je dirai que c'est un défaut commun à tous les habitants de ce pays

— En effet.

Charlotte, qui n'avait jamais quitté l'Angleterre, ignorait si cette remarque était justifiée, mais puisqu'elle avait prétendu rentrer d'un voyage à l'étranger, elle ne pouvait qu'acquiescer.

— Ma sœur aînée, ajouta-t-elle précipitamment, est décédée il y a quelques années dans des circonstances tragiques[1] ; à l'époque, j'ai ressenti la même chose que vous. Vous pouvez me parler de Sir Lockwood en toute liberté, je ne me sentirai nullement embarrassée. Cela fait partie du respect que nous avons pour ceux que nous admirons de continuer à parler d'eux et de faire leur éloge, lorsqu'ils nous ont quittés.

— C'est très gentil à vous, Miss Ellison.

— Quoi de plus normal ? fit Charlotte, qui se sentait de plus en plus coupable. À quelle occasion avez-vous rencontré Sir Lockwood ? Dans un lieu très romantique, j'imagine ?

— Oh, pas du tout !

Amethyst sourit. Son visage s'éclaira, son front, ses lèvres s'adoucirent à ce souvenir ; un bref instant, Charlotte imagina la jeune femme qu'elle avait été vingt ans plus tôt.

— Je l'ai rencontré par hasard au cours d'une réunion politique où je m'étais rendue avec mon frère aîné. Je portais ce jour-là un chapeau couleur crème piqué d'une grande plume, et un collier d'ambre qui me plaisait tellement que je ne cessais de le tripoter. Malheureusement, il s'est cassé et tous les grains se sont répandus sur le sol. J'étais très gênée, bien entendu ! Je me suis penchée pour les ramasser. Un gentleman qui passait devant moi a perdu l'équilibre en marchant sur une perle ; il s'est raccroché à une

1 Voir *L'Étrangleur de Cater Street*, 10/18, n° 2852.

grosse dame qui portait un petit chien dans les bras. Elle a poussé un cri, le chien a sauté par terre et s'est enfui en passant sous les jupes de sa voisine. L'orateur, perturbé par la scène, ne trouvait plus ses mots. Je crois me souvenir que j'ai commencé à pouffer de rire. Lockwood m'a regardée sévèrement et m'a dit de me reprendre, mais il m'a néanmoins aidée à ramasser les perles du collier.

On apporta le thé. Amethyst renvoya la soubrette et le servit elle-même ; durant la demi-heure qui suivit, elle raconta à Charlotte comment Sir Hamilton l'avait courtisée, agrémentant son récit de la mention d'un ou deux événements survenus au cours de leur mariage. Lockwood Hamilton semblait un homme sérieux, aimable, qui, sous des dehors un peu solennels, était un être vulnérable, profondément amoureux de sa seconde épouse. Qu'un tel homme ait pu être égorgé en pleine nuit sur Westminster Bridge relevait du mystère le plus absolu.

Vers quatre heures et quart, la soubrette frappa à la porte et annonça que Mr. Barclay Hamilton attendait dans le vestibule. Amethyst pâlit ; son regard se voila. Au beau milieu de ses souvenirs de bonheur, une soudaine douleur la ramenait brutalement à sa solitude présente et à la tragédie qui l'avait provoquée.

— Dites-lui d'entrer, fit-elle en forçant sa voix, puis elle se tourna vers Charlotte : Le fils de mon mari, d'un premier lit. J'espère que sa présence ne vous dérange pas ? Je me dois de le recevoir, par courtoisie, mais je ne voudrais pas que vous vous sentiez obligée de partir.

— Ma présence ne sera-t-elle pas embarrassante ?

— Pas du tout. Nous ne sommes pas intimes. Au contraire, votre présence nous mettra plus à l'aise, tous les deux.

Comprenant qu'il s'agissait là d'une prière, en

dépit de la neutralité du propos, Charlotte se sentit excusée de rester, tout en regrettant d'y être contrainte.

La soubrette revint quelques instants plus tard, suivie d'un homme d'environ trente-cinq ans, très maigre, au visage sensible et pâle qui exprimait une grande tension. Il jeta un bref coup d'œil à Charlotte ; elle comprit que sa présence le déconcertait et l'empêchait de parler librement à Lady Hamilton.

— Bonjour, dit-il d'un ton hésitant.

— Bonjour, Barclay, répondit Amethyst avec froideur, en se tournant ostensiblement vers Charlotte. Mr. Barclay Hamilton, Miss Charlotte Ellison, qui a eu la gentillesse de venir me présenter ses condoléances.

L'expression de Barclay s'adoucit.

— Enchanté, Miss Ellison.

Avant qu'elle n'ait ouvert la bouche, il s'adressa à Amethyst.

— Je m'excuse de me présenter chez vous à une heure inconvenante, mais je devais vous apporter quelques papiers relatifs aux propriétés de mon père...

Il les lui tendit, non pas tant pour les lui donner que pour lui expliquer la raison de sa venue.

— C'est très gentil à vous, Barclay, mais ce n'était pas pressé. Vous auriez pu les envoyer par la poste. Cela vous aurait évité le déplacement.

On aurait dit qu'il venait de recevoir une gifle. Sa bouche se durcit.

— Ces papiers sont importants ; il était hors de question de les envoyer par la poste : ce sont des actes notariés et des contrats de location.

Si Amethyst entendit son ton cassant, elle n'en fit pas cas.

— Vous êtes mieux qualifié que moi pour vous occuper de ces papiers. C'est vous qui êtes son exécuteur testamentaire, si je ne me trompe.

Elle ne lui proposa pas de s'asseoir, ni de rester prendre le thé.

— Il est de mon devoir, madame, de veiller à ce que vous soyez au fait de vos revenus et que vous connaissiez les propriétés qui désormais sont les vôtres.

Il ne la quittait pas des yeux. Elle finit par le regarder, rougit et pâlit tour à tour.

— Merci de faire votre devoir, Barclay. Bien sûr, je n'en attendais pas moins de vous.

Elle se montrait courtoise, mais distante jusqu'à la limite de l'impolitesse.

— Alors peut-être daignerez-vous y jeter un coup d'œil, répliqua-t-il sur le même ton glacial.

Lady Hamilton se raidit et releva le menton.

— Vous oubliez à qui vous parlez, Mr. Hamilton !

Il fit un tel effort sur lui-même pour se contrôler que Charlotte vit des rides de souffrance se creuser autour de sa bouche.

— Je ne l'oublie jamais, madame, dit-il d'une voix tremblante. Depuis le jour de notre rencontre, je n'ai pas oublié qui vous étiez et ce que vous étiez, Dieu m'en soit témoin.

— Bien, si vous pensez m'avoir dit tout ce que vous aviez à me dire, murmura-t-elle, je pense que vous devriez partir. Bon après-midi.

Il inclina la tête dans sa direction, puis dans celle de Charlotte.

— Au revoir, madame. Miss Ellison...

Il tourna les talons et sortit à grands pas de la pièce, en claquant la porte derrière lui.

Un instant, Charlotte faillit faire comme si rien ne s'était passé, mais très vite, elle jugea l'idée ridicule. Avant l'arrivée de Barclay Hamilton, elles s'étaient parlé comme deux amies ; cette complicité mutuelle rendait désormais impossible tout faux-semblant.

Amethyst ressentirait ce désintérêt comme une marque de mépris, comme si elle partait sans lui dire au revoir.

De longues secondes s'écoulèrent. Amethyst ne bougeait pas. Quand le silence devint intolérable, Charlotte prit la tasse d'Amethyst, vida le fond dans le vide-tasses, en versa une nouvelle et la lui tendit.

— Tenez, buvez un peu de thé. Vos relations avec ce jeune homme sont visiblement tendues. Je suis mal placée pour vous offrir mon aide ; nous ne pouvons sans doute rien y faire, mais sachez que je suis sensible à ces problèmes familiaux. J'ai, moi aussi, des proches avec lesquels j'ai des relations difficiles.

En disant cela, elle pensait à sa grand-mère ; bien sûr, la situation n'était pas comparable, mais quand elle était adolescente, vivre sous le même toit que l'acariâtre Mrs. Ellison n'était pas une sinécure.

Amethyst se ressaisit, accepta la tasse de thé et la dégusta en silence.

— Merci, dit-elle enfin. C'est très gentil à vous. Je suis navrée de vous avoir mêlée à une confrontation aussi embarrassante. J'ignorais qu'elle se passerait ainsi.

Elle n'en dit pas plus. Selon toute apparence, Barclay avait si vivement désapprouvé son mariage avec son père que, même des années plus tard, il ne le lui avait pas pardonné. Une certaine forme de jalousie, sans doute ; il avait adoré sa mère et ne supportait pas qu'une autre ait pris sa place. « Pauvre Amethyst ! songea Charlotte. Le fantôme de l'épouse défunte a dû la hanter durant toutes ces années. » Elle ne put s'empêcher de concevoir une légère animosité à l'égard de Barclay Hamilton, bien qu'elle ait trouvé sa physionomie des plus plaisantes, au premier abord.

Elle s'apprêtait à prendre un petit morceau de gâteau, quand la soubrette vint annoncer la visite de

Sir Garnet Royce. Celui-ci la suivait de si près qu'il fut impossible à Amethyst de dire si oui ou non elle avait envie de le recevoir. La calme certitude que l'on pouvait lire dans les yeux de Sir Royce montrait qu'il ne doutait pas d'être le bienvenu. Il leva les sourcils en apercevant Charlotte, mais ne parut nullement troublé.

— Bonjour, Amethyst. Bonjour Mrs...

— Miss Charlotte Ellison, précisa sa sœur. Elle est venue me présenter ses condoléances. Miss Ellison, mon frère, Sir Garnet.

Celui-ci eut un bref hochement de tête.

— C'est très aimable à vous.

S'étant acquitté des salutations d'usage, il l'ignora comme il aurait ignoré une gouvernante.

— Amethyst, j'ai prévu de faire dire une messe de souvenir. J'ai dressé la liste des gens qu'il conviendrait d'inviter à la cérémonie et de ceux qui seraient offensés s'ils ne l'étaient pas. Tu peux la lire, bien entendu, mais je pense que tu seras d'accord avec moi.

Toutefois, il ne sortit pas la liste de sa poche.

— Ah, j'ai aussi choisi l'ordre des prières et plusieurs hymnes et j'ai demandé à Canon Burridge de bien vouloir diriger le chœur. Il sera tout à fait à la hauteur de la situation.

— Si je comprends bien, il ne me reste pas grand-chose à faire, releva sa sœur d'un ton agacé.

Charlotte la comprenait. Dans une situation semblable, elle n'aurait pas supporté que l'on prenne ainsi tout en charge à sa place, mais peut-être était-elle devenue trop indépendante depuis son mariage avec un homme d'un milieu social inférieur au sien. Garnet Royce faisait ce qu'il pensait être le mieux pour sa sœur; son visage reflétait bonne volonté, sens pratique et esprit de décision. Amethyst fronça les sourcils, faillit ajouter quelque chose puis se ravisa et n'éleva aucune objection.

— Merci, Garnet.

Celui-ci se dirigea vers la table où Barclay Hamilton avait posé les papiers. Il les prit et les retourna.

— De quoi s'agit-il ? D'actes notariés ?

— Barclay me les a apportés, expliqua Amethyst, douloureusement tendue.

— Je vais les examiner, fit Garnet, s'apprêtant à glisser les feuillets dans sa poche.

— Aurais-tu l'obligeance de les laisser là où ils sont ? Je suis parfaitement capable de les lire !

Garnet eut un petit sourire.

— Ma chère, tu n'y connais rien.

— Eh bien, j'apprendrai ! Le moment est venu, me semble-t-il.

— Ne dis pas de bêtises ! s'exclama-t-il d'un ton enjoué, mais sans réplique. Tu n'as pas besoin de t'embarrasser avec les détails de l'administration des propriétés, ni d'apprendre tout un vocabulaire. Le droit est très difficile et complexe pour une femme, ma chère. Laisse donc ton homme d'affaires vérifier que tout est en ordre. À mon avis, tu n'as aucun souci à te faire : Lockwood était très méticuleux. Je t'expliquerai le sens des termes utilisés et à combien se monte la valeur de tes propriétés ; je te conseillerai, le cas échéant, sur les décisions à prendre. Mais je doute qu'il y ait quoi que ce soit à modifier. Tu devrais partir en vacances. Elles te permettraient de te reposer et de prendre du recul. Crois-moi, ma chère, je me souviens du deuil que j'ai vécu...

Son visage s'assombrit à ce souvenir, mais sa sœur ne parut pas s'associer à son chagrin. La perte de l'être cher dont il parlait devait être ancienne, à moins qu'Amethyst ne fût trop absorbée par sa propre douleur.

Il la regarda avec sollicitude.

— Va passer quelques semaines à Aldeburgh. L'air pur et de longues marches au bord de la mer te feront du bien. Tu iras rendre visite aux voisins et bavarder avec eux des sujets locaux. Quitte Londres jusqu'à ce que l'enquête soit terminée.

Amethyst se détourna et fixa un rai de lumière entre les rideaux tirés.

— Je n'en ai pas envie.

— Suis mon conseil, ma chère, dit-il avec douceur en glissant les papiers dans sa poche. Après ce qui vient d'arriver, tu as besoin de changement. Jasper te dirait la même chose, j'en suis certain.

— Je n'en doute pas un instant. Il est toujours d'accord avec toi ! Ce qui ne veut pas dire qu'il ait raison. Je ne tiens pas à quitter Londres pour le moment, et personne ne me dictera ce que je dois faire.

Il secoua la tête.

— Tu es très entêtée, Amethyst. Je dirais même obstinée ; ce n'est pas une qualité chez une femme. Tu compliques tout alors que nous ne voulons que ton bien.

« Il me fait penser à mon père, songea Charlotte, avec son amour aveugle, sa détermination à protéger sa famille, tout en étant complètement imperméable aux sentiments des autres, à leurs pensées, à leurs rêves. »

— J'apprécie ta sollicitude, Garnet, fit Amethyst qui commençait à perdre patience, mais je ne suis pas prête à partir. Le moment venu, si ton invitation tient toujours, je me ferai un plaisir de l'accepter. Jusque-là, je préfère rester ici, à Royal Street. Rends-moi ces actes, je t'en prie. Il est temps que j'apprenne à connaître et à gérer moi-même mon patrimoine. J'ai intérêt à apprendre à me comporter en veuve responsable.

— Tu t'en sors très bien, ma chère. Jasper et moi prendrons soin de tes affaires et te prodiguerons nos conseils. Tous les problèmes juridiques et financiers seront mis entre les mains de gens compétents. Et si un jour tu souhaites te remarier, nous te trouverons un gentleman convenable.

— Je n'ai nulle intention de me remarier !

— Bien sûr, pas pour le moment. Cela semblerait indécent, même si tu le désirais. Mais d'ici un an ou deux...

Elle pivota sur elle-même et lui fit face.

— Garnet, pour l'amour du ciel, écoute-moi, pour la dernière fois ! J'ai l'intention de m'occuper de mes affaires toute seule !

Il était exaspéré par son opiniâtreté, son refus d'entendre raison, mais s'efforça de ne pas céder à la provocation et répondit d'une voix impassible :

— Tu te montres déraisonnable, mais il est trop tôt pour que tu t'en rendes compte. Tu souffres encore du choc d'un deuil récent. Je sais ce que tu ressens, ma chère. Bien sûr, Naomi est morte des suites de la fièvre scarlatine...

Son front s'assombrit.

— ... mais l'on refuse toujours de croire à la disparition d'un être cher, quelle qu'en soit la cause.

Amethyst écarquilla les yeux, étonnée, puis la mémoire parut lui revenir. Confuse, elle lança à son frère un regard apitoyé, mais il ne s'en aperçut pas, tant il était absorbé par ses propres pensées.

— Je reviendrai dans un jour ou deux...

Soudain, il se souvint de la présence de Charlotte.

— Très aimable à vous d'avoir rendu visite à ma sœur, Mrs... Miss Ellison. Au revoir.

— Au revoir, Sir Garnet, répondit-elle en se levant. Je m'apprêtais aussi à partir.

— Êtes-vous venue en cab ?

— Non, ma voiture m'attend devant la porte, répondit-elle sans ciller, comme si elle était habituée à disposer d'un tel attelage. Merci de m'avoir consacré tout ce temps, ajouta-t-elle en se tournant vers Amethyst. J'ai été sincèrement ravie de vous rencontrer.

Pour la première fois depuis que la soubrette avait annoncé la venue de Barclay Hamilton, Amethyst sourit.

— Revenez me voir, dit-elle avec chaleur. Si cela ne vous ennuie pas, bien sûr.

— Avec grand plaisir, répondit Charlotte, tout en sachant que même si elle revenait, cela ne servirait pas la cause de Florence Ivory et d'Africa Dowell.

Cette visite ne lui avait rien apporté, sinon la confirmation que Sir Hamilton était bien l'homme décrit par Pitt; il avait dû être victime d'une monstrueuse erreur, le député visé étant certainement Vyvyan Etheridge.

Après avoir pris congé de ses hôtes, elle monta dans la voiture de Vespasia, avec le sentiment de n'avoir rien appris d'important, mais elle avait éliminé Lady Hamilton de la liste des suspects : en effet, il était impossible de croire qu'Amethyst fût responsable de la mort de son époux. Elle demanderait à Vespasia de chercher à en apprendre davantage sur Barclay Hamilton et sur sa mère, la première Lady Hamilton. Mais la piste était ténue. En revanche, l'image de Florence Ivory s'imposait avec force à son esprit : plus vite elle se forgerait une impression personnelle sur cette femme, plus l'enquête avancerait rapidement.

— Conduisez-moi à Walnut Tree Walk, s'il vous plaît, demanda-t-elle au cocher.

Elle se rendit compte qu'elle n'aurait jamais dû dire « s'il vous plaît »; il s'agissait de donner un ordre à un domestique et non de demander un service à un ami. Elle avait oublié l'une des règles de la bonne société !

Zenobia Gunne, dans sa voiture, éprouvait les mêmes appréhensions que Charlotte. Elle ne craignait pas de rencontrer Mary Carfax, mais elle la détestait et celle-ci le lui rendait bien ! De plus, il lui fallait trouver une raison sortant de l'ordinaire pour arriver chez elle sans avoir annoncé sa visite ! Leur dernière rencontre remontait à 1850, lors d'un bal. À l'époque, Mary, beauté impérieuse et fragile, était fiancée à Gerald Carfax, un homme fortuné et dépourvu de romantisme. Mais elles étaient toutes deux amoureuses du fringant capitaine Peter Holland. Mary, qui lui trouvait fière allure, avait vu ce début d'idylle se briser lorsqu'elle avait accepté la demande en mariage de Gerald. Zenobia, elle, était éperdument éprise de Peter Holland, un garçon plein d'humour et d'imagination, toujours prêt à rire, esthète à ses heures, courageux et tendre, mais hélas trop désargenté pour pouvoir prétendre épouser une jeune fille de bonne famille. Il avait trouvé la mort en Crimée. Jamais plus elle n'avait aimé un homme avec autant de passion ; lorsqu'elle se laissait aller dans les bras d'un autre, elle croyait revoir Peter et entendre son rire.

Après sa disparition, elle s'était embarquée pour l'Afrique, au grand dam de sa famille. À quoi bon vivre en Angleterre, sans Peter ? Plutôt demeurer célibataire que faire semblant d'être heureuse avec un autre.

Tandis que son attelage filait vers Kensington, elle se creusait la tête pour inventer une fable crédible. Il aurait été délicat de recueillir auprès d'une amie des renseignements susceptibles d'éclairer l'assassinat de Vyvyan Etheridge ; chez sa plus vieille ennemie, cela relevait de l'exploit ! Il fallait déjà parvenir à franchir sa porte ! Mary se souviendrait-elle de ce bal ? Savait-elle que Peter aimait Zenobia, qui, s'il n'était pas tombé à Balaklava, l'aurait convaincu qu'elle se moquait bien de l'argent et du qu'en-dira-t-on ? Mary s'imaginait-elle encore qu'il l'aurait choisie, s'il en avait eu la possibilité ?

Zenobia cherchait un prétexte qui ne soit pas trop éloigné de la vérité, de façon à pouvoir mentir avec conviction ; les émotions sont difficiles à simuler. Voyons... elle lui dirait qu'elle venait la voir en dernier recours parce qu'elle avait besoin de connaître... Voilà ! Absolument besoin de connaître l'adresse d'une vieille amie commune ! Mary mordrait à l'hameçon. Qui donc s'efforçait-elle de retrouver, sans succès ? Quelqu'un de difficile à localiser... Ah ! Beatrice Allenby ! Celle-ci avait épousé un marchand de fromages belge et était partie vivre à Bruges. Peu de gens étaient supposés le savoir. Mary Carfax adorerait lui raconter cette histoire ! En son temps cette mésalliance avait provoqué un petit scandale : les jeunes filles de bonne famille épousaient des barons allemands ou des comtes italiens, mais un Belge ! Et marchand de fromages, de surcroît !

Lorsqu'elle arriva à Kensington, sa petite mise en scène était au point. Elle regarda en souriant passer un garçonnet qui s'amusait avec un cerceau, poursuivi par sa gouvernante affolée, puis gravit les marches du perron.

La soubrette qui lui ouvrit la porte la toisa effrontément. Zenobia lui présenta sa carte sans ciller et éprouva une certaine satisfaction à lui faire baisser les yeux. Celle-ci partit porter la carte à la maîtresse de maison, puis revint quelques instants plus tard pour la conduire dans le grand salon. Comme Zenobia s'y attendait, Mary, dévorée de curiosité, ne l'avait pas fait attendre.

— Quel plaisir de vous revoir, Miss Gunne, après toutes ces années ! mentit-elle avec un sourire crispé. Asseyez-vous, je vous en prie.

La pointe de sollicitude qui perçait dans sa voix était là pour rappeler à Zenobia que Mary était sa cadette, détail qu'elle avait toujours savouré, même quarante ans plus tôt ; elle se faisait un plaisir aujourd'hui de le lui remettre en mémoire.

— Désirez-vous un rafraîchissement ? Une tisane ?

Zenobia ravala la repartie cinglante qui lui venait à l'esprit et s'obligea à s'en tenir à la phrase d'ouverture qu'elle avait préparée. Elle demeura sur le bord de sa chaise, comme le voulait la bienséance, et sourit du bout des lèvres.

— Merci. C'est très gentil à vous. Vous paraissez en excellente santé.

— J'imagine que c'est le climat, observa Lady Carfax. Il est très bon pour le teint.

Zenobia, dont la peau était brûlée par le soleil africain, aurait voulu lui assener une réponse bien sentie, mais, pensant à sa nièce, elle se contint.

— Certainement, acquiesça-t-elle. Toute cette pluie...

— Oh, nous avons eu un très bel hiver ! la contredit Lady Carfax. Mais vous n'étiez pas là pour en profiter, je présume ?

— En effet. Je ne suis rentrée que récemment.

Mary Carfax haussa les sourcils.

— Et que me vaut l'honneur de votre visite ?

— Je désirais reprendre contact avec Beatrice Allenby, mais figurez-vous que je ne parviens pas à trouver son adresse. Personne ne semble savoir où elle habite. Me souvenant que vous étiez très amies, je me suis dit que peut-être...

L'hésitation de Lady Mary ne dura qu'une fraction de seconde. Elle mourait d'envie de relater le scandale.

— Oui, je connais son adresse; mais je me demande si je dois vous la donner...

Zenobia affecta une profonde surprise.

— Mon Dieu! Lui serait-il arrivé malheur?

— Ce n'est pas exactement le mot que j'emploierais...

— Juste ciel! Vous voulez dire... Pis que cela?

— Mais non, voyons! Vraiment, vous avez l'esprit...

Mary se reprit avant de se montrer ouvertement impolie. Cela aurait été vulgaire, et elle détestait bien trop Zenobia Gunne pour faire preuve de grossièreté devant elle.

— Vous êtes trop habituée au comportement extravagant des étrangers. Non, je dirais qu'elle a descendu quelques marches dans l'échelle sociale. Elle a fait une mésalliance et est partie vivre en Belgique.

— Bonté divine! s'exclama Zenobia. C'est extraordinaire! Mais il y a de petites villes charmantes en Belgique. Beatrice doit être heureuse là-bas.

— Mariée à un marchand de fromages.

— Pardon?

— Un marchand de fromages, répéta Lady Mary avec tout le mépris qu'elle éprouvait pour les commerçants. Une personne qui fabrique et qui vend du fromage.

Zenobia se souvint de propos semblables échangés quarante ans auparavant. Peter riait en les entendant. Elle savait exactement ce qu'il aurait pensé et songeait au commentaire qu'il lui aurait fait en aparté.

— En êtes-vous sûre? s'enquit-elle, feignant l'étonnement.

— Tout à fait! Ce n'est pas le genre d'événement que l'on oublie!

— Eh bien, sa mère a dû être dans tous ses états!

Zenobia revit avec précision le visage de la mère

de Beatrice, qui se serait contentée du premier gendre venu, du moment qu'il emmenait sa fille loin de chez elle.

— Évidemment ! Qui ne l'aurait pas été ? À mon avis, elle n'a qu'à s'en prendre à elle-même ! Elle n'a pas assez surveillé sa fille ! Une mère se doit d'être vigilante.

Elle offrait là une brèche dans laquelle Zenobia ne demandait qu'à s'engouffrer.

— Vous avez raison. Votre fils, je crois, a fait un beau mariage. Un beau jeune homme, m'a-t-on dit.

On ne lui avait rien dit de tel, bien entendu, mais une mère a toujours plaisir à entendre vanter les qualités de sa progéniture. La pièce était envahie de photographies représentant sans doute James Carfax à toutes les époques de son existence, mais Zenobia était trop myope pour les distinguer avec netteté.

— Et si bien élevé, ajouta-t-elle pour faire bonne mesure. C'est si rare. Les jeunes gens séduisants ont tendance à avoir de mauvaises manières, comme si le plaisir de les regarder était suffisant

Lady Mary se rengorgea.

— Oui, il n'avait que l'embarras du choix pour trouver un beau parti

C'était très exagéré, mais Zenobia ne releva pas la phrase. Se souvenant de feu Gerald Carfax, un homme assommant et toujours content de lui, elle s'imagina les longues années d'ennui qu'avait sans doute endurées Mary. Pour rendre le présent plus supportable, elle avait dû enfouir dans son cœur le souvenir de Peter Holland.

— Votre fils a donc épousé l'élue de son cœur ? remarqua-t-elle. C'est magnifique. Il doit être très heureux.

Lady Mary s'apprêtait à répondre qu'il était en effet heureux en mariage, mais, se remémorant la triste fin de Vyvyan Etheridge, elle jugea malséant de l'affirmer.

Zenobia attendit patiemment la réponse.

— Eh bien... Figurez-vous qu'un deuil vient de frapper sa famille. Son beau-père est décédé il y a peu dans des circonstances tragiques.

— Oh, mon Dieu ! s'exclama Zenobia. Oui, bien sûr, j'ai appris le décès de Mr. Etheridge. Le meurtre de Westminster Bridge. Veuillez accepter mes condoléances.

Lady Mary pinça les lèvres.

— Merci. Vous êtes bien informée, pour quelqu'un qui revient de l'autre bout du monde. La bonne société a dû vous manquer ! Je pensais que l'on pouvait se considérer en sécurité dans les rues de Londres, mais cela ne semble plus être le cas. Enfin, dès que le criminel sera arrêté, on ne parlera plus de ces fâcheux événements, auxquels nous ne sommes aucunement mêlés. L'affaire sera bientôt oubliée.

Zenobia se souvint à cet instant de la raison pour laquelle elle détestait tant Mary Carfax.

— Très certainement, acquiesça-t-elle. En revanche, un mariage avec un marchand de fromages ne s'oublie pas...

Lady Mary était imperméable au sarcasme : cela dépassait son entendement. Elle poursuivit, sereine :

— Tout dépend de l'éducation que l'on donne aux enfants. Jamais James ne se serait marié au-dessous de son rang. Je ne lui aurais pas permis de l'envisager ! Même adulte, il continue à respecter mes désirs.

« Et surtout les cordons de ta bourse », songea Zenobia.

— Il ne manque cependant pas d'esprit ! ajouta Mary avec une pointe de désapprobation amusée. Il a des amis très en vue, et de multiples passe-temps. Bien entendu, Helen n'a pas son mot à dire. Une épouse doit savoir tenir sa place ; c'est sa plus grande force et son véritable pouvoir. Vous le sauriez, Zenobia, si vous aviez su tenir la vôtre, au lieu de tout quitter sans nécessité pour parcourir les pays chauds ! Une honnête femme ne traîne pas seule dans les rues, vêtue comme un épouvantail, à la recherche de rencontres de fortune. L'aventure est un domaine réservé à l'homme...

— Sinon il finit par épouser une marchande de fromages au lieu d'une riche héritière, remarqua Zenobia. À propos, j'imagine que votre belle-fille ne tardera pas à se trouver à la tête d'une belle fortune ?

— Je n'en ai pas la moindre idée. Je ne me mêle pas des affaires de mon fils, répondit Mary d'une voix glaciale, alors que son sourire satisfait démentait ses propos.

— Vous voulez dire des finances de votre belle-fille, corrigea Zenobia. La loi autorise désormais les femmes mariées à gérer leurs biens, sans avoir à en rendre compte à leur époux.

Lady Mary eut un reniflement irrité, sans pour autant se départir de son sourire.

— Une épouse aimante et confiante laisserait néanmoins cette gestion à la charge de son mari, tant qu'il est en vie, répliqua-t-elle. Cela aussi vous le sauriez, si vous aviez fait un heureux mariage. Il n'est pas dans la nature féminine de se préoccuper d'affaires d'argent. Si nous commencions à le faire, Zenobia, les hommes cesseraient de s'occuper de nous. Pour l'amour du ciel, vous ne comprenez donc rien ?

Zenobia éclata de rire. Cette femme lui faisait horreur, mais pour la première fois depuis qu'elles s'étaient quittées, trente-huit ans plus tôt, elle avait l'impression de vaguement la comprendre et d'éprouver un semblant d'affection pour elle.

— Je ne vois vraiment pas ce qu'il y a de drôle ! fit Mary, vexée.

— C'est normal ! pouffa Zenobia en hochant la tête. Vous n'avez jamais rien trouvé drôle !

Lady Mary tendit la main vers la sonnette.

— J'imagine que vous avez d'autres visites prévues cet après-midi, ma chère. Je ne veux pas vous retenir plus longtemps.

Zenobia n'avait d'autre choix que de prendre congé. Cette visite était donc un échec absolu, mais elle décida néanmoins de partir avec dignité.

— Merci de m'avoir donné des nouvelles de Beatrice Allenby, dit-elle en se levant. Je savais que vous n'hésiteriez pas à me dire ce que vous saviez. J'ai passé un excellent moment en votre compagnie Au revoir, Lady Mary.

La soubrette lui ouvrit la porte. Zenobia passa devant elle, la tête haute, traversa le vestibule et sortit dans la rue. Une fois dehors, elle se mit à jurer entre ses dents dans un dialecte que lui avait appris son piroguier congolais. Elle n'avait rien découvert qui pût aider Florence et Africa.

Vespasia était chargée de la tâche la plus facile, mais qu'elle seule pouvait accomplir à la perfection. Elle connaissait le monde politique mieux que Charlotte et Zenobia ; sa renommée et son titre lui permettaient d'approcher à peu près tout le monde dans les sphères influentes ; au cours de ses nombreuses batailles menées en faveur des réformes sociales, elle avait appris à reconnaître le mensonge ; elle savait à quel moment son interlocuteur cherchait à esquiver ses questions en lui présentant la version expurgée des faits que l'on réservait aux dames et aux non-initiés.

Elle eut la chance de trouver Somerset Carlisle à

son domicile; eût-il été absent, elle l'aurait attendu tout l'après-midi, l'affaire ne pouvant être remise à plus tard. Elle n'avait pas fait part de ses craintes à Zenobia, mais elle redoutait que Florence Ivory fût le suspect idéal aux yeux de la police. Il était même fort possible qu'elle fût coupable. Si Zenobia n'avait pas été une femme d'exception, courageuse et solitaire, Vespasia se serait bien gardée de se mêler de cette affaire. Mais puisqu'elle avait accepté de lui venir en aide, le mieux était d'essayer de découvrir la vérité au plus vite; ainsi, même si les deux jeunes femmes étaient reconnues coupables, l'expectative insoutenable dans laquelle se trouvait Zenobia prendrait fin. Elle cesserait de passer par des phases successives d'espérance et de désespoir chaque fois qu'un élément nouveau interviendrait dans l'affaire. Le silence morne de l'attente est aussi difficile à supporter, sinon plus, que l'annonce d'une terrible nouvelle · ne pas savoir ce qui va arriver, se poser toutes sortes de questions, imaginer le pire, en se demandant ce que la police peut bien penser.

Vespasia, ayant vécu des moments semblables après la mort de George, savait précisément ce que son amie ressentait. Elle n'avait donc eu aucun scrupule à envoyer Charlotte chez Lady Hamilton; la visite pouvait s'avérer fructueuse. Elle aurait tout aussi bien pu y envoyer Emily, si celle-ci n'avait pas été en voyage de noces en Italie. Et Vespasia n'éprouvait aucun état d'âme à employer les talents de Somerset Carlisle et à abuser de son temps, s'il pouvait l'aider.

Ce dernier la reçut dans son bureau, une petite pièce confortable, meublée de fauteuils en cuir; les reflets du feu pétillant dans la cheminée jouaient sur les murs lambrissés. Sur le grand bureau jonché de papiers et de livres ouverts, voisinaient trois porte-plume, un demi-bâton de cire à cacheter et des timbres éparpillés.

Carlisle était un fringant quinquagénaire, mince et brun, avec le physique d'un homme qui brûle son excès d'énergie dans une activité incessante; son visage expressif était empreint d'un cynisme que des années de discipline avaient fini par maintenir dans les limites du bon goût, non par crainte ou par acceptation de l'opinion d'autrui, mais parce qu'il avait compris l'inutilité de choquer ses contemporains. Néanmoins, Vespasia, qui le connaissait bien et depuis longtemps, savait que, possédant une imagination sans limites, il était capable des actions les plus inouïes, s'il croyait à une juste cause.

En la voyant, il ne dissimula pas sa surprise, ni sa curiosité. Lady Cumming-Gould ne serait jamais venue le voir sans s'annoncer, si l'affaire n'avait pas été de la plus haute importance; il se dit qu'il devait s'agir sinon d'une enquête criminelle, du moins de quelque grave injustice à réparer, l'un des chevaux de bataille de Vespasia.

À son entrée, il se leva précipitamment, renversant au passage une pile de papiers qu'il ne prit même pas la peine de ramasser.

— Lady Cumming-Gould! C'est toujours un très grand honneur pour moi de vous recevoir. Mais j'imagine que votre visite n'est pas de pure amitié; je vous en prie, asseyez-vous.

Il souleva un grand chat roux aux pattes grêles qui dormait dans un fauteuil, épousseta le coussin d'une chiquenaude et le tapota pour lui redonner du volume. L'animal, vexé, partit d'un air digne, sauta sur le bureau et alla s'installer derrière une pile de livres pour pouvoir observer son petit monde.

— Hamish! fit Carlisle d'un ton absent. Descends de là!

L'animal l'ignora.

— Voulez-vous du thé, Lady Vespasia?

— Tout à l'heure, mon ami. Pour l'instant, je viens vous demander de l'aide.

— À votre service. De quoi s'agit-il?

Vespasia, une fois encore, se rendit compte à quel point elle appréciait ce garçon.

— Deux parlementaires ont été égorgés sur Westminster Bridge.

Carlisle haussa les sourcils.

— Je suis au courant. Est-ce le motif de votre visite?

— Pas exactement. Je me fais du souci pour la nièce d'une de mes amies que la police soupçonne peut-être.

— La nièce, dites-vous? fit Carlisle, incrédule. Curieux. Ce genre de crime est rarement perpétré par une femme. L'endroit ne s'y prête pas, non plus que la méthode. Qu'en pense Thomas Pitt?

— Je l'ignore, avoua-t-elle. Charlotte ne m'en a pas parlé, si tant est qu'elle soit au fait de l'opinion de son mari sur cette affaire. Ces derniers temps, elle était très préoccupée par le remariage d'Emily.

Carlisle parut surpris et ravi.

— Emily, remariée? Je l'ignorais!

— Oui, elle a épousé un homme charmant et tout à fait impécunieux. Mais je crois qu'il l'aime profondément; c'est un garçon sur qui l'on peut compter dans les moments difficiles, qui ne déteste pas l'aventure et a beaucoup d'humour. Leur union est donc placée sous de bons auspices.

— Revenons à la nièce de votre amie. Pourquoi diable aurait-elle participé à l'assassinat d'un député?

Malgré son ton incrédule et légèrement amusé, Vespasia sentait bien qu'il pressentait la gravité de la situation.

— Parce que la seconde victime, Vyvyan Etheridge, avait promis à une personne très proche de cette jeune fille de l'aider à obtenir la garde de son enfant. Il est revenu sur sa parole et a au contraire soutenu le mari de cette femme ; on lui a retiré l'enfant et il est fort probable qu'elle ne la reverra jamais.

Carlisle se pencha vers Lady Vespasia, tendu, très concentré.

— Pourquoi une mère perdrait-elle la garde de son enfant ?

— On la juge indigne de l'élever à cause de ses opinions politiques radicales. Par exemple, elle lutte pour le suffrage des femmes ; elle a soutenu le combat de Mrs. Besant pour les augmentations de salaires et l'amélioration des conditions de travail des ouvrières de l'usine d'allumettes Bryant & Mays. Vous savez aussi bien que moi que nombre d'entre elles souffrent d'une nécrose de la mâchoire provoquée par le phosphore et qu'elles perdent leurs cheveux avant l'âge de vingt ans, à force de porter des cartons sur leur tête.

Carlisle se rembrunit.

— Je le sais. Dites-moi, Vespasia, reprit-il, cédant étourdiment à une familiarité quelque peu déplacée, croyez-vous cette femme capable d'avoir assassiné les deux députés ?

— Oui, confessa-t-elle. Ne l'ayant pas encore rencontrée, il se peut que je change d'avis en la voyant, mais j'en doute. Mon amie Nobby — Zenobia Gunne — le pense aussi. Cependant, j'ai promis de l'aider. C'est la raison de ma visite. Savez-vous quelque chose sur ces hommes qui pourrait nous aider à découvrir leur meurtrier, que ce soit Florence Ivory, Africa Dowell, ou quelqu'un d'autre ?

— Qui sont ces deux femmes ?

— Mrs. Ivory est la mère de la fillette. Miss Dowell, la nièce de Nobby, l'héberge sous son toit.

Carlisle se leva pour aller demander du thé et des sandwichs, puis revint s'asseoir en face de Vespasia; au passage, il dut enlever Hamish, qui avait profité de son absence pour retourner se lover sur son fauteuil.

— J'ai pensé tout d'abord à l'œuvre d'un anarchiste, d'un déséquilibré, ou à une vengeance personnelle, mais cette troisième hypothèse a perdu toute crédibilité, après le meurtre d'Etheridge.

— Sir Hamilton et Etheridge avaient-ils quelque chose en commun ?

— Pas que je sache, en dehors du fait qu'ils siégeaient aux Communes... ironisa Carlisle.

— Nous devons donc partir du principe qu'il y a eu erreur sur la personne. Lockwood Hamilton aurait été tué à la place d'Etheridge. Est-ce possible, selon vous ?

Carlisle réfléchit.

— Pourquoi pas ? Leurs résidences sont situées sur la rive sud, non loin de Westminster Bridge. Un trajet agréable, par une belle nuit de printemps. Tous deux étaient de taille moyenne; même silhouette, teint pâle, cheveux gris argenté. Personnellement, je ne les ai jamais confondus, mais pour quelqu'un qui ne les connaissait pas, dans l'obscurité... Si Etheridge était la victime désignée, ce pauvre Hamilton aura payé pour sa vague ressemblance avec lui. L'inverse paraît impossible.

— Que savez-vous de Vyvyan Etheridge ? demanda Vespasia en se calant dans son fauteuil, les mains posées sur les genoux.

Carlisle demeura quelques instants silencieux, cherchant à mettre de l'ordre dans ses idées. Pendant ce temps, son valet apporta du thé et des sandwichs.

— Une carrière sans faille, mais peu spectaculaire, dit-il enfin. Des propriétés dans différents comtés et dans la capitale. Héritier d'une vieille fortune familiale. Il pouvait se permettre de vivre de ses rentes.

— Ses opinions politiques ?

Carlisle fit la moue.

— Etheridge avait tendance à suivre la ligne de son parti. Il n'avait rien d'un radical ou d'un innovateur, sans être complètement conservateur. En deux mots, un réformiste frileux.

— Autrement dit, il suivait le goût du jour, remarqua Vespasia avec mépris.

— Sans être aussi cruel, je dirai qu'il se laissait porter par le courant, en effet. Il partageait les convictions de ses collègues : il était opposé au Home Rule, quoique favorable à un vote de la Chambre à ce sujet ; il ne prenait jamais la parole en public sur la question irlandaise. Ce n'était donc pas une cible pour les fenians.

— Pour obtenir ce poste de secrétaire parlementaire, il a peut-être écrasé quelques orteils, suggéra Vespasia, pleine d'espoir.

— Il ne s'est pas élevé assez haut dans la hiérarchie pour évincer un collègue d'un poste important — en tout cas, rien qui méritât qu'on lui tranche la gorge.

— Bon, cherchons dans une autre direction aurait-il séduit la fille ou la femme de quelqu'un ? Nom d'une pipe, Somerset, on l'a assassiné, tout de même !

Carlisle, pensif, regarda ses mains.

— Honnêtement, je ne vois que deux explications : un malade mental pris d'une crise de folie meurtrière, ou la nièce de votre amie, comme vous le craignez.

— C'est une probabilité, non une certitude. Tant que le doute subsistera, je continuerai à explorer toutes les pistes. Etheridge avait-il une maîtresse, ou un amant ? Était-il joueur ? Quelqu'un lui devait-il une importante somme d'argent ? Lui-même était-il fortement endetté ? S'il avait appris par inadvertance quelque secret, on aurait pu souhaiter le réduire au silence.

Carlisle fronça les sourcils.

— Quel genre de secret ?

— Pour l'amour du ciel, Somerset, cessez de jouer au naïf ! Vous le savez aussi bien que moi ! Scandale, corruption, prévarication, les possibilités ne manquent pas !

— Je suis toujours stupéfait de constater qu'une femme issue d'un milieu aussi honorable que le vôtre, et qui a mené une existence irréprochable, puisse être aussi au fait de tous les péchés et de toutes les perversions de notre société ! À vous voir, on jurerait que vous n'êtes jamais entrée dans une cuisine et que vous n'avez jamais franchi le seuil d'une maison de passe.

— C'est bien l'impression que je m'efforce de donner, répondit Vespasia. L'apparence est l'atout principal d'une femme ; tout le monde s'y laisse prendre ! Si vous aviez deux doigts de sens pratique, mon ami, vous le sauriez. Parfois, je pense que vous êtes un grand rêveur.

— Je suis souvent très idéaliste, en effet, acquiesça-t-il. Mais je vous promets de grappiller toutes les informations possibles sur Etheridge, quoique je doute de leur utilité.

C'était bien l'avis de Vespasia, mais elle ne voulait pas perdre espoir.

— Merci, Somerset. Elles seront les bienvenues. Elles nous permettront, dans un premier temps, de procéder par élimination.

Il lui sourit. Elle lut dans ses yeux une grande tendresse, mêlée de respect, et se sentit troublée. À plus de quatre-vingts ans, rosir comme une midinette ! Elle était étonnée de voir à quel point l'affection qu'il lui portait la touchait. Pour se donner une contenance, elle prit deux canapés au jambon, en donna un au chat, et changea de sujet de conversation.

Charlotte descendit de voiture à Walnut Tree Walk et se dirigea sans hésiter vers la demeure. Cette fois, il lui fallait jouer franc jeu. Elle supposait que Miss Gunne avait promis à sa nièce de tout faire pour l'aider ; sinon, pourquoi Africa se serait-elle confiée à elle ?

La porte s'ouvrit sur une bonne vêtue d'une robe bleu foncé et d'un tablier blanc.

— Madame ?

— Bonsoir. Je m'excuse de me présenter à une heure si tardive, annonça Charlotte avec aplomb, mais je dois absolument parler à Miss Africa Dowell. Je m'appelle Charlotte Ellison et je viens de la part de sa tante, Miss Gunne.

La bonne s'effaça pour la laisser entrer. Charlotte fut aussitôt charmée par le vestibule lumineux décoré d'un mobilier en bois ciré et en bambou. Des plantes à bulbe et des fleurs printanières s'épanouissaient dans de jolis pots verts en terre cuite. Par la porte entrouverte, elle aperçut de jolis rideaux de chintz ornant les fenêtres de la salle à manger.

La bonne revint quelques instants plus tard et la fit passer dans un grand salon, qui semblait la seule pièce de la maison destinée à recevoir des visiteurs. Deux portes-fenêtres occupaient le mur du fond. Un tissu fleuri tapissait fauteuils et coussins. Un bouquet de jonquilles était disposé dans un vase, sur une petite table ronde aux pieds en bambou. Pourtant, en dépit de son charme et de sa luminosité, la pièce paraissait curieusement austère. Charlotte comprit au bout d'un moment pourquoi elle éprouvait cette sensation : contrairement à chez elle, où le salon était décoré de photographies de Daniel et Jemima, ici, aucune trace de la présence de l'enfant de Florence Ivory. Le dessus de la cheminée, le rebord intérieur des fenêtres, la table, le haut des vitrines étaient vides. Elle n'aperçut aucun travail d'aiguille en cours de réalisation, pas de laine ou de coton à broder, pas de boîte à couture. Un coup d'œil à la grande bibliothèque lui permit de constater que ses rayonnages supportaient nombre d'ouvrages politiques et philosophiques. Aucun roman d'amour, aucune littérature légère ou enfantine. On eût dit que les deux femmes avaient souhaité chasser de la maison toute trace de souvenir douloureux et ne désiraient pas créer un véritable foyer. C'était à la fois fort compréhensible et très triste.

Debout au milieu de la pièce se tenait une femme d'environ trente-cinq ans, aux traits anguleux, à la silhouette presque décharnée et qui pourtant possédait infiniment de grâce. Elle portait une simple robe de mousseline unie, très seyante. Dentelles et froufrous auraient très mal convenu à ce visage saisissant, au nez busqué, aux yeux écartés, à la bouche étroite marquée par le chagrin. Charlotte devina qu'elle avait devant elle Florence Ivory. Son cœur se serra. Une telle créature avait assurément pu aimer et haïr jusqu'à la folie !

En arrière-plan, assise sur une banquette fleurie devant la baie vitrée, une jeune femme au visage angélique tout droit sorti des tableaux de Rossetti dévisageait Charlotte avec une certaine hostilité. Elle semblait préparée à défendre la femme qu'elle aimait et l'idéal qu'elle représentait. Un être idéaliste, prêt à se sacrifier par amour.

— Enchantée de vous connaître, dit Charlotte après un instant d'hésitation. J'ai déjeuné en compagnie de Lady Vespasia Cumming-Gould et de Miss Zenobia Gunne. Elles se font beaucoup de souci pour vous, craignant de vous voir injustement accusées d'un crime...

— Tiens donc? l'interrompit Florence avec une grimace amusée. Et en quoi cela vous concerne-t-il, Miss Ellison? J'imagine que vous ne rendez pas visite à toutes les femmes qui subissent une injustice.

Charlotte sentit la moutarde lui monter au nez.

— Certainement pas, Mrs. Ivory, riposta-t-elle, agacée. Miss Gunne a pris sur elle, dans ce cas précis, de demander de l'aide à ma tante Vespasia, qui, à son tour, s'est tournée vers moi.

— Je ne vois vraiment pas ce que vous pouvez faire pour nous, répondit Florence avec une amertume désespérée.

— C'est tout à fait normal, rétorqua Charlotte. Si vous le saviez, vous pourriez vous défendre vous-même. Vous êtes une femme intelligente...

Elle repensa à cette réunion où, pour la première fois, elle avait entendu parler de Florence Ivory.

— Écoutez, j'ai quelques sources d'information personnelles qui me permettraient de vous aider; ajoutez à cela une certaine expérience, un brin de bon sens et un peu de courage...

Jamais elle ne s'était adressée à quelqu'un avec autant de brusquerie ou d'arrogance; il y avait chez cette femme une agressivité parfaitement compréhensible pour qui connaissait son passé, mais qui allait à l'encontre de ses propres intérêts.

Africa Dowell se leva et s'approcha de sa compagne. Elle était svelte et élancée, mais sous la cotonnade rose de sa robe, on devinait un corps athlétique.

— Si Lady Cumming-Gould est votre tante, vous ne faites pas partie de la police, Miss Ellison. De quelle manière avez-vous l'intention de nous aider?

Florence lui lança un regard méprisant.

— Voyons, Africa! Les policiers sont des

hommes ! Même si certains se montrent corrects et un peu imaginatifs, il est vain de supposer qu'ils en arriveront à une autre conclusion que la plus évidente et la plus commode pour eux. Ils ne vont pas suspecter la famille de Miss Ellison ou ses proches, n'est-ce pas ? Il ne nous reste plus qu'à prier pour que l'on arrête un malade mental avant que l'on ne réunisse toutes les preuves contre moi !

Africa fit preuve de plus de patience que n'en aurait eu Charlotte.

— Tante Nobby est une femme merveilleuse, dit-elle en relevant le menton. À trente ans, elle a quitté l'Angleterre pour l'Égypte avant de descendre vers le Congo. C'était la seule femme blanche du groupe à remonter le fleuve en pirogue. Elle a eu le courage de réaliser des choses que tu aimerais faire ; tu ne dois pas refuser son aide.

Elle se garda de critiquer plus avant les idées préconçues de sa compagne. Florence parut davantage touchée par l'honnêteté d'Africa que par le portrait qu'elle avait dressé de Zenobia. Ses traits s'adoucirent. Elle posa sa main sur le bras de la jeune femme.

— J'aimerais en effet pouvoir réaliser un jour tout ce qu'a fait ta tante, admit-elle. Ce doit être quelqu'un de remarquable. Mais encore une fois, je ne vois pas en quoi elle peut nous aider.

Africa se tourna vers Charlotte.

— Qu'en pensez-vous, Miss Ellison ?

Celle-ci ne trouva aucun mot de réconfort. Elle menait ses enquêtes d'instinct, se fiant au hasard, se laissant porter par les événements, en observant ce qui se passait autour d'elle. Le moment aurait été mal choisi de leur dire que son mari était inspecteur de police.

— Nous explorerons les différentes possibilités,

répondit-elle sans trop de conviction. Nous chercherons à découvrir si ces hommes avaient des ennemis dans leur cercle familial ou politique...

— N'est-ce pas le travail de la police ? s'enquit Africa.

Charlotte décela dans le regard de Florence la colère à l'idée de l'injustice qui allait lui être faite. Elle en éprouva une grande compassion. Mrs. Ivory avait subi l'une des plus terribles pertes que l'on puisse éprouver. Mais sa condescendance, sa condamnation sans appel non seulement de ceux qui l'avaient trahie, mais aussi de toute autorité, ne la rendaient pas sympathique.

— Qu'est-ce qui vous fait croire que la police vous suspecte, Mrs. Ivory ? demanda-t-elle avec brusquerie.

Une expression de douloureux mépris passa sur le visage de Florence.

— Le regard de ce policier.

— Je vous demande pardon ? fit Charlotte, incrédule.

— Le regard de ce policier, répéta Florence. J'y ai lu un mélange de pitié et de condamnation. Voyons, Miss Ellison, réfléchissez ! J'avais toutes les raisons de tuer Etheridge. Je l'ai même écrit noir sur blanc dans ma dernière lettre ; il est évident que la police mettra rapidement la main sur notre correspondance. Et j'avais les moyens de le faire : n'importe qui peut acheter un rasoir et notre cuisine est remplie de couteaux aiguisés ! De plus, le soir de la mort d'Etheridge, Africa est allée s'occuper d'une voisine malade et l'a veillée toute la nuit. Cette pauvre femme délirait ; il serait étonnant qu'elle se souvienne si Africa est restée auprès d'elle ou non. Vous êtes peut-être très douée pour découvrir l'auteur d'un cambriolage ou de lettres de chantage, mais prouver mon innocence est au-delà de vos capacités. Vous avez les meilleures intentions du monde et je vous en suis reconnaissante. C'est également très gentil à Lady Cumming-Gould de se soucier de notre sort. Remerciez-la de ma part.

Charlotte était si furieuse qu'elle dut user de toute sa volonté pour ne pas oublier à quel point cette femme avait souffert. Seuls, la vision du visage de Jemima, le souvenir de son petit corps chaud contre le sien, l'odeur de sa chevelure lui permirent de garder son calme. Son exaspération laissa place à une angoisse si profonde qu'elle en perdit la respiration.

— Il se peut que vous ne soyez pas la seule personne que Vyvyan Etheridge ait trahie, Mrs. Ivory ; si vous ne l'avez pas tué, nous continuerons à traquer le meurtrier. Et je le ferai parce que j'en ai envie. Merci de m'avoir consacré un peu de votre temps. Bonsoir. Bonsoir, Miss Dowell.

Elle tourna les talons, traversa le vestibule, et sortit dans la rue, brisée de fatigue et d'inquiétude. Elle ignorait si Florence Ivory avait assassiné Etheridge mais, en tout cas, celle-ci avait eu de bonnes raisons pour le faire, ainsi que l'énergie nécessaire !

8

Le député Wallace Loughley se tenait au pied de l'immense tour de Big Ben. Ce soir-là, la séance avait été longue, les débats inutiles et vains ; rien de positif n'en était sorti. Il se sentait las. Quel dommage d'être resté claquemuré dans l'enceinte de la Chambre des communes, par une si belle nuit, à écouter palabres et arguties mille fois entendues, alors qu'il y avait tant d'endroits agréables où passer la soirée ! Au Savoy, par exemple, où l'on jouait une opérette de Gilbert et Sullivan. Il aurait pu y retrouver de charmantes jeunes personnes.

La brise venue de la mer avait chassé les fumées et le brouillard. Les étoiles scintillaient dans le ciel. « Zut, songea Loughley, j'ai oublié de dire quelque chose à Sheridan ! » Ce dernier, habitant près de Waterloo Road, était parti à pied quelques instants plus tôt. Il ne devait pas être bien loin.

Loughley se dirigea d'un pas alerte en direction de Westminster Bridge. La statue de Boudicca, debout sur son char, se découpait sur le ciel. Les réverbères de l'Embankment étaient autant de lunes jaunes alignées le long du fleuve. Il aimait cette ville et en particulier son cœur. Ici, Henri II Plantagenêt, puis, après lui, les rédacteurs de la Grande Charte[1] avaient jeté les bases de nouvelles institutions; Simon de Montfort, comte de Leicester, y avait convoqué le premier Parlement en 1265. À présent, Londres était le centre d'un empire dont aucun de ces hommes n'aurait pu imaginer la grandeur. Ils ignoraient que la terre était ronde et que, quelques siècles plus tard, un quart de sa surface appartiendrait à l'Angleterre.

De loin, il aperçut Sheridan, appuyé contre un lampadaire, comme s'il l'attendait. Loughley agita sa canne dans sa direction.

— Sheridan! Je voulais vous inviter à dîner la semaine prochaine, à mon club. Il faut que je vous parle de... Ça ne va pas, mon vieux? Vous êtes malade? On dirait... Oh, nom de D...

La fin de la phrase mourut dans sa gorge. Cuthbert Sheridan était légèrement renversé contre le réverbère, la tête de côté, le haut-de-forme rejeté en arrière, une mèche de ses cheveux blonds pendant sur son front. Son écharpe, serrée autour de son cou, maintenait son menton relevé; une tache sombre en maculait la soie blanche et s'étendait sur le devant de la chemise. Son visage était livide, ses yeux exorbités, sa bouche entrouverte.

Loughley sentit le ciel et le fleuve tournoyer autour de lui; le cœur au bord des lèvres, il perdit l'équilibre, et se rattrapa de justesse au parapet. L'égorgeur avait encore frappé! Et il était seul avec cette... chose, si horrifié qu'il ne pouvait même pas hurler.

Il fit demi-tour et repartit vers le nord, en direction du palais de Westminster, trébuchant sur le pavé humide; les lumières des réverbères dansaient confusément devant ses yeux.

1. La Grande Charte ou *Magna Carta*, document rédigé en 1215 qui limitait l'autorité royale et garantissait certains droits aux barons en matière de justice et d'impôt. *(N.d.T.)*

— Tout va bien, monsieur?

Loughley leva les yeux et vit des boutons d'uniforme étinceler dans la lumière. Un agent de police! Béni soit-il! Il s'accrocha à son bras.

— Mon Dieu! C'est encore arrivé! Là-bas... Cuthbert Sheridan!

— Qu'est-ce qui est arrivé, monsieur?

— Un autre meurtre. Cuthbert Sheridan, égorgé! Pour l'amour du ciel, faites quelque chose!

En d'autres temps, l'agent Blackett aurait pris cet individu qui tremblait comme une feuille en tenant des propos incohérents pour un poivrot, mais il y avait quelque chose d'ignoble et de déjà entendu dans tout cela.

— Venez avec moi, monsieur.

Il n'avait pas l'intention de lâcher l'homme des yeux. Un bref instant, il se dit qu'il tenait peut-être l'égorgeur de Westminster Bridge, mais ce gentleman avait vraiment l'air bouleversé. En tout état de cause, c'était un témoin capital.

Loughley le suivit en vacillant; la scène, déjà gravée de façon indélébile dans son cerveau, prenait maintenant des allures de cauchemar.

— Ah... soupira l'agent Blackett.

Il leva les yeux vers l'horloge de Big Ben, nota l'heure sur son calepin, puis sortit son sifflet et siffla longuement, à plusieurs reprises, de toutes ses forces.

Lorsque Pitt arriva sur les lieux, Micah Drummond était déjà là, vêtu de sa veste d'intérieur, comme s'il venait de quitter le coin de sa cheminée. Il frissonnait et paraissait effondré. La lueur blafarde du réverbère creusait ses orbites et allongeait l'arête de son nez.

— Ah, Pitt, vous voilà.

Il quitta le petit groupe d'hommes serrés les uns contre les autres près du fourgon de la morgue.

— Encore un. Même méthode. Etheridge n'était donc pas le dernier. Apparemment, votre Florence Ivory n'est plus suspecte. Nous en revenons au geste d'un déséquilibré.

Un instant, Pitt sentit une bouffée de soulagement se mêler à l'horreur qui l'envahissait. Il ne voulait pas que Florence Ivory fût coupable. Puis ses traits volontaires et passionnés lui apparurent aussi clairement que s'il venait de la quitter. Oui, cette femme avait pu passer à l'acte ; son intelligence aiguë et subtile était capable de concevoir une machination faisant croire à l'œuvre d'un fou.

— Un déséquilibré, oui, pourquoi pas ?... dit-il, pensif, en fixant le lampadaire. Mais il y a d'autres hypothèses.

Il se pencha vers le corps que l'on avait allongé sur le sol, par décence, et détailla mentalement les détails vestimentaires, la plaie — la même que celle infligée aux deux autres victimes —, le visage livide, les yeux caves, le nez proéminent, les cheveux, blonds ou gris, qui paraissaient argentés à la lueur du réverbère.

— L'œuvre d'un déséquilibré, répéta-t-il. Ou d'un groupe anarchiste — quoique j'en doute ; à moins que ne se trame un complot politique dont nous n'avons pas encore eu vent. Ou bien ce crime n'est qu'une réplique des deux autres. Ou encore, sur les trois meurtres, un seul compte vraiment pour le criminel, qui cherche à nous mettre sur une fausse piste.

Drummond ferma les yeux, comme si ses paupières closes pouvaient repousser cette horrible idée. Il se couvrit le visage de ses mains, avant de laisser retomber ses bras en soupirant.

— Dieu tout-puissant, j'espère que non. Est-il possible qu'un homme puisse se montrer si...

Ne trouvant pas les mots, il préféra ne pas terminer sa phrase.

— Qui est-ce ? demanda Pitt.

— Cuthbert Sheridan, député aux Communes. Trente-huit ou quarante ans, marié, trois enfants. Il vit sur la rive sud, à Baron's Court, tout près de Waterloo Road ; jeune parlementaire sans étiquette, plein d'avenir, élu d'une circonscription du Warwickshire. Un brin conservateur, opposé au Home Rule et aux réformes pénales, mais favorable à l'amélioration des conditions de travail dans les mines et les usines ; il a voté les lois relatives aux indigents et celles régissant le travail des enfants. Tout à fait contre le suffrage des femmes.

Drummond leva les yeux vers Pitt et soutint son regard.

— Un député comme bien d'autres.

— Vous savez beaucoup de choses sur lui, remarqua Pitt, surpris. La découverte du corps ne remonte qu'à une demi-heure.

— C'est l'un de ses collègues qui l'a trouvé ici ; il l'avait suivi pour l'inviter à dîner. Il l'a reconnu tout de suite. Le pauvre homme est complètement retourné. Un certain Wallace Loughley. Regardez, il est assis là-bas, près du fourgon. Quelqu'un lui a donné une gorgée de brandy ; vous devriez aller l'interroger et le laisser rentrer chez lui.

— Que dit le médecin légiste ?

— À première vue, une plaie unique, comme pour les deux autres. Victime sans méfiance, sans doute attaquée par-derrière par surprise et égorgée. N'a offert aucune résistance.

— Curieux... fit Pitt, tentant de s'imaginer la scène. Si Sheridan traversait le pont pour rentrer chez lui après une séance de nuit, il devait marcher d'un bon pas. Son agresseur a dû courir pour le rattraper. Croyez-vous qu'un homme seul, sur ce pont, étant au courant des meurtres précédents, ne se serait pas retourné en entendant un bruit de pas rapides derrière lui ? Moi, en tout cas, c'est ce que j'aurais fait.

— Moi aussi, fit Drummond en fronçant les sourcils. Et je me serais mis à courir en hurlant à tue-tête ! À moins que l'agresseur ne soit arrivé face à lui, venant de la rive sud. Mais dans tous les cas, je n'aurais pas attendu que quelqu'un s'approche tout près de moi.

Il laissa échapper un soupir angoissé. On entendait l'eau tournoyer autour des piles du pont et au loin, le long de l'Embankment, le bruit d'un cab qui s'éloignait.

— À moins, poursuivit Drummond en se mordillant la lèvre, qu'il ne s'agisse d'une personne connue en laquelle j'ai confiance...

Pitt haussa les sourcils.

— Que savons-nous de Wallace Loughley ?

— Rien, pour l'instant. Mais cela ne sera pas difficile à trouver. Tout d'abord, vérifions son identité. Je ne connais pas les six cent soixante-dix députés de la Chambre ! Attendons que quelqu'un vienne l'identifier avant de l'autoriser à rentrer chez lui.

— Je vais le voir, dit Pitt en enfonçant ses poings dans ses poches.

Il se dirigea vers le fourgon et le petit groupe d'hommes qui l'entourait. L'un d'eux, manifestement le cocher, jetait de temps à autre un coup d'œil vers le cheval, bien que les rênes fussent attachées à un pilier. Un homme d'une quarantaine d'années, l'air hagard, les mains tremblantes, les cheveux tombant sur le front, était assis sur le bord du trottoir. En voyant Pitt s'approcher, il se leva, manifestement choqué, mais sans paraître affolé. S'il avait suivi Sheridan pour le tuer, c'est qu'il possédait un sang-froid hors du commun.

— Bonsoir, Mr. Loughley, fit Pitt à voix basse.

Puis-je savoir à quelle heure vous avez vu Mr. Sheridan vivant ?

Loughley déglutit et déclara d'une voix mal assurée :

— Il devait être un peu plus de dix heures et demie. J'avais quitté la Chambre vers dix heures vingt et bavardé avec une ou deux personnes. Combien de temps, je l'ignore. Nous avons simplement échangé quelques mots. J'ai vu passer Sheridan et je lui ai souhaité bonne nuit ; ensuite, le colonel Devon est venu me parler. Je me suis souvenu que j'avais oublié de dire quelque chose à Sheridan ; comme il venait de partir, je l'ai suivi et... vous savez ce que j'ai trouvé.

— Le colonel Devon est-il parlementaire ?

— Oui. Mon Dieu ! Vous n'allez tout de même pas... Interrogez-le ; il se souviendra de notre conversation. Nous avons évoqué le débat de ce soir.

— Avez-vous aperçu quelqu'un sur le pont, devant ou derrière vous ?

— Non, personne. C'est le plus incroyable ! Je n'ai vu personne ! Et pourtant, je ne suis arrivé que quelques minutes après le...

Il y eut une légère bousculade et des cris à l'entrée nord du pont où la police faisait barrage pour empêcher les badauds de passer. Une femme se mit à hurler ; on l'emmena aussitôt. On entendit des bruits de pas précipités ; un homme vêtu d'un grand manteau aux basques flottantes émergea de l'obscurité ; lorsqu'il passa sous le réverbère Pitt reconnut Garnet Royce.

— Bonsoir, monsieur, fit-il d'une voix claire.

Royce se dirigea vers Loughley, le salua par son nom puis s'avança vers Pitt, que Drummond avait rejoint.

— L'heure est grave, mon vieux, dit-il d'un ton

sévère. Savez-vous qu'un vent de panique souffle sur la ville ? L'anarchie nous guette ! Des gens calmes et sains d'esprit commencent à s'affoler ! On parle de conspiration destinée à renverser la couronne d'Angleterre, de soulèvements ouvriers, de grèves, de révolution, que sais-je encore !

Il secoua la tête.

— Cette hystérie collective est absurde. Nous avons probablement affaire à un malade mental qui agit seul. Il est de notre devoir de l'appréhender ! Pour l'amour du ciel, messieurs, mettons tout en œuvre pour arrêter ce massacre ! Il en va de notre responsabilité. Les pauvres et les faibles comptent sur nous pour les défendre contre les agissements de cette pègre, de ces anarchistes qui cherchent à détruire les fondements mêmes de l'Empire !

Il parlait avec le plus grand sérieux ; dans son regard brillait une flamme de sincérité que les deux policiers ne pouvaient mettre en doute.

— Si je peux vous être utile, prévenez-moi. J'ai des amis haut placés, des collègues, de l'influence.

Il regarda tour à tour Pitt et son supérieur.

— Dites-moi ce que je peux faire !

— Si je le savais, Sir Garnet, répondit Drummond d'un ton las, je n'hésiterais pas à faire appel à vous. Mais nous ignorons le mobile de l'assassin.

— N'espérons pas comprendre le raisonnement d'un fou ! Vous n'imaginez tout de même pas qu'il s'agit d'une vengeance personnelle commise par un ennemi commun à ces trois hommes ?

Une lueur ironique et incrédule étincelait dans ses yeux.

— Aux trois, sans doute pas, répondit Pitt. Mais un seul d'entre eux était peut-être visé.

Il vit la surprise puis l'effroi passer sur le visage de Royce quand celui-ci comprit où il voulait en venir

— Dans ce cas, il ne s'agit pas d'un malade mental, mais d'un monstre ! chuchota ce dernier. Car seul un monstre pourrait commettre deux crimes, de sang-froid, pour en cacher un troisième.

— Nous n'en savons rien, répondit Drummond. C'est une hypothèse parmi d'autres. Nous enquêtons dans les milieux anarchistes et révolutionnaires. Tous nos informateurs sont sur les dents.

— Une récompense ! s'exclama Garnet. Je suis certain de pouvoir réunir des fonds suffisants pour qu'un quidam se décide à parler. Je ferai paraître un encart dans les journaux, demain, en même temps que sera publiée la nouvelle de la mort atroce de Sheridan.

Il repoussa une mèche de cheveux qui tombait sur son front.

— Je n'ose imaginer la panique qui va s'ensuivre. On ne peut blâmer les gens... Ma pauvre sœur se sent obligée, à cause de je ne sais quel sens de l'honneur ou du devoir, de rester à Londres jusqu'à la fin de l'enquête. Messieurs, agissez au mieux ! Et s'il vous plaît, tenez-moi informé de tous les développements de l'affaire, afin que je puisse prendre les décisions qui s'imposent. J'ai autrefois travaillé au ministère de l'Intérieur ; je connais le fonctionnement interne de la police, ses forces et aussi ses limites. Vous avez toute ma sympathie. Je n'attends pas de miracles de votre part.

Le regard de Drummond se porta vers l'autre extrémité du pont, où la foule commençait à se rassembler, observant d'un œil inquiet et hostile le petit groupe de policiers et le fourgon de la morgue qui attendait que l'on chargeât le cadavre.

— Merci, monsieur. Oui, une récompense pourrait être utile. Depuis Judas, des hommes ont trahi leur cause et leur croyance pour de l'argent. J'apprécie votre aide.

— Vous aurez la somme avant demain soir, promit Royce. À présent, je vous laisse à votre travail. Pauvre Sheridan. Dieu ait son âme ! Oh, inspecteur, ajouta-t-il au moment de s'en aller, voulez-vous que j'aille informer son épouse ?

Pitt se serait volontiers déchargé de cette tâche ingrate, mais c'était à lui seul qu'elle incombait.

— Merci, Sir Garnet, mais je dois lui poser un certain nombre de questions.

Royce hocha la tête.

— Je comprends.

Il remit son haut-de-forme, s'éloigna d'un pas vif et remonta vers l'est, en direction de Bethlehem Road.

Drummond demeura silencieux, scrutant la pénombre où Royce avait disparu.

— Sir Royce comprend fort bien la situation, remarqua-t-il d'un air pensif. Et il paraît particulièrement concerné...

Il laissa sa phrase en suspens. Une petite idée, encore très vague, faisait aussi son chemin dans le cerveau de Pitt.

— Que savez-vous de lui ? s'enquit Drummond en tournant vers Pitt un regard curieux.

Ce dernier tenta de rassembler tout ce qu'il avait appris sur Royce.

— Député depuis plus de vingt ans. Efficace, talentueux. Dans le passé, il a eu un poste de responsabilité important auprès du ministre de l'Intérieur. Réputation sans tache, à tous points de vue. Veuf depuis longtemps. Il ne s'est pas remarié. C'est le beau-frère de Sir Hamilton, mais vous le savez sans doute.

Drummond inclina la tête.

— Quelles étaient leurs relations ?

Pitt sourit.

— Cordiales, sans être intimes. Aucune participation de Royce dans les affaires d'Hamilton; mais il s'occupe de celles de sa sœur, en tant que frère aîné, depuis qu'elle est veuve.

— Rivalité professionnelle avec Hamilton?

— Non. Plutôt des alliés. Ils n'avaient pas les mêmes intérêts.

— Rivalité personnelle ou politique?

— Non. On n'égorge pas un homme parce que ses opinions diffèrent des vôtres! D'après ce que je sais, Royce est un conservateur, grand défenseur des valeurs familiales; selon lui, les forts doivent protéger les faibles et les gens compétents gouverner les masses — pour leur bien, cela va sans dire...

Drummond soupira.

— À vous entendre, ses positions sont celles de la majorité des députés; je dirais même celles de tous les gentlemen fortunés de ce pays.

Pitt émit un grognement affirmatif, puis prit congé de son supérieur et s'éloigna dans la même direction que Royce. Arrivé au bout du pont, il tourna vers Baron's Place, vers le domicile de feu Cuthbert Sheridan.

Comme il s'y attendait, il dut tambouriner à la porte pour réveiller le personnel endormi, attendant que l'on allume les lampes à gaz et qu'un valet ensommeillé endosse en hâte une veste pour descendre ouvrir à l'intrus qui les réveillait en pleine nuit.

Il lut encore une fois l'horreur dans les yeux du valet, à l'annonce de la nouvelle. Celui-ci lui demanda de bien vouloir patienter pendant qu'il allait prévenir sa maîtresse. Pitt se retrouva à nouveau dans un salon glacial face à une femme hagarde, en état de choc, refoulant ses larmes et luttant contre l'évanouissement.

Parthenope Sheridan, âgée d'environ trente-cinq ans, se tenait très droite. Un petit bout de femme au visage trop pointu pour être qualifié de joli, mais avec de très beaux yeux et une denture un peu bizarre qui lui conférait un certain charme. Debout au milieu du salon, elle fixait Pitt, le regard vide.

— Cuthbert ? Cuthbert ? dit-elle à deux reprises, comme si elle avait besoin de répéter ce prénom pour en saisir le sens. Assassiné ? Comme les autres ? Mais pourquoi ? Il n'avait aucune relation avec... Mais de quoi s'agit-il, inspecteur Pitt ? Je ne comprends pas.

Elle s'assit dans un fauteuil, maladroitement, et se couvrit le visage de ses mains.

S'ils avaient appartenu au même monde, Pitt l'aurait entourée de ses bras et elle aurait pleuré sur son épaule. Au lieu de cela, il restait là à la regarder, recroquevillée sur son siège, seule, incapable de partager sa douleur avec quiconque, sans ami pour la consoler. Aucun sentiment de pitié ne pouvait franchir le gouffre social qui les séparait. Montrer de la familiarité ne ferait qu'alourdir son chagrin au lieu de l'alléger. Il brisa donc le silence par les phrases habituelles que son métier l'obligeait à prononcer.

— Nous n'en savons rien, madame. Mais nous explorons toutes les pistes : crime politique ou vengeance d'une personne ayant un grief contre l'un des trois députés. S'il s'agit du geste d'un dément, nous ne trouverons évidemment pas son mobile.

Au prix d'un violent effort, Mrs. Sheridan parvint à maîtriser le tremblement de sa voix.

— Politique ? Des anarchistes ? On parle de complot contre la reine ou contre le Parlement. Mais pourquoi s'en être pris à Cuthbert ? Il n'était que sous-secrétaire aux Finances !

— A-t-il toujours occupé ce poste, madame ?

— Non. Les parlementaires changent souvent

d'activité. Cuthbert avait auparavant travaillé au ministère de l'Intérieur et au Foreign Office, pendant une courte période.

— Avait-il une opinion tranchée sur la question irlandaise ? Était-il en faveur du Home Rule ?

— Non... enfin je crois qu'il a voté pour, mais je n'en suis pas sûre. Il n'évoquait pas ces sujets avec moi.

— Était-il partisan de réformes sociales, notamment des conditions de travail dans l'industrie ?

— Tant qu'elles étaient conduites sans trop de précipitation, il était favorable aux réformes du travail.

Une curieuse expression, faite d'un mélange de colère et de douleur, passa sur son visage.

Pitt lui posa enfin la question qu'il avait repoussée jusqu'à la dernière minute.

— Était-il en faveur du suffrage des femmes ?

— Non, murmura-t-elle entre ses dents.

— Ses opinions étaient-elles bien connues dans le milieu politique ?

Elle hésita, haussa les sourcils, puis répondit :

— Oui, je le crois, enfin je le suppose. Cuthbert défendait ses idées avec force.

Pitt ne pouvait manquer de voir la surprise et la tristesse sur son visage.

— Partagiez-vous ses opinions, Mrs. Sheridan ?

Elle était si pâle que des ombres grises cernaient ses yeux, même à la lueur jaune de la veilleuse.

— Non, fit-elle d'une voix étouffée. Je suis persuadée que les femmes doivent avoir le droit de voter pour le député de leur choix, et de se présenter aux élections locales.

— Avez-vous déjà rencontré Mrs. Florence Ivory ou Miss Africa Dowell ?

Aucune peur, aucune inquiétude ne vint altérer le regard de Parthenope.

— Oui, je les connais toutes deux. Nous ne sommes pas nombreuses, Mr. Pitt, à être prêtes à prendre des risques, à nous battre pour défendre nos convictions, plutôt que de faire confiance à un gouvernement composé d'hommes qui ne sont manifestement pas disposés à nous écouter. Les gens au pouvoir ne l'abandonnent jamais de leur plein gré. C'est une vérité historique. En général, on le leur reprend par la force, ou bien il leur échappe parce qu'ils sont trop faibles ou trop corrompus pour le garder.

— Selon Mrs. Ivory, comment va se terminer la crise politique provoquée par cette série d'assassinats ?

Une légère couleur marqua les joues pâles de Parthenope. Ses traits se durcirent.

— C'est une question que vous feriez mieux de lui poser directement, une fois que vous aurez découvert l'assassin de mon mari !

Puis sa colère se mua en détresse ; elle détourna son visage et s'écroula contre le dossier de son fauteuil, pleurant en silence, le corps secoué de sanglots.

Pitt jugea ridicule et inutile de s'excuser. Le chagrin de cette femme était d'ordre privé ; faire un commentaire n'aurait servi à rien. Il quitta discrètement la pièce, traversa le vestibule, passa devant le majordome livide, ouvrit lui-même la porte et descendit les marches du perron baigné dans la pénombre printanière.

Une brume légère montait en volutes de la Tamise, charriant des relents de marée montante. Parthenope devait pleurer à présent, et elle pleurerait encore le lendemain matin, quand la froide lumière de l'aube la ramènerait à la réalité, à ses souvenirs et à sa solitude.

En rentrant chez lui, Pitt se rendit droit à la cuisine, se fit du thé et réchauffa ses mains autour de la tasse brûlante. Il resta là devant la table pendant plus d'une heure ; il se sentait harassé et impuissant. Trois hommes avaient été égorgés et il n'avait pas rassemblé davantage de preuves qu'au soir du premier meurtre. Florence Ivory, rendue folle de douleur par la perte de son enfant, était-elle vraiment l'assassin ?

Mais pourquoi avoir pris Sheridan pour cible ? Par pure haine, parce que lui aussi refusait de partager le pouvoir avec les femmes, de leur accorder une place dans le gouvernement, et leur interdisait l'accès à des postes importants dans la magistrature et la médecine ? Cela faisait seulement douze ans que les études médicales leur avaient été ouvertes, six qu'elles avaient le droit de gérer leurs propriétés et quatre seulement qu'elles avaient cessé d'être considérées comme des meubles appartenant à leur mari.

Seule une personne privée de raison pouvait avoir décidé d'éliminer systématiquement des députés conservateurs, majoritaires à la Chambre. Les vrais réformateurs n'étaient pas légion ! Tout cela n'avait aucun sens — mais devait-il vraiment chercher une explication logique à ces morts ?

Il finit par aller se coucher, un peu réchauffé, mais pas plus avancé.

Le lendemain matin, il eut juste le temps, avant de partir au travail, d'expliquer en quelques mots à Charlotte le nouveau drame de Westminster Bridge, la mort horrible de Sheridan, la réaction hostile de la foule affolée assemblée à l'autre bout du pont.

— Vous ne croyez tout de même pas à la culpabilité de Florence Ivory, cette fois ? demanda-t-elle lorsqu'il lui eut brièvement exposé les faits.

Il aurait bien voulu abonder dans son sens, lui dire que ce nouveau meurtre changeait les données de l'affaire, mais ne le fit pas. Le sentiment aigu de l'injustice ne connaît pas les limites de la raison ; il fait même parfois oublier l'instinct de conservation.

— Thomas ?

— Désolé, Charlotte. Je n'en sais rien. C'est peut-être elle, malgré tout, dit-il en se levant pour aller décrocher son manteau.

Arrivé au commissariat, Pitt monta directement retrouver Micah Drummond. Les journaux du matin s'empilaient sur son bureau. Le premier affichait en gros titre :

TROISIÈME MEURTRE SUR WESTMINSTER BRIDGE.
UN AUTRE DÉPUTÉ ÉGORGÉ
À CINQ CENTS MÈTRES DU PARLEMENT.

— Les autres disent à peu près la même chose, ou pire, soupira Drummond. Royce a raison : un vent de panique souffle sur la capitale. Le ministre de l'Intérieur m'a fait appeler. Je me demande ce que je vais lui raconter. Que savons-nous de concret ?

— La veuve de Cuthbert Sheridan connaît Mrs. Ivory et Miss Dowell, répondit Pitt, d'un ton malheureux. Elle fait partie d'une organisation féministe. Son mari était farouchement opposé au suffrage des femmes.

Drummond demeura immobile et silencieux.

— Ah, fit-il enfin, d'un ton peu convaincu. Croyez-vous à une conjuration de suffragettes décidées à en découdre avec le gouvernement ?

Posée en ces termes, la question semblait absurde ; mais Pitt ne pouvait oublier la violence passionnée qu'il avait lue sur le visage de Florence Ivory ; le temps n'avait nullement apaisé son chagrin. Cette femme ne se laisserait pas arrêter par la peur, les conventions, les risques encourus, ni par les doutes et les opinions des autres. Pitt la savait capable de tuer. Et Africa Dowell n'aurait pas hésité à lui prêter main-forte. C'était un être idéaliste, brûlant de rancœur contre ceux qui avaient fait souffrir son amie et sa petite fille, prête à tout pour faire régner sa conception de la justice.

La voix de Drummond vint interrompre le fil de ses pensées.

— Pitt ? Je vous ai posé une question !

— Une conjuration ? Je n'y crois guère, répondit celui-ci, en pesant ses mots. Sauf à considérer que deux personnes peuvent fomenter une conspiration. Il pourrait s'agir d'un malheureux enchaînement de circonstances...

— Lesquelles, selon vous ?

Dans l'esprit de Drummond commençait à s'ébaucher un début d'explication, mais il y avait encore trop d'inconnues. Il ne pouvait porter de jugement, n'ayant pas rencontré les protagonistes de l'affaire. Il gardait à l'esprit le contenu des manchettes de journaux, les visages graves et inquiets de ses supérieurs qui, devant répondre de la situation, se dépêcheraient de lui faire endosser la responsabilité d'un échec. Il serait le premier blâmé. Drummond n'avait pas peur ; il n'était pas homme à se soustraire à un défi ou à son devoir, ni à faire supporter par les autres sa propre impuissance. Mais l'extrême gravité de la situation ne lui échappait pas.

— Pour l'amour du ciel, Pitt, dites-moi le fond de votre pensée !

— Je crains hélas qu'il ne s'agisse de Florence Ivory, aidée d'Africa Dowell, soupira celui-ci. Elle possède un excellent mobile et une énergie peu commune ; dans l'obscurité, elle a très bien pu prendre Hamilton pour Etheridge. Mais pourquoi s'acharner et se venger sur Sheridan ? Je l'ignore. Ce troisième meurtre, commis gratuitement, de sang-froid, ne cadre pas avec la personnalité de Mrs. Ivory. Il se peut que l'assassin soit un ennemi de longue date de Sheridan, ayant profité des circonstances pour mettre son odieux projet à exécution.

— Je constate que Mrs. Ivory vous est plutôt sympathique... remarqua Drummond en le regardant bien en face.

Pitt ne pouvait le nier. Florence Ivory lui avait plu ; il compatissait à ses souffrances, peut-être un peu trop, en songeant à ses propres enfants. Mais ce n'était pas la première fois qu'il éprouvait de l'estime pour un assassin. En revanche, il détestait les petits malfrats, les hypocrites, les pharisiens, ceux qui se nourrissent de l'humiliation et de la douleur des autres.

— En effet, admit-il. Cela dit, il est également possible que nous soyons très loin de la vérité.

— Complot politique ?

Pitt en doutait ; seuls des enragés auraient pu concevoir pareille monstruosité.

Drummond se leva, se dirigea vers la cheminée en se frottant les mains pour les réchauffer, puis se tourna vers Pitt. À cette minute, leur différence hiérarchique n'existait plus.

— Il faut à tout prix résoudre cette affaire. J'ai mis tous les hommes disponibles sur le dossier de chaque agitateur connu, révolutionnaire, socialiste, activiste favorable à l'indépendance de l'Irlande ou du pays de Galles ou à toute autre réforme ayant des défenseurs passionnés. De votre côté, axez vos recherches sur les mobiles personnels de l'assassin : cupidité, haine, vengeance, luxure, chantage, bref, tout ce qui fait qu'un homme, ou une femme, pourquoi pas, en arrive à supprimer une vie humaine. Les femmes impliquées dans cette affaire ont suffisamment d'argent pour payer un sicaire.

— Je vais m'intéresser de plus près à James Carfax, dit Pitt, ainsi qu'à la vie privée de Vyvyan Etheridge. La thèse du mari ou de l'amant outragé est peut-être plausible, mais pas dans les trois cas !

— Si vous voulez mon avis, aucune explication n'est plausible, à l'exception du geste d'un esprit malade et rusé, animé d'une haine farouche à l'encontre des parlementaires vivant sur la rive sud de la Tamise ! s'exclama Drummond avec une grimace. Nous avons doublé les patrouilles de police dans le secteur. Tous les députés sont sur leurs gardes ; je serais très étonné de voir l'un d'eux s'aventurer sur Westminster Bridge en pleine nuit, désormais. Bon, je vais de ce pas voir le ministre de l'Intérieur, ajouta-t-il en rajustant sa cravate et sa redingote.

Toute trace d'humour avait déserté son visage. Au moment de franchir la porte de son bureau, il se retourna.

— Quand cette affaire sera terminée, Pitt, je veillerai à ce que vous obteniez enfin l'avancement que vous méritez. Je vous en donne ma parole. Une belle promotion entraîne une augmentation de salaire ! Mais pour l'instant, j'ai encore besoin de vous sur le terrain.

Là-dessus, il referma la porte, laissant Pitt interdit et confus.

Drummond avait raison ; Pitt attendait de l'avancement depuis longtemps. S'il n'en avait pas bénéficié jusque-là, ce n'était pas à cause d'une faute professionnelle, mais en raison de son esprit d'insubordination et de son insolence à l'égard de ses précédents supérieurs. Ses compétences allaient enfin être reconnues ; il se verrait confier davantage de responsabilités. Et une augmentation de salaire arrangerait bien les affaires du ménage ; Charlotte pourrait enfin cesser de rogner sur ses dépenses vestimentaires, et améliorer l'ordinaire de leurs repas ; ils iraient de temps en temps à la campagne ou au bord de la mer, et s'offriraient même le luxe d'un voyage à l'étranger. Charlotte rêvait de voir Paris.

Mais obtenir une promotion signifiait rester assis toute la journée derrière un bureau, envoyer des hommes sur le terrain pour interroger témoins et suspects, évaluer leurs réponses, scruter leurs visages à la recherche de la vérité; à un autre inspecteur incomberait la terrible tâche d'annoncer à une famille la mort de l'un des siens, d'examiner les cadavres, de procéder à l'arrestation des coupables. Lui se bornerait à donner des directives, à prendre des décisions, à prodiguer des conseils, bref à diriger l'enquête.

Il n'aimerait pas — sans doute détesterait-il — être éloigné de la réalité concrète, des émotions fortes que l'on éprouvait sur le terrain. Ses hommes lui feraient des comptes rendus d'interrogatoires; il n'aurait plus aucun contact avec des êtres de chair et de sang.

Mais il pensa aux lettres que Charlotte recevait d'Emily; elle les gardait dans la poche de son tablier, attendant son départ pour les ouvrir, car elle ne voulait pas qu'il vît son visage pendant qu'elle lisait les descriptions enthousiastes que sa sœur lui envoyait de Rome ou de Venise.

Oui, il accepterait cette promotion. Il la lui devait.

Mais d'abord, il lui fallait débusquer « l'égorgeur de Westminster Bridge », comme le surnommaient les gazettes.

Se pouvait-il que ce fût James Carfax? Pitt n'avait pas décelé dans ce bel homme superficiel et fat la sauvagerie nécessaire pour tuer trois personnes l'une après l'autre dans le seul but d'hériter la fortune tant convoitée de son beau-père.

Ou son épouse craignait-elle tellement de le perdre qu'elle avait assassiné son père pour hériter plus vite de son argent, et les deux autres députés pour brouiller les pistes?

Pitt passa la journée à chercher l'origine de leurs revenus. Tout d'abord, il trouva trace de la vente du tableau appartenant à Helen, puis, en cherchant dans les relevés bancaires, s'aperçut qu'elle avait auparavant vendu des croquis, des gravures, une ou deux sculptures, des bibelots ; mais, sauf à chercher dans ses comptes personnels, il n'avait aucun moyen de prouver à quoi avait servi cet argent. Elle avait pu s'acheter des robes, des parfums, des bijoux, des crèmes de beauté, pour se rendre attrayante aux yeux de son époux volage ; à moins qu'elle ne lui ait offert des présents. Ou peut-être avait-elle une âme de joueuse — certaines femmes adorent les jeux de hasard

Il rentra chez lui vers six heures du soir, las et abattu ; l'enquête piétinait et l'idée d'une promotion prochaine ne l'enthousiasmait guère. Mais devant Charlotte, il devait déguiser ses sentiments, pour ne pas lui ôter le plaisir de cette bonne nouvelle.

Elle était dans la cuisine en train de confectionner des gâteaux pour les enfants et de préparer le thé. Dehors, il commençait à faire nuit. Une douce lueur baignait la pièce qui sentait bon le savon ; le pain cuisait dans le four ; un fumet odorant se dégageait de la marmite.

Sans un mot, Pitt s'avança vers elle, la prit dans ses bras et l'enlaça très fort, ignorant ses mains mouillées et son tablier plein de farine. Après un léger mouvement de surprise, elle répondit passionnément à ses baisers.

— Je vais avoir une promotion ! annonça-t-il tout de go, avant d'avoir le temps de réfléchir ou de regretter. Drummond me l'a promise, dès que cette affaire sera classée. Cela représentera un peu plus d'argent chaque mois et une position sociale nettement améliorée.

Elle se serra tout contre lui et enfouit son visage dans son épaule.

— Thomas, c'est merveilleux ! Vous l'avez bien méritée, non ? Vous auriez même dû l'obtenir depuis longtemps. Vous travaillerez dans un bureau ?

— Oui.

— Alors, je n'aurai plus à me faire du mauvais sang tous les jours !

Il avait réussi à lui annoncer la nouvelle sans l'ombre d'une déception, en lui laissant croire qu'il n'éprouvait que joie et fierté. Pendant quelques instants, il se sentit terriblement seul. Charlotte ignorait ce que l'abandon de son métier d'inspecteur lui coûterait ; elle n'imaginait pas à quel point il allait regretter ces heures passées dans les ruelles des bas-fonds, ou dans les beaux quartiers ; seul le contact direct avec les êtres humains lui permettait de mener ses enquêtes à leur terme.

C'était idiot. Il ne fallait pas qu'elle devine son appréhension. Il ne devait pas lui gâcher son bonheur. Il la repoussa tendrement et lui sourit. Une légère interrogation passa dans les yeux de Charlotte, tandis qu'elle scrutait son visage avec attention.

— Thomas ? Que se passe-t-il ? Quelque chose ne va pas ?

— Oh, toujours cette l'affaire des meurtres de Westminster Bridge. Plus je cherche, moins j'ai l'impression d'avancer.

— Parlez-moi de la dernière victime, pendant que je sers le dîner. Gracie est à l'étage, avec les enfants. Nous pourrons bavarder tranquillement à table.

Prenant son silence pour un assentiment, elle souleva le couvercle de la marmite et tourna lentement son contenu ; une délicieuse odeur se répandit dans la cuisine. Elle sortit les deux assiettes qu'elle avait mises à tiédir dans le four et lui servit du ragoût de mouton aromatisé de romarin, accompagné de poireaux, de pommes de terre et de petits navets.

Pitt lui raconta le peu qu'il savait au sujet de Cuthbert Sheridan et fit le point sur l'affaire, en tentant d'ordonner ses idées sans se laisser dominer par ses émotions. Lorsqu'il eut terminé, Charlotte demeura silencieuse, les yeux baissés sur son assiette vide. Puis elle se décida enfin à le regarder, les joues en feu, avec une expression de honte et de défi qu'il ne connaissait que trop bien.

— Charlotte ? Vous me cachez quelque chose... remarqua-t-il à mi-voix. Pourtant, cette affaire ne concerne aucune de nos connaissances. Emily est bien en Italie, non ?

Elle parut soulagée par la question.

— Oui, elle est à Florence. Enfin, la lettre que j'ai reçue ce matin était postée de là-bas. Elle doit être ailleurs, à présent.

— Alors ? J'attends des explications.

— Voilà : tante Vespasia a fait appel à moi...

Il haussa un sourcil incrédule.

— Pour découvrir l'égorgeur de Westminster ?

— Eh bien, en quelque sorte, oui.

— Expliquez-vous.

— Voyez-vous, Africa Dowell est la nièce de la meilleure amie de Vespasia, Miss Zenobia Gunne, laquelle pense, avec raison apparemment, que la police soupçonne Africa. Bien sûr, je ne leur ai pas dit que la police, en l'occurrence, c'était vous !

Il la dévisagea avec attention. Elle soutint son regard sans ciller. Face à lui, elle était parfois capable de garder un secret, voire de se montrer évasive, mais tout à fait incapable de mentir, et il le savait.

— Qu'avez-vous découvert ? demanda-t-il enfin.

Elle se mordit la lèvre.

— Rien. Je suis désolée.

— Rien du tout ?

— Disons que je me suis liée d'amitié avec Amethyst Hamilton...

— Comment vous y êtes-vous prise ? Tante Vespasia la connaît-elle ?

— Non. J'ai dû mentir un peu...

Elle baissa la tête, embarrassée, puis releva les yeux vers lui.

— Elle déteste son beau-fils et il le lui rend bien ; mais je ne vois pas dans cette inimitié un quelconque rapport avec le meurtre de Sir Hamilton. Ils ont été mariés de longues années et...

Elle ne termina pas sa phrase.

— Et... ?

— Je veux dire qu'elle va hériter d'une grosse fortune, mais je ne vois pas pourquoi...

Elle s'arrêta de nouveau.

— Pourquoi... ?

— Pourquoi aurait-elle aussi tué Etheridge et Sheridan ? Je suppose qu'il n'y a pas nécessairement un lien entre les trois assassinats ?

— Pas nécessairement, en effet, acquiesça-t-il. Deux meurtres peuvent cacher le troisième, le seul qui compte, ou bien le premier a inspiré les deux autres. Je ne sais pas...

Charlotte posa sa main sur la sienne.

— Vous le saurez bientôt, fit-elle d'un ton convaincu.

Était-ce la raison qui guidait cette certitude, ou bien son cœur ?

— *Nous* le saurons bientôt, se reprit-elle après réflexion.

9

Le lendemain, par une lumineuse matinée de printemps, Charlotte prit l'omnibus pour se rendre chez tante Vespasia. L'air était doux et le soleil tiède. Comme il serait agréable de passer une journée hors de la capitale, ou simplement dans un parc, à écouter les oiseaux chanter dans les arbres ! Peut-être, cet été-là, Pitt l'emmènerait-il passer deux jours, voire une semaine, à la campagne ?

Elle songeait aussi à toutes les petites choses qu'elle pourrait se procurer grâce à l'augmentation de salaire de Pitt : pour commencer, une nouvelle capeline avec un ruban fuchsia, piquée d'une grosse rose au cœur doré. Pour être à la mode, il fallait la porter relevée vers la gauche et légèrement inclinée sur le côté droit du front. Et elle pourrait acheter aussi deux ou trois robes de mousseline à Jemima, pour remplacer son unique tenue des dimanches. Quelle couleur choisir ? Du bleu pâle ou du vert tendre ? En principe, on ne portait pas ces deux teintes ensemble, mais elle aimait ce mariage de tons, qui lui faisait penser à un feuillage d'été contrastant avec l'azur du ciel.

Tout à ces agréables pensées, elle oublia presque l'arrêt, déjà fort éloigné de la résidence de tante Vespasia. Les gens comme Lady Cumming-Gould ne vivent pas sur les artères où circulent les omnibus !

En descendant précipitamment du marchepied, elle faillit tomber sur la chaussée. Ignorant le regard critique de deux grosses dames vêtues de noir, elle partit d'un pas alerte en direction du domicile de Vespasia. Dès son arrivée, elle fut introduite par le majordome dans le grand salon et trouva Lady Cumming-Gould, assise à son secrétaire, en train de rédiger son courrier. Celle-ci posa sa plume en la voyant entrer.

— Ah, Charlotte ! Avez-vous du nouveau ? demanda-t-elle, pleine d'espoir, oubliant les civilités d'usage.

— Les nouvelles ne sont guère encourageantes, dit Charlotte en s'asseyant. J'avais volontairement omis de vous dire que Thomas était chargé de l'affaire, craignant que Zenobia ne me fasse pas confiance, et je ne voulais pas vous mettre dans une situation embarrassante. Après avoir interrogé Mrs. Ivory, Thomas pense qu'elle est peut-être coupable. La police est sur les dents. Elle suit la piste politique — anarchistes, révolutionnaires, fenians —, mais jusqu'à présent, les recherches n'ont rien donné. La seule bonne nouvelle, si j'ose dire, est que Mrs. Ivory n'avait aucune raison de supprimer Cuthbert Sheridan.

— C'est une nouvelle qui ne nous avance guère, fit Vespasia d'un ton sévère.

— Et Thomas aura une promotion dès la fin ae l'enquête, ajouta Charlotte.

— Ah ? releva Vespasia avec un imperceptible haussement de sourcils, mais Charlotte crut déceler une lueur de satisfaction dans ses yeux. Il était temps ! Quand la nouvelle sera officielle, je lui enverrai une lettre de félicitations. En attendant, que faire pour aider Zenobia ?

Charlotte nota qu'elle avait dit Zenobia et non Florence Ivory. En croisant son regard, elle comprit que ce choix était délibéré.

— Essayons de raisonner en restant objectives. Selon Thomas, tout a été mis en œuvre pour découvrir un éventuel complot ; mais il est difficile d'imaginer quelle fin politique peuvent servir de tels actes, s'ils ne sont pas accompagnés d'exigence de réforme ou de changement. Excepté l'anarchie, qui est à mon avis une utopie irresponsable, qui ne profiterait à personne.

Vespasia la regarda d'un air agacé.

— Ma chère enfant, si vous croyez que les idéaux politiques doivent leur conception ou leur réalisation à des gens totalement sains d'esprit, vous êtes plus naïve que je ne le pensais !

Charlotte se sentit rougir jusqu'aux oreilles. Elle n'avait pas eu, comme Vespasia, l'occasion de fréquenter les sphères gouvernementales, ni d'entendre en privé les rêves des hommes de pouvoir, ou de ceux qui aspiraient à l'exercer. Elle s'imaginait, dans sa candeur, qu'ils agissaient avec un minimum de bon sens, mais à la réflexion, c'était peut-être un postulat sans fondement.

— Parfois, ceux qui ne peuvent créer éprouvent du plaisir à détruire, poursuivit Vespasia. C'est tout ce qui leur reste. Qu'est-ce que la violence, après tout, sinon le plaisir de détruire et la volonté de dominer ? N'importe quelle femme du peuple pourrait répondre à ces gens-là que la violence ne suscite pas l'admiration et n'engendre pas la paix. Mais il n'y a pire sourd que celui qui ne veut entendre.

— Voyons, les anarchistes aiment faire parler d'eux ! La police les connaît presque tous et les surveille ; or aucun ne paraît mêlé à ces meurtres. On ne tire pas profit d'actes anonymes. Il faut les revendiquer pour pouvoir en tirer avantage !

— En effet, acquiesça Vespasia.

Elle n'abandonnait qu'à contrecœur l'idée d'un agresseur inconnu devenu criminel pour une cause politique, hypothèse moins abominable que celle d'un proche de la victime assassinant deux autres personnes dans le but de masquer le seul meurtre dont on pouvait le soupçonner.

— Il est possible qu'il existe entre ces trois hommes un lien auquel nous n'avons pas pensé, suggéra-t-elle, à bout d'arguments.

— Tous trois étaient députés, soupira Charlotte. C'est le seul élément en notre possession. Ils n'avaient aucun lien familial, ne briguaient pas le même poste ; d'ailleurs ils n'appartenaient pas au même parti politique, deux étant libéraux et le troisième conservateur. Ils ne partageaient pas le même point de vue sur les réformes politiques et sociales, qu'il s'agisse du Home Rule, de la réforme pénale, des lois relatives au travail dans l'industrie ou des lois sociales sur les pauvres. Rien... excepté leur commune opposition au suffrage des femmes...

— Comme la majorité des gens, observa Vespasia.

Lady Cumming-Gould avait toujours su se maîtriser ; seule sa soudaine pâleur trahissait son émotion. Ses mains reposaient calmement sur le mouchoir de dentelle posé sur ses genoux.

— Si l'on décidait d'éliminer tous les parlementaires opposés au droit de vote des femmes, cela ferait un beau carnage dans les rangs des deux Chambres. Les survivants se compteraient sur les doigts d'une main !

— S'il s'agit d'une vengeance personnelle, nous devrons chercher le mobile de l'assassin. Et pour le découvrir, il nous faut employer d'autres méthodes que celles de la police. J'ai rencontré Lady Hamilton et j'ai peine à croire qu'elle soit coupable. Cela dit, dans son entourage...

Charlotte soupira. De tristes souvenirs lui revinrent en mémoire.

— Parfois, la vérité est difficile à accepter. Des êtres que vous avez aimés ou que vous aimez encore peuvent éprouver des souffrances inconcevables pour d'autres qu'eux, des peurs qui les hantent jusqu'à la folie. Incapables d'oublier de vieilles blessures, ils sont obsédés par leur idée de revanche, qui leur fait perdre la tête.

Vespasia ne répondit pas. Savait-elle à qui Charlotte pensait en disant cela ?

— Prenons le jeune Barclay Hamilton, par exemple. Le remariage de son père l'a profondément perturbé, mais je ne vois pas ce qui aurait pu le conduire au meurtre.

— Moi non plus, concéda Vespasia d'un ton las. Et dans le cas d'Etheridge ? Il y a une grosse fortune en jeu.

— Son gendre, James Carfax, aurait pu souhaiter hériter au plus vite. Sa fille également, s'imaginant que l'argent empêcherait son mari d'aller courir le jupon, ou de la quitter.

— Quelle tristesse ! soupira Vespasia. Pauvre femme ! Quel prix terrible à payer pour ce qui n'est au fond qu'une illusion éphémère ! Elle se sera détruite pour rien.

— À moins qu'Etheridge n'ait eu une maîtresse, une ancienne liaison... remarqua Charlotte, réfléchissant à voix haute.

— Ou plusieurs, renchérit Vespasia d'un ton sévère. Mais même si, ce qui est peu probable, elles avaient des maris qui se sont sentis bafoués, égorger trois députés et les pendre sur Westminster Bridge semble retors et nettement excessif !

Charlotte ne sut que répondre. Si seul Etheridge avait été assassiné, il y aurait au moins eu une explication logique !

— Cela ne ressemble pas à un crime passionnel. C'est absurde!

— Dans ce cas, reprit Vespasia, il n'y a qu'une conclusion possible : le mobile de l'assassin nous est encore inconnu. Sans doute une haine profonde, ancienne et très longtemps contenue.

— Un être ayant subi un tel tort que le désir de vengeance le brûlerait comme de l'acide... renchérit Charlotte.

Vespasia faillit lui dire de ne pas verser dans le mélodrame, puis, comprenant le sous-entendu contenu dans ses propos, elle préféra tenir sa langue.

— Ou bien, poursuivit Charlotte, le mobile nous échappe parce que nous ne connaissons pas encore tous les protagonistes, ni tous les tenants et les aboutissants de l'affaire; ou alors, l'évidence nous crève les yeux, mais nous refusons de la regarder parce qu'elle est trop horrible. Nous savons seulement que ces trois hommes étaient farouchement opposés au suffrage des femmes.

— Non. Hamilton était très modéré, corrigea Vespasia d'une voix triste. Pauvre homme. .

Il y avait en effet de fortes chances que l'assassin ait confondu Sir Lockwood avec Vyvyan Etheridge, à la lueur du réverbère.

— Et si des gens malintentionnés cherchaient à salir l'image des femmes qui se battent pour obtenir le droit de vote, en leur faisant endosser la responsabilité de ces crimes? poursuivit-elle.

— Retors et nettement excessif, ironisa Charlotte, reprenant l'expression de Vespasia. Oh, je suis désolée! s'excusa-t-elle aussitôt, regrettant son impertinence.

Les traits de Vespasia s'adoucirent; elle savait bien que sa jeune amie avait dit cela sous le coup de l'émotion

— Vous avez raison, acquiesça-t-elle, même si l'observation est un peu cruelle.

Elle se leva, s'approcha de la fenêtre et regarda le jardin ; les rayons du soleil tombaient, obliques, sur les troncs d'arbres et les jeunes tiges encore rouges des rosiers.

— Poursuivons nos recherches. Puisque nous craignons que Florence Ivory soit coupable, il faut nous forger une opinion plus précise de sa personnalité. Vous devriez retourner la voir.

Charlotte regarda la nuque frêle et raide de la vieille dame, prise dans son haut col de dentelle. L'âge n'interdit pas d'aimer, de souffrir et de demeurer vulnérable. Sans se demander si elle prenait trop de libertés, elle se leva, passa son bras autour de ses maigres épaules et la serra contre elle, comme elle l'aurait fait avec sa sœur ou ses enfants.

— Je vous adore, tante Vespasia, et mon rêve le plus cher serait un jour de vous ressembler.

Plusieurs secondes s'écoulèrent avant que celle-ci ne reprît la parole. Lorsqu'elle parla enfin, sa voix était rauque et hésitante.

— Merci, ma chère petite.

Elle renifla avec élégance.

— Je suis sûre que vous êtes sur la bonne voie, autant pour les qualités que pour les défauts ! À présent, si vous le permettez, j'aimerais prendre mon mouchoir.

Dès qu'elle l'eut trouvé, elle se détourna et se moucha avec une énergie qui ne devait rien aux manières d'une grande dame.

— Bon, au travail, dit-elle en glissant le fin tissu de batiste et de dentelle dans sa manche. Je vais de ce pas téléphoner à Nobby pour lui dire de retourner chez Lady Carfax. De mon côté, je reprendrai contact avec quelques personnalités politiques qui pourraient me fournir certains renseignements. Quant à vous, allez voir Florence Ivory. Retrouvons-nous ici demain à deux heures ; nous irons offrir ensemble nos condoléances à la veuve de Cuthbert Sheridan. Après tout, c'était peut-être lui la victime désignée et non Etheridge, conclut-elle sans parvenir à supprimer la note d'espoir contenue dans sa voix.

— Bien, tante Vespasia, acquiesça Charlotte. Demain, deux heures.

Charlotte partit à Walnut Tree Walk sans grand enthousiasme. De deux choses l'une : ou bien elle n'apprendrait rien de nouveau, ou bien ses soupçons se trouveraient totalement justifiés ; dans cette hypothèse, elle aurait la certitude que Florence Ivory avait assassiné les trois députés, avec la complicité d'Africa Dowell.

Elle aurait souhaité trouver porte close, mais son vœu ne fut pas exaucé. Africa, très pâle, lui ouvrit en personne. Elle parut contente de la voir et l'accueillit même chaleureusement.

— Entrez, entrez, Miss Ellison.

Ses pommettes étaient marbrées de rouge et ses yeux cernés, comme si elle avait trop peu dormi.

— Je suis heureuse de vous revoir. Nous redoutions que ce troisième meurtre vous ait dissuadée de défendre notre cause. Nous vivons un véritable cauchemar.

Elle précéda Charlotte dans le charmant petit salon aux rideaux décorés de motifs floraux. Les rayons du soleil qui filtraient à travers les baies vitrées jouaient sur les grappes bleues de jacinthes en pot dont le parfum entêtant et sucré emplissait la pièce. Mais Charlotte n'avait d'yeux que pour Florence Ivory ; celle-ci, assise sur un canapé de rotin aux coussins verts et blancs, réparait un panier en raphia. Elle leva sur la visiteuse un regard plus méfiant que celui de sa compagne.

— Bonjour, Miss Ellison. C'est très aimable à vous de nous rendre visite. Dois-je en déduire que vous vous intéressez toujours à notre cas ? Ou êtes-vous venue nous dire que notre cause est indéfendable ?

Charlotte fut piquée au vif ; il y avait dans la tournure de ces phrases un certain nombre de sous-entendus qu'elle jugeait offensants.

— Je n'aurai de cesse, Mrs. Ivory, que cette cause soit gagnée — ou perdue, riposta-t-elle d'un ton cassant. Mais si je découvrais des preuves irréfutables de votre culpabilité, je me sentirais moralement obligée d'arrêter mon enquête.

Elle crut voir passer dans les yeux de son hôtesse une lueur vaguement amusée ; puis celle-ci revint à la réalité et, d'un geste, lui fit signe de s'asseoir.

— Que puis-je vous dire d'autre ? Je ne connaissais Cuthbert Sheridan que de réputation, mais j'ai souvent eu l'occasion de rencontrer sa femme. En fait, c'est moi qui l'ai convaincue de se joindre à notre mouvement.

Charlotte nota l'ironie douloureuse de son regard, le pli amer de sa bouche, la nervosité de ses mains osseuses crispées sur le panier de raphia.

— Je présume que Mr. Sheridan désapprouvait les prises de position de son épouse ?

— En effet, acquiesça Florence d'un ton pincé.

Elle dévisageait Charlotte avec un dédain à peine dissimulé. Seuls le fait qu'elle avait besoin d'aide et un reste de bonne éducation l'empêchaient de montrer ouvertement son mépris.

— Le droit de vote des femmes est une question qui suscite beaucoup d'émotions, Miss Ellison. Vous ne paraissez pas vous en rendre compte. Je ne connais pas votre vie ; mais je suppose que vous êtes l'une de ces créatures dociles qui vivent dans le confort, sans souci financier, parfaites maîtresses d'intérieur, sachant commander la domesticité, et tout à fait ravies de leur sort.

— Vous avez raison sur un point, rétorqua Charlotte très sèchement. Le premier : vous ne connaissez rien de ma vie. Pour le reste, vos suppositions sont sans fondement.

À peine eut-elle fini sa phrase qu'elle se souvint de la souffrance de cette femme à laquelle on avait arraché ses enfants et réalisa, honteuse, qu'elle menait précisément l'existence confortable dont Florence l'accusait, disposant de peu d'argent, certes, mais l'argent suffit-il à faire le bonheur ? Elle vivait hors du besoin, n'avait jamais souffert du froid ni de la faim, ses enfants habitaient sous son toit et son mari la considérait comme son égale et non comme sa propriété, ce que, au regard de la loi, elle avait été jusqu'en 1884. Elle remercia le ciel de posséder une liberté de penser et d'agir pour laquelle nombre de femmes auraient volontiers sacrifié leurs belles toilettes et toute leur domesticité.

Florence, vaguement troublée, la dévisageait en silence. Cette femme avait le don d'exaspérer Charlotte, qui pourtant éprouvait pour elle une immense compassion.

— Je suis navrée, s'excusa-t-elle de mauvaise grâce. Je me suis montrée incorrecte à votre égard. Au fond, vous avez peut-être raison. Je ne peux comprendre votre colère car je n'ai jamais été, contrairement à d'autres, victime d'injustices. Auriez-vous l'obligeance d'éclairer ma lanterne ?

Florence haussa les sourcils.

— Que voulez-vous que je vous raconte ? L'histoire de l'oppression des femmes ?

— Oui, si là réside l'explication du meurtre de ces trois députés !

— Je n'en ai pas la moindre idée ! Mais si je les avais tués, c'est l'injustice subie par les femmes qui aurait guidé mon bras !

— Afin qu'elles obtiennent le droit d'élire un député ?

Florence perdit patience. Elle se leva d'un bond, laissant tomber le panier de raphia, et examina son interlocutrice avec une condescendance dédaigneuse.

— Pensez-vous être intelligente ? Capable d'apprendre ? Éprouvez-vous des émotions, des passions ? Que connaissez-vous des relations humaines ? Des enfants ? Savez-vous ce que vous voulez faire de votre vie ?

— Bien entendu !

— Êtes-vous sûre de ne pas être simplement une enfant grandie trop vite ?

Elle avait réussi à mettre Charlotte hors d'elle. Celle-ci se leva à son tour, les joues en feu.

— Tout à fait sûre, siffla-t-elle entre ses dents. Je crois pouvoir deviner la valeur d'un être humain et être capable de porter un jugement plein de bon sens. Je commets parfois des erreurs, comme tout le monde. Le fait d'être adulte n'empêche pas de se tromper ; il rend ces erreurs plus graves et permet aussi de les dissimuler plus facilement !

— Je suis d'accord avec vous, répondit Mrs. Ivory, sans se départir de sa sévérité. Je sais comme vous que je ne suis plus une enfant ! Par conséquent, je ne supporte pas l'idée d'être traitée comme telle et de voir mon père ou mon mari prendre des décisions à ma place, soi-disant dans mon intérêt, comme si je n'avais aucune volonté personnelle, comme si leurs désirs s'identifiaient aux miens.

Elle alla se poster derrière son fauteuil et s'appuya

sur le dossier, en se penchant en avant ; la mousseline légère de sa robe collait à son corps maigre.

— Supposez-vous une seconde que la loi serait ce qu'elle est, si elle répondait à nos intérêts et non à ceux des hommes ?

Elle ajouta, avant que Charlotte n'ait eu le temps de répondre :

— Faites-vous des cadeaux à votre mère à Noël ou le jour de son anniversaire ?

— Pardon ?

Florence réitéra sa question, avec une impatience railleuse.

— Bien entendu ! s'exclama Charlotte. Quel est le rapport avec le suffrage des femmes ?

— Savez-vous qu'au regard de la loi vous ne pouvez faire de cadeau à personne, à personne, vous m'entendez, à partir du moment où vous êtes fiancée — je dis bien fiancée, non mariée —, sans l'autorisation de votre futur époux ?

— Non, je l'ignorais. Je...

— Et que, jusqu'il y a quatre ans, vos vêtements et vos effets personnels appartenaient à votre mari, ainsi que l'argent et les bijoux que vous receviez en héritage ? Si vous travailliez, vos gains lui revenaient de droit et il pouvait demander à les percevoir directement, sans que vous puissiez vous y opposer. Pensiez-vous établir un testament en faveur d'une sœur, d'une amie, ou d'une fidèle domestique ? Vous le pouvez, oui, à condition que votre époux donne son accord ! Mais s'il change d'avis, vous n'avez aucun recours. Il peut modifier les termes du testament même après votre mort ! Le saviez-vous ? Vous vous imaginiez que vos robes, vos chaussures, vos mouchoirs, vos épingles à cheveux vous appartenaient ? Pas du tout ! Rien n'est à vous ! Et surtout pas votre corps..

Sa bouche eut un rictus douloureux ; des souvenirs pénibles, qu'aucun baume n'avait effacés, parurent lui revenir en mémoire.

— Vous ne pouvez vous soustraire au devoir conjugal, quel que soit le comportement de votre conjoint à votre égard et même s'il a de nombreuses maîtresses. Vous ne pouvez quitter son toit sans sa permission ! Si vous le faites, il peut vous faire ramener par la force et poursuivre en justice la personne qui vous a recueillie, même s'il s'agit de votre mère ! Et s'il accepte de vous laisser partir, vos biens demeurent sa propriété, ainsi que vos revenus ; il n'a aucune obligation de vous donner, ainsi qu'à vos enfants — si tant est qu'il vous ait autorisée à les emmener —, le moindre penny pour vous empêcher de mourir de faim et de froid. Non ! Ne m'inter rompez pas ! s'écria-t-elle, voyant Charlotte ouvrir la bouche. Vous, avec votre air content de vous, croyez-vous avoir votre mot à dire sur l'éducation de vos enfants, même s'ils sont encore au sein ? Eh bien, non ! Ils sont à lui, et il fait d'eux ce qu'il lui plaît : il choisit de les faire instruire ou non, leur apprend ce qu'il veut, s'occupe ou non de leur bien-être et de leur santé. En rédigeant son testament, il a le droit de disposer comme il l'entend des biens meubles et immeubles que vous possédiez avant votre mariage. Il peut faire cadeau de vos bijoux à ses maîtresses, si l'envie lui en prend. Le saviez-vous, Miss Ellison ? Pensez-vous que le Parlement laisserait passer de pareilles lois si les femmes avaient le droit de vote ?

À nouveau, Charlotte voulut répondre, mais elle était abasourdie par ce torrent d'injustices, et surtout par la rage qui consumait ce corps maigre, vibrant d'indignation. Elle se laissa choir sur le bras d'un fauteuil. Florence ne se contentait pas de dresser un catalogue de lois iniques ; elle venait de lui raconter l'horreur qu'elle avait vécue, dans sa chair et dans son âme. C'était évident, bien que Pitt ne lui eût pas raconté en détail les circonstances dans lesquelles cette femme avait perdu son fils et sa maison, avant de perdre sa fille. Charlotte n'avait jamais réfléchi au problème du divorce, car, dans sa famille ou son entourage, personne n'avait vécu ces pénibles moments. Elle n'ignorait pas que les hommes étaient supposés, contrairement aux femmes, avoir des appétits qu'il leur fallait satisfaire hors du lit conjugal. L'adultère masculin ne pouvait donc être condamné ; une bonne épouse devait toujours faire semblant d'ignorer cette situation. Elle n'était d'ailleurs pas autorisée à demander le divorce pour adultère ; une femme du monde divorcée cessait d'exister aux yeux de la société ; quant à la mère de famille, elle se retrouvait à la rue, dépendant de son savoir-faire pour survivre, et ce savoir-faire se limitait souvent au ménage et à la cuisine. Or personne ne prenait de divorcée à son service.

— Ce que je viens de vous dire, Miss Ellison, n'est qu'une infime partie des raisons pour lesquelles je me bats afin que nous obtenions le droit de vote.

Florence la regardait, très pâle à présent, épuisée par sa propre violence, mais soulagée d'avoir exprimé ses souffrances à haute voix. Tous ses combats perdus avaient attisé en elle une haine qui étouffait tout scrupule, toute pitié et même tout instinct de conservation. Charlotte ignorait si elle avait égorgé ces trois hommes, mais elle avait la conviction qu'elle en était capable, et cette idée la rendait malade.

Les trois femmes demeurèrent immobiles. Florence s'agrippait au dossier de son fauteuil avec force, la fine mousseline de sa robe tendue à craquer sur ses épaules.

Un rouge-gorge vint en sautillant de la plus basse

branche d'un lilas jusque sur le rebord de la fenêtre. Africa quitta alors l'angle de la pièce, d'où elle avait suivi la conversation, et fit un geste en direction de Florence, mais la raideur inquiétante de celle-ci l'empêcha d'avancer ; elle tourna alors vers Charlotte un regard à la fois apeuré et provocant.

— Florence parle au nom de nombreuses personnes, plus nombreuses que vous ne le supposez, expliqua-t-elle. Mrs. Sheridan, par exemple, a récemment rejoint une association qui se bat pour le suffrage des femmes. Chaque jour, dans tout le pays, nous gagnons de nouvelles adhésions. Des gens célèbres soutiennent notre cause. Il y a des années de cela, John Stuart Mill a rédigé un pamphlet[1]...

Elle s'interrompit, consciente que rien de ce qu'elle pourrait dire ne chasserait de leur esprit l'idée effrayante qu'une haine farouche avait pu pousser Florence au meurtre.

Charlotte, les yeux fixés sur le tapis, prit enfin la parole, en choisissant ses mots avec soin.

— Vous dites que de nombreuses femmes partagent votre point de vue ?

— Oui, beaucoup, acquiesça Africa à mi-voix, sans grande conviction.

Leurs regards se croisèrent.

— Pourquoi pas toutes ? Pourquoi une femme serait-elle contre, voire sans opinion ?

La réponse de Mrs. Ivory fusa aussitôt.

— Parce que c'est plus facile ! Dès le berceau, on nous apprend à obéir sans réfléchir et à dépendre financièrement des hommes. Qui sommes-nous ? Des porcelaines fragiles que l'on prend soin de protéger de la laideur du monde. On ne peut rien nous reprocher : nous sommes irresponsables ! Oh, ils

1. John Stuart Mill, *La Sujétion des femmes*, 1869. *(N.d.T.)*

s'occupent de nous, en effet ! Ils veillent sur nous comme une mère sur un enfant en bas âge : elle le porte ! Tant qu'elle ne le posera pas à terre, il n'apprendra pas à marcher. Eh bien, moi, je refuse d'être portée toute ma vie !

Elle se frappa la poitrine avec force.

— Je veux avancer seule sans que l'on choisisse à ma place le lieu de ma destination. À force de s'entendre répéter qu'elles ne savent pas marcher, beaucoup de femmes arrivent à en être persuadées ; certaines n'ont pas le courage d'essayer, d'autres sont trop paresseuses. C'est si commode de se laisser porter...

Tout cela n'était qu'en partie vrai, pour une multitude de raisons, bonnes ou mauvaises : amour, gratitude, sentiment de culpabilité, besoin de tendresse et de paix dans le ménage, plaisir de gagner le respect de son époux, de le choyer et, par-dessus tout, besoin de donner de l'amour, de chérir les enfants et les faibles, de soutenir un mari qui, aux yeux des autres, semble plus fort que soi mais qui, l'on s'en rend compte très vite, est au fond aussi vulnérable et peut-être même davantage. La société attend tellement des hommes ; elle ne leur autorise aucune faiblesse, aucune larme, aucun échec. Charlotte avait à l'esprit, avec le recul, l'exemple de Pitt, de George, de Dominic, et même de son père ; au cours d'enquêtes serrées, elle avait vu des hommes se défaire peu à peu de leur cuirasse. Ils se montraient finalement aussi fragiles, inquiets, faibles, superficiels et mesquins que les femmes. Leur prétendu pouvoir n'était qu'apparent.

Mais il ne servait à rien de chercher à raisonner. Florence Ivory était trop profondément blessée par la vie et elle plaidait une juste cause. Charlotte essayait de se mettre à sa place et d'imaginer sa propre réaction si on lui avait arraché ses enfants.

Elle décida alors de changer de sujet et lui demanda, avec un calme qu'elle était loin de ressentir :

— Où étiez-vous le soir de la mort de Mr. Sheridan ?

Florence tressaillit. Puis elle ébaucha un sourire attristé ; son visage, comme la surface d'un lac, pouvait refléter d'infinies nuances d'émotions.

— Ici, tout seule. Africa était partie chez une amie qui vient d'accoucher de son premier enfant. Mais, au nom du ciel, pourquoi aurais-je tué Mr. Sheridan ? Il ne m'avait rien fait, enfin rien de plus que tous ceux qui nous dénient le droit d'être des personnes à part entière... Savez-vous qu'une femme ne peut même pas passer de contrat licite ? Et que si on lui vole son porte-monnaie, c'est son mari qui est considéré comme la victime ?

Elle partit d'un rire dur.

— Elle ne peut être poursuivie en justice, ni être responsable de ses dettes. En revanche, si elle commet un meurtre, son mari ne sera pas pendu à sa place. Je n'ai pas tué Mr. Sheridan, ni les deux autres députés d'ailleurs. Hélas, je doute que vous parveniez à le prouver, Miss Ellison ! Vos intentions sont généreuses, mais vous perdez votre temps.

— C'est possible, répondit Charlotte avec froideur, en se levant. Si j'ai envie de perdre mon temps, cela ne regarde que moi.

— J'en doute, répondit Florence, impassible. À mon avis, vous découvrirez que c'est le temps de votre père, ou celui de votre mari, si vous en aviez un, que vous perdez.

Elle se retourna et ramassa son panier de raphia, comme si Charlotte n'existait plus pour elle.

Africa, très pâle, raccompagna leur visiteuse à la porte. Elle voulut dire quelque chose, mais aucun son ne sortit de sa bouche. Chacun de ses gestes raides et saccadés trahissait sa peur. Elle aimait Florence, elle avait pitié d'elle; l'injustice qu'elle avait subie la révoltait, mais elle redoutait que la perte de sa fille ne l'ait conduite, par trois fois, à se glisser la nuit sur Westminster Bridge, un rasoir à la main.

Charlotte suivait le même raisonnement et ne s'en cachait pas. Elle regarda le visage angélique de cette jeune fille, si forte et si terrifiée, résolue à livrer un combat perdu d'avance, puis prit ses mains glacées dans les siennes et les serra très fort. Aucune parole de réconfort ne lui vint à l'esprit.

Elle quitta Walnut Tree Walk et marcha jusqu'à l'arrêt de l'omnibus. Le trajet de retour serait long.

Pour sa seconde visite à Lady Carfax, Zenobia Gunne rassembla tout le courage dont elle avait fait preuve lorsqu'elle avait décidé de remonter le Congo en pirogue, exploit par ailleurs infiniment plus gratifiant avec le spectacle de ses crépuscules flamboyants, de ses aubes roses sur la mangrove, de ses oiseaux hurleurs au plumage multicolore, étincelants comme des diamants.

Qu'avait-elle en commun avec Mary Carfax ? Rien d'autre que des souvenirs vieux de trente ans ! Celle-ci nourrissait depuis lors d'anciennes rancunes et ne lui cachait pas son mépris.

L'estomac noué par l'appréhension, doutant d'elle-même, Zenobia se fit amener son attelage, en se répétant mentalement les instructions de Vespasia. Pardessus tout, elle craignait que Florence Ivory ne fût l'auteur des trois meurtres et qu'Africa, sans être directement complice, n'ait décidé de couvrir son amie. La savait-elle coupable ou son amour l'aveuglait-elle ?

Une pensée plus horrible encore s'insinua dans son

esprit : et si cette série de meurtres ne s'arrêtait pas ? Sheridan ne serait peut-être pas la dernière victime. Il avait été tué après qu'Etheridge eut été puni de sa trahison.

Zenobia regrettait amèrement de ne pas avoir plus souvent rendu visite à sa nièce, de ne pas avoir cherché à l'éloigner de cette femme en détresse qui avait sans doute perdu l'esprit, rendue folle de douleur par toutes les injustices qu'elle avait subies. Africa était la fille de son frère cadet ; Zenobia se reprochait son égoïsme ; elle aurait dû s'occuper d'elle, après la mort de ses parents, au lieu d'aller courir le monde !

Mais il était trop tard pour rattraper le temps perdu ; la seule manière de l'aider était d'essayer de démontrer l'innocence de Florence. Charlotte avait dit que pour ce faire, il fallait prouver la culpabilité de quelqu'un d'autre. Quel curieux personnage, cette Charlotte, évoluant entre deux mondes et pourtant à l'aise dans les deux !...

Elle se pencha en avant, tambourina contre la cloison de la voiture et cria au cocher :

— Vous n'avancez pas ! Dépêchez-vous donc !

La soubrette de Lady Carfax prit la carte qu'elle lui tendait et, raide comme un piquet, alla la porter à sa maîtresse. Cette fois, Zenobia n'avait pas l'intention de mentir sur le motif de sa venue, d'une part parce qu'il n'était pas dans sa nature d'affabuler, et surtout parce que aucun mensonge suffisamment gros pour être plausible ne lui venait à l'esprit !

La soubrette la conduisit dans le grand salon où brûlait un énorme feu, en dépit de la tiédeur printanière. Mary Carfax se tenait très droite dans un fauteuil Louis XV aux pieds dorés, surprise par cette visite inattendue. Mais la curiosité étant un vilain défaut, elle fit de son mieux pour la cacher.

— Quel plaisir de vous revoir déjà, ma chère ! dit-elle d'un ton qui traduisait son hésitation devant l'attitude à adopter. Je craignais que...

Elle s'interrompit. Exprimer une crainte était un signe d'infériorité.

— Je me disais que l'après-midi allait être long, reprit-elle. Comment allez-vous ? Asseyez-vous et mettez-vous à l'aise. Il fait un temps superbe, n'est-ce pas ?

Zenobia n'avait prêté aucune attention au temps, mais elle devait, quoi qu'il lui en coûtât, respecter les usage du monde.

— Absolument superbe, dit-elle en prenant place dans le fauteuil le plus éloigné de la cheminée. L'air est très doux, les fleurs commencent à éclore. Hyde Park est plein de promeneurs et un orchestre allemand joue en ce moment dans le kiosque à musique.

— Oui, nous allons vers l'été, commenta Lady Mary.

Elle se demandait pourquoi Zenobia Gunne, qui la détestait, lui rendait visite pour la deuxième fois en quinze jours.

— Comptez-vous vous rendre à Ascot ou à Henley ? Les courses de chevaux et les régates m'ennuient, mais il faut bien se montrer, n'est-ce pas ?

Zenobia contint la réponse qu'elle avait sur le bout de la langue et s'efforça de conserver une expression aimable.

— Je suis sûre que vos amies seraient déçues de ne pas vous y voir. Personnellement, je ne peux y aller. Une personne de ma famille vit des moments très pénibles ; si sa situation ne s'arrange pas, je ne serai pas d'humeur à sortir dans le monde.

Lady Mary se tortilla imperceptiblement sur son fauteuil ; ses doigts se crispèrent sur le tissu frangé des accoudoirs de son fauteuil.

— Ah ? Vous m'en voyez navrée.

Elle hésita, puis se jeta à l'eau.

— En quoi puis-je vous aider ?

Zenobia chercha ses mots puis pensa à Peter Holland, à la soirée qu'ils avaient passée ensemble la veille de son départ pour la Crimée. Comme il aurait ri de l'absurdité de cette scène !

— Que savez-vous de ces femmes qui cherchent à obtenir le droit de vote ? Quel genre de personnes sont-elles ?

Lady Mary se raidit ; ses sourcils se rapprochèrent, ses yeux pâles s'étrécirent.

— Ce qu'elles sont ? Je vais vous le dire ! Des femmes dont le couple n'est pas bien assorti ou qui ont une tournure d'esprit masculine, accompagnée d'un puissant besoin de domination, alors qu'elles devraient se contenter de leur rôle de maîtresses de maison et de mères de famille pour lequel les ont créées Dieu et la nature. Des créatures disgracieuses qui n'ont pas appris l'art d'élever leurs enfants et de faire de leur intérieur un havre de paix pour leur époux. Je ne comprends pas que l'on puisse faire un pareil choix, sauf à vouloir se venger des femmes normales et sensées qui refusent de se laisser entraîner dans leur mouvement. Je suis au regret de constater que ces viragos sont de plus en plus nombreuses et qu'elles mettent en danger les fondements de notre société.

Elle haussa les sourcils.

— J'ose espérer que vous n'avez aucun rapport avec elles, même si vos instincts et votre statut de célibataire vous en rapprochent !

En voyant l'éclair mauvais qui passait dans son regard, Zenobia comprit que son premier mouvement de sollicitude était feint ; Mary n'avait rien oublié du passé et elle ne lui avait rien pardonné.

— Dieu sait, poursuivit celle-ci d'un ton pincé, qu'il y a suffisamment de troubles et de violence dans notre pays. Les gens critiquent la reine ; on parle de révolution et d'anarchie. Le gouvernement est menacé de toutes parts.

Elle poussa un profond soupir

— Ces assassinats sur Westminster Bridge sont la preuve du péril qui plane sur l'Angleterre.

— Vous croyez ? s'enquit Zenobia, feignant une sorte de doute respectueux.

— J'en suis certaine ! se rebiffa Lady Mary. Avez-vous une explication plus intelligente à offrir ?

Zenobia décida d'affecter la plus complète innocence

— Il se peut que le meurtrier ait agi pour des raisons personnelles. Par jalousie, par cupidité, par peur ou par désir de vengeance, parce qu'il estimait avoir été humilié ou offensé.

— Et pour cela, il aurait assassiné trois députés ?

Lady Mary était bien plus intéressée qu'elle ne le laissait entrevoir. Elle prit une profonde inspiration, regarda les photographies de son défunt mari et de son fils posées sur le piano, puis soupira.

— L'un d'eux était le beau-père de mon fils.

— Oui, cela a dû être un choc terrible pour vous et bien sûr, pour votre fils, murmura Zenobia tout en se demandant comment poursuivre la conversation.

Elle avait besoin d'en savoir plus sur James et Helen Carfax ; mais Lady Mary ne lui apprendrait rien d'intéressant. Elle lui donnerait une opinion nécessairement favorable à son fils. Cependant, Zenobia ne voyait pas d'autre manière d'aborder le sujet.

— J'imagine qu'il en a été très affecté ?

Mary se contracta légèrement.

— James ? Ah oui... bien sûr, bien sûr, très affecté.

Dans sa vie, Zenobia avait côtoyé et observé toutes

sortes de gens, gentlemen, ouvriers, artisans, joueurs invétérés, marins, aventuriers. Tous avaient au moins un point en commun : ils réagissaient de la même façon lorsqu'ils étaient gênés. Elle reconnut l'embarras de Mary à sa légère hésitation, à l'imperceptible rosissement de ses joues — qu'elle n'aurait jamais condescendu à farder ! Ainsi donc, James Carfax ne pleurait pas son beau-père...

Sentant une brèche où elle pouvait s'engouffrer, Zenobia tenta une autre tactique.

— Le deuil est une période difficile pour un jeune couple. Mrs. Carfax doit être complètement bouleversée.

Lady Mary acquiesça avec vigueur.

— Ah ! Helen est dans tous ses états. C'est bien normal. Mais son chagrin met les nerfs de James à rude épreuve.

Zenobia ne dit rien ; son silence invitait à plus d'éclaircissements.

— Elle dépend beaucoup de lui, ajouta Mary. Et elle se montre très exigeante, en ce moment.

Zenobia se souvint d'elle trente ans plus tôt : orgueilleuse, dominatrice, convaincue de savoir ce qui convenait aux autres et déterminée, dans leur intérêt, à le faire à leur place. Son fils James avait certainement été le premier à bénéficier de ses soins attentionnés. Mary devait mal supporter la concurrence de sa belle-fille.

À ce moment, la soubrette entra pour annoncer l'arrivée de Mr. et Mrs. Carfax. Ces derniers se trouvaient juste derrière elle. Zenobia les observa avec intérêt, tandis que Lady Mary faisait les présentations. James Carfax était un homme de haute taille, mince et élégant, arborant un sourire superficiel qu'elle détesta aussitôt. Un homme qu'elle n'aurait jamais emmené avec elle pour remonter les fleuves africains ; le genre de personne qui panique au moment où l'on a justement besoin d'elle.

Helen n'était pas à proprement parler une beauté, mais elle possédait un visage plein de caractère, avec une grande bouche et des pommettes hautes. L'œil exercé de Zenobia remarqua aussitôt qu'elle était soumise à une grande tension ; certes elle ne se tordait pas les mains, ne tortillait pas son mouchoir, ne tirait pas sur ses gants ou ne tripotait pas sa bague avec nervosité ; non, la tension se lisait dans la fixité de son regard et dans la raideur de sa démarche. Zenobia comprit que la cause en était due non seulement au chagrin causé par la perte de son père, mais aussi et surtout à une grande angoisse face à l'avenir. Et son mari ne paraissait pas s'en rendre compte.

Avec un sourire enjôleur, il s'inclina devant Zenobia. Elle dut reconnaître qu'il avait du charme et de beaux yeux.

— Enchanté de vous connaître, Miss Gunne. Nous ne vous dérangeons pas, j'espère ? Je viens souvent voir maman, mais je n'ai rien d'important à lui dire aujourd'hui. En période de deuil, les visites sont assez limitées et je pensais que cela nous ferait du bien de sortir un peu. Mais que notre arrivée ne précipite surtout pas votre départ.

— Je suis enchantée de faire votre connaissance, Mr. Carfax, dit Zenobia en l'examinant avec une curiosité non déguisée. C'est bien aimable à vous, ajouta-t-elle, plus par réflexe que par sympathie.

Il portait un costume très bien coupé, une chemise de soie, une jolie chevalière en or, des bottes en cuir souple cousues à la main. Quelqu'un devait lui verser une jolie rente ; certainement pas Mary, dont l'avarice était légendaire, à moins qu'elle ait beaucoup changé. Elle devait lui donner l'argent avec parcimonie, en surveillant ses dépenses ; c'était sa façon de le dominer.

Il fit un geste en direction d'Helen.

— Je vous présente mon épouse...

— Je suis ravie de vous rencontrer, Miss Gunne, fit cette dernière avec un sourire contraint.

— Tout le plaisir est pour moi, Mrs. Carfax, répondit Zenobia. Veuillez accepter mes sincères condoléances pour le deuil cruel qui vient de vous frapper. Toute personne de cœur ne peut que compatir à votre malheur.

Helen sembla décontenancée ; elle avait à l'évidence l'esprit ailleurs.

— Merci, murmura-t-elle. C'est très gentil à vous...

Elle paraissait avoir déjà oublié le nom de famille de Zenobia.

Pendant une demi-heure, ils bavardèrent à bâtons rompus. Zenobia ignorait les sentiments qui unissaient James Carfax et sa mère, mais ils paraissaient fort bien s'entendre en société. Elle les observait avec attention, faisant de temps à autre une remarque aimable à Helen et l'examinant à la dérobée lorsqu'elle regardait son mari. Au cours de cet échange d'aimables banalités entrecoupées de silences parfois agressifs révélant des souffrances informulées, de gestes inconscients, de mimiques angoissées ignorées ou non par les autres, Zenobia devina un cortège d'espoirs déçus.

Mary Carfax gâtait son fils, flattait sa vanité et ses appétits tout en le dominant et en gardant les cordons de sa bourse bien serrés dans ses doigts bagués de diamants. Celui-ci éprouvait pour sa mère, soigneusement caché sous un vernis de bonnes manières, un sentiment qui oscillait entre gratitude et rancune ; il savait qu'elle était très fière de lui, mais doutait de mériter cette estime qu'au fond de lui-même il savait injustifiée. Si Lady Carfax, et non Vyvyan Etheridge, avait été assassinée, Zenobia aurait tout de suite su dans quelle direction orienter ses recherches...

D'où provenait l'importante somme d'argent dont James avait besoin pour parvenir à gagner sa précieuse liberté ? Il ne pouvait se libérer que de l'emprise de sa mère seule, car la promulgation récente de la loi fixant le régime des propriétés des femmes mariées le liait sans doute désormais à son épouse.

Il suffisait de voir le regard d'Helen se poser sur son mari avant de se tourner vers la fenêtre et de se perdre au loin dans le bleu du ciel pour comprendre qu'elle portait aux nues cet époux indifférent, tout en cherchant à le protéger. Ses joues rosissaient quand il s'adressait à elle avec une certaine douceur ; une douleur intense se peignait sur son visage dès qu'il usait d'un ton protecteur ou qu'il la taquinait avec une subtile cruauté. Elle était prête à tout lui donner pour le garder auprès d'elle. Zenobia avait le cœur serré pour elle à l'idée des années de souffrances qui l'attendaient. Espérer que James Carfax pût changer et offrir à sa femme un amour désintéressé relevait d'une parfaite illusion. « Il n'y a rien à tirer d'un tonneau vide », songea-t-elle, se souvenant des hommes faibles qu'elle avait aimés quand elle était seule en Afrique. Chaque fois, il lui avait fallu du temps pour prendre conscience que son amour ne serait pas payé de retour. La profondeur des sentiments reflète la qualité humaine de la personne. Un être mesquin, pleutre et insensible, ne parviendra jamais à assouvir les exigences d'un cœur généreux. Un jour, Helen s'apercevrait qu'elle n'obtiendrait jamais de James ce qu'il ne pouvait lui donner, à elle ou à aucune autre.

Se remémorant certains des hommes dans les bras desquels elle s'était imprudemment abandonnée dans l'espoir d'être aimée, Zenobia se demanda avec angoisse si Helen n'aurait pas commis la suprême folie d'assassiner son père pour hériter plus vite de sa fortune et pouvoir ainsi acheter la fidélité de son mari.

Puis, en la voyant couver d'un regard inquiet l'élégante silhouette de James, elle se dit qu'Helen avait peut-être peur pour lui ; craignait-elle qu'il fût le meurtrier ou, tout au moins, son commanditaire ?

Zenobia se leva lentement, un peu raide d'être restée si longtemps assise.

— Lady Mary, vous devez, j'en suis sûre, discuter de problèmes familiaux et désirez le faire en privé. Il fait si beau dehors que j'aimerais me promener un peu. Mrs. Carfax aurait-elle la bonté de m'accompagner ?

Helen parut étonnée, comme si elle n'avait pas compris.

— Nous pourrions marcher jusqu'au bout de la rue, insista Zenobia. L'air nous ferait du bien et j'apprécierais votre compagnie. Vous pourriez me donner le bras...

Argument ridicule ! Zenobia n'avait de toute évidence nul besoin de quelqu'un pour l'aider à marcher ; mais formulée ainsi, l'invitation ne pouvait être déclinée sans impolitesse. Helen s'excusa auprès de son époux et de sa belle-mère, et suivit docilement Zenobia dans la rue ensoleillée.

Comment aborder le sujet avec discrétion ? Zenobia se sentait poussée à parler à Helen, au risque de l'offenser, comme s'il s'était agi de sa propre fille. Elle lui rappelait ses jeunes années. Pour parvenir à ses fins, elle décida de pimenter la réalité de ses propres expériences sentimentales de quelques petits mensonges.

— Ma chère Helen, j'éprouve pour vous une grande sympathie, commença-t-elle, sitôt qu'elles se furent éloignées de la maison. J'ai moi aussi perdu mon père dans des circonstances dramatiques...

Elle ne s'attarda pas dans les détails de cette affabulation ; c'était une simple entrée en matière. Son intention était de lui narrer comment, dans une tentative désespérée de gagner l'amour d'un homme qui ne l'aimait pas, elle avait perdu son intégrité en payant très cher ce qui n'était qu'une chimère.

Elle débuta son récit par ce drame inventé, qu'elle fit suivre de son départ pour l'Afrique, en se gardant bien d'évoquer la fin tragique de Peter Holland à Balaklava. Elle s'inventa un père fauché par la mort dans la fleur de l'âge, puis esquissa la silhouette d'un personnage masculin, mélange de tous les hommes qu'elle avait connus. Tous, sauf Peter.

— Mon Dieu, si vous saviez comme je l'aimais, soupira-t-elle en regardant la haie d'églantiers qui courait sur sa gauche. Il était si séduisant, si attentionné...

Elle s'interrompit.

— Et que s'est-il passé ? demanda Helen, par pure politesse.

— Il était très élégant et aimait voyager. Je lui ai offert des cadeaux, j'ai financé ses voyages...

Pour la première fois, la jeune femme parut intéressée par son récit.

— C'est bien normal, puisque vous l'aimiez.

— Et je voulais qu'il m'aime, précisa Zenobia, consciente que ses paroles allaient cruellement blesser Helen. Avec le recul, je crois avoir commis de grosses bêtises dont j'ai honte aujourd'hui. Je m'en rendais compte à l'époque, mais je n'avais pas le courage de les reconnaître.

Elle leva la tête et regarda les nuages qui filaient dans le ciel.

— Il m'a fallu beaucoup de temps et de souffrances avant de comprendre que j'avais payé très cher une illusion...

— Que... que voulez-vous dire ? bredouilla Helen.

Zenobia continuait à ne pas la regarder.

— Les femmes, ma chère enfant, croient que tous les hommes sont capables de leur donner l'amour auquel elles aspirent. Elles s'imaginent qu'en se montrant fidèles, dévouées et patientes, elles finiront par être récompensées. Mais certaines personnes sont incapables de s'engager. Espérer obtenir plus de quelqu'un que ce qu'il peut donner vous coûte la paix de l'esprit, la santé, peut-être la perte de votre propre estime et l'abandon d'idéaux qui sont à la base d'un bonheur durable.

Helen se taisait. Seuls, le bruit régulier de leurs pas, le pépiement d'un oiseau dans un arbre, le martèlement des sabots et le sifflement des roues au passage d'un attelage rompaient le silence.

Elle posa enfin sa main sur le bras de Zenobia.

— Merci, articula-t-elle avec difficulté. Je me retrouve dans la description que vous venez de faire. L'aviez-vous deviné ? Je crois que, dorénavant, je trouverai le courage de changer. J'ai déjà fait assez de mal... Voyez-vous, j'ai dirigé les soupçons sur ces femmes qui se battent pour obtenir le droit de vote parce que je désirais éviter que la police vienne enquêter chez nous. En fait, j'ignore si elles ont une responsabilité quelconque dans la mort de mon père. Je ne suis pas fière de moi. J'espère n'avoir causé d'ennuis à personne et être la seule à souffrir de ma propre stupidité. Il est très difficile d'affronter la réalité, mais je crois que le temps est passé de..

Elle s'interrompit, trop bouleversée pour finir sa phrase.

Les mots n'étaient pas nécessaires. Zenobia savait ce qu'elle ressentait. Elle prit la main de la jeune femme et toutes deux marchèrent en silence dans la lumière du soleil.

10

Charlotte rentra chez elle avec un sentiment d'échec. Leur visite à Parthenope Sheridan n'avait rien apporté de nouveau. Elles avaient rencontré une femme en deuil, profondément choquée, souffrant d'un sentiment de culpabilité très fréquent chez ceux qui ont brutalement perdu un proche : regret de ne pas avoir pris le temps de parler d'amour, de soigner de vieilles blessures, de s'excuser pour tous les malentendus, les mouvements d'humeur, les petites rancunes, toutes choses désormais bien insignifiantes comparées à la disparition de l'être aimé.

Charlotte n'avait pu deviner si la détresse de Mrs. Sheridan puisait son origine dans des événements antérieurs au décès de son époux. Elle ne l'avait pas entendue parler, même à mots couverts de jalousie, de problèmes financiers ou d'adultère. Aucune piste nouvelle, lui permettant de progresser dans l'enquête, ne s'offrait à elle.

La seule avancée était venue de Zenobia, convaincue qu'Helen Carfax devait être éliminée de la liste des suspects. Quant à James Carfax, toujours d'après Zenobia, il ne possédait ni le courage de tuer un homme de ses propres mains, ni les relations nécessaires pour engager les services d'un tueur. Charlotte et Vespasia étaient enclines à partager ce point de vue.

Charlotte leur avait fait part des impressions que lui avait laissées sa visite à Florence Ivory : la pitié qu'elle éprouvait à son égard, son impuissance face à la colère d'une femme marquée par l'injustice, chez laquelle tout sentiment positif pour son prochain avait disparu. N'ayant pas découvert d'élément nouveau pouvant plaider en sa faveur, Charlotte avait conclu, bien à contrecœur, qu'elle ne pouvait totalement éliminer l'idée de sa culpabilité et qu'elles devaient donc se préparer au pire.

D'autres hypothèses lui venaient cependant à l'esprit, tout aussi laides et déplaisantes : un plan soigneusement calculé par un esprit subtil animé d'une haine froide, dans le but d'éliminer un proche, en laissant accuser quelqu'un d'autre à sa place. Les trois victimes avaient-elles été assassinées pour des raisons différentes, en rapport avec leur vie privée, mais reliées de façon délibérée, par une sorte de conspiration permettant à chaque meurtrier d'assouvir ses besoins criminels ? L'idée était d'autant plus monstrueuse qu'il n'y avait aucune relation apparente entre ces hommes, hormis le fait qu'ils étaient trois parlementaires parmi les six cents siégeant à la Chambre, et qu'ils rentraient chez eux de nuit en traversant Westminster Bridge.

Florence Ivory avait-elle perdu la tête au point de continuer à tuer après la mort de Vyvyan Etheridge ? N'avait-elle donc plus aucun respect de la vie humaine, y compris de la sienne ? En son âme et conscience, Charlotte ne pouvait répondre à cette question.

Elle distribua les tâches ménagères à Gracie et à Mrs. Phelps, une femme du quartier qui venait deux fois par semaine faire le gros du ménage, puis s'attela au repassage. Tout en maniant le lourd fer en fonte — tandis qu'un second chauffait sur les braises de la cuisinière —, elle confrontait ce qu'elle-même, tante Vespasia et Zenobia venaient d'apprendre aux derniers éléments de l'enquête fournis par Pitt. Elle avait beau réfléchir, elle ne voyait aucun espoir auquel se raccrocher. Qui pouvait être le coupable, si ce n'était pas Florence Ivory ?

L'aversion qu'éprouvait Barclay Hamilton pour sa belle-mère avait-elle un rapport quelconque avec la mort de son père ? Savait-il ou soupçonnait-il quelque chose ? Cette pensée n'avait rien d'agréable ; Charlotte appréciait autant Amethyst Hamilton que son beau-fils. Qu'est-ce qui, dans une inimitié aussi ancienne, aurait pu pousser le jeune Hamilton à assassiner son père aujourd'hui ? L'assassin avait-il agi pour des raisons politiques ou financières ? Pitt n'avait rien découvert sur ce point.

Zenobia pensait que James et Helen Carfax étaient innocents, et son jugement paraissait correct. Charlotte commençait à douter d'elle-même ; si elles parvenaient à découvrir quelque chose, ce ne pourrait être que grâce à leur intuition féminine, à leur connaissance du grand monde — deux avantages qui manquaient à la police — et à leur finesse de jugement. Elles s'étaient débrouillées pour rencontrer ces dames de la bonne société à des moments où elles n'étaient pas sur leurs gardes, obtenant des confidences précisément parce qu'elles ne s'imaginaient pas qu'on s'intéressait à elles. C'était là leur seul atout.

Pour l'instant, elles ne savaient rien des proches de Cuthbert Sheridan, sinon qu'ils paraissaient normaux et n'avaient aucune raison apparente de désirer la mort du député. Son épouse venait de découvrir un idéal dans le combat pour le suffrage des femmes et osait, pour la première fois de sa vie, formuler des opinions personnelles. Le couple s'était peut-être disputé ; mais on n'engage pas un tueur pour assassiner son mari sous prétexte que ce dernier désapprouve vos nouvelles idées politiques et vous défend de les exprimer !

Charlotte savait que Pitt, de son côté, cherchait à en apprendre davantage sur la vie privée et les affaires de Sheridan. Qu'avait-il en commun avec les deux autres députés, pour avoir été la troisième victime désignée ?

Ses pensées furent interrompues par l'arrivée du facteur, qui lui apportait la note du boucher, la facture du livreur de charbon, et une lettre d'Emily. Le montant de la facture de boucherie était légèrement inférieur à ce qu'elle avait prévu dans son budget ; quelle bonne surprise ! Elle posa les deux papiers sur le manteau de la cheminée et ouvrit la lettre de sa sœur.

Charlotte chérie,

Florence est une ville merveilleuse ! Il y a partout des palais dont les noms, quand on les prononce, roulent dans la bouche. Tout est si beau que je m'arrête dans les rues, émerveillée. Je dois avoir l'air stupide aux yeux des passants, mais je m'en moque. Parfois Jack fait semblant de ne pas me connaître !

Et tous ces beaux visages ! Je pensais que les personnages de Vinci étaient le fruit de son imagination, ou qu'il peignait toujours d'après les mêmes modèles. Eh bien, pas du tout ! Hier, sur une place, j'ai aperçu une réplique parfaite de la Vierge aux rochers *: une belle dame qui donnait à manger aux pigeons ; son équipage s'impatientait, mais elle n'en avait cure. Espérait-elle apercevoir son amant ? Attendait-elle que Dante traverse le pont ? Je sais, ce n'est pas le* *bon siècle — mais qui s'en soucie ? J'ai l'impression de vivre un rêve.*

Je croyais aussi que la lumière dorée qui baigne les peintures de la Renaissance était une invention des peintres, alliée à la composition des vernis anciens. Or cette lumière existe réellement : le ciel, les pierres, même les arbres, ont des reflets mordorés. La ville est très différente de Venise, où l'azur se reflète dans l'eau verte des canaux, mais elle est tout aussi belle.

Ma statue favorite est le Saint Georges *de Donatello. Il est si petit, et si jeune ! On dirait que Dieu vient de lui apparaître et qu'il est résolu à combattre toutes les puissances du mal, à lutter contre la misère et l'égoïsme, sans se soucier de la durée et de la difficulté de son combat. En le regardant, mon cœur de mère souffrait pour lui car, dans son visage innocent, j'ai retrouvé mon Edward et ton petit Daniel ; et pourtant son courage me redonnait de l'espoir ! Je suis restée là, à pleurer au beau milieu du musée du Bargello. Jack pense que le soleil m'a un peu tapé sur la tête, mais moi je sais qu'ici je suis enfin moi-même.*

J'ai rencontré des gens très intéressants, en particulier une femme qui a été par deux fois promise en mariage puis abandonnée par ses fiancés. Elle aura bientôt trente-cinq ans et pourtant elle attend encore tout de la vie. C'est un plaisir de bavarder avec elle. Ses fiancés ne devaient pas être bien intéressants, pour l'avoir quittée pour d'autres femmes. Certains hommes sont stupides de préférer des créatures jolies ou soumises. Ils méritent de passer leur existence aux côtés d'une harpie à la langue venimeuse. Cette femme possède un courage que j'admire chaque jour davantage. Elle a décidé d'être heureuse, de prendre la vie du bon côté et de se débrouiller avec le mau-

vais. Cela dit, tous les gens que nous avons rencontrés au cours de ce voyage ne lui ressemblent pas!

Nous sommes allés à l'opéra, au théâtre, à des dîners, à des bals. Il nous est aussi arrivé deux petites catastrophes : on nous a volé quelques objets, heureusement de peu de valeur; un jour, la roue de notre attelage s'est détachée et nous n'avons trouvé personne pour la remettre en place; nous avons dû passer la nuit dans un hôtel glacial et bruyant, entre Pise et Sienne, où nous avons été très mal accueillis. Je te jure, j'entendais les rats courir au plafond!

Jack est toujours adorable. Je crois que je serai heureuse auprès de lui, même quand, notre lune de miel terminée, nous nous retrouverons chaque matin à la table du petit déjeuner. Il faut que je le convainque de se trouver une occupation, car je ne supporterai pas de le voir traîner à la maison toute la journée; ce serait la meilleure façon de nous lasser l'un de l'autre. Bien sûr, je ne voudrais pas passer mon temps à me demander s'il est en mauvaise compagnie! As-tu remarqué combien les gens qui s'ennuient sont assommants?

Tu sais, je crois que le bonheur est, jusqu'à un certain point, une question de choix. Je suis décidée à être heureuse, ou du moins à profiter de toutes les occasions pour l'être. Je ferai en sorte que Jack soit le compagnon idéal.

Nous pensons rentrer à Londres dans une quinzaine de jours. Je meurs d'envie de te revoir. Tu me manques énormément. N'ayant pu avoir de tes nouvelles, je me demande bien ce que tu fais. Comment va Thomas? Sais-tu qu'il me manque aussi? Et j'ai hâte de serrer mon petit Edward dans mes bras.

Je viendrai te rendre visite le jour de mon arrivée. D'ici là, prends bien soin de toi!

Ta sœur qui t'aime,
Emily.

Charlotte resta longtemps immobile, la lettre à la main, le sourire aux lèvres. Elle aurait tant aimé visiter Florence, ses églises, ses palais, ses galeries et admirer le *Saint Georges* au Bargello. Mais Emily avait raison : le bonheur était en partie un choix. Bien sûr, elle enviait sa sœur de passer une lune de miel romantique en Italie ; mais rares étaient les femmes qui pouvaient se targuer, comme elle, d'avoir épousé un homme tendre et tolérant qui lui faisait part de ses réflexions et de ses émotions. Elle réalisa avec gratitude que, depuis leur mariage, elle ne s'était jamais sentie seule. Une vie entière de voyages pouvait-elle se comparer à ce sentiment de plénitude ?

Elle passa sa journée à la maison à ranger, nettoyer, frotter, cirer, en parlant toute seule. Elle envoya Gracie chez le fleuriste et chez le boucher, puis confectionna le plat préféré de Pitt, une tourte croustillante à la viande et aux rognons. Elle mit la table dans le salon, avec une belle nappe en lin. Quand il arriva, les enfants étaient baignés et avaient enfilé leur chemise de nuit. Ils se précipitèrent à la porte et l'accueillirent avec force baisers ; Charlotte les envoya se coucher puis se jeta dans les bras de Pitt et se serra contre lui en silence, heureuse de le savoir là.

En voyant la nappe de lin, les fleurs, le plat fumant accompagné de petits légumes, Pitt crut que Charlotte avait organisé ce dîner en tête à tête pour fêter sa future promotion ; il pensa aux lettres d'Emily, qu'il n'avait pas lues, et songea qu'une petite augmentation de salaire serait vraiment la bienvenue.

Pourtant, l'idée d'accepter ce travail de rond-de-cuir lui déplaisait, mais en remarquant les touches féminines du salon, les abat-jour en soie peinte, les pièces de coton brodé, les tissus dans lesquels elle confectionnait les habits des enfants, il se dit que le bonheur valait bien ce sacrifice. Il accepterait la promotion et ferait tout pour que Charlotte ignore combien il lui en coûtait. Elle rayonnait ; il lui rendit son sourire et ils se mirent à parler des événements de la journée, bien qu'aucun élément nouveau ne vînt éclairer la mort de Cuthbert Sheridan.

En compagnie de Vespasia et de Zenobia Gunne, Charlotte se rendit aux obsèques du député. Le temps avait changé. La brise avait fait place à de violentes bourrasques accompagnées d'averses intermittentes. Pendant les éclaircies, le soleil faisait étinceler l'eau qui courait dans les caniveaux et les feuilles des arbres lavées par la pluie.

Elles étaient venues dans la voiture de Vespasia, pour des raisons pratiques, et aussi pour pouvoir échanger leurs réflexions au retour des obsèques, bien qu'aucune des trois amies ne nourrît l'espoir d'y apprendre quelque chose. Leur enquête piétinait et la police n'avançait pas davantage. Si Florence Ivory avait tué Sheridan, le mobile demeurait inexpliqué ; de plus, on n'avait retrouvé aucun témoin qui puisse fournir la preuve d'un rapport quelconque entre la militante et le député.

Vespasia se tenait très droite sur la banquette, vêtue d'une robe lavande agrémentée de dentelle noire ; Zenobia, assise en face d'elle, portait, une fois n'est pas coutume, une toilette très à la mode, coupée dans un satin fleurdelisé gris ardoise moiré de bleu, au décolleté piqué de petites perles de jais, avec des manches gigots. Elle était coiffée d'un chapeau cabriolet noir qui menaçait de s'envoler au premier coup de vent.

Charlotte avait emprunté à Lady Cumming-Gould une capeline, un manteau et une robe, que la camériste de Vespasia avait retouchée pour la mettre au goût du jour; l'ensemble, très seyant, soulignait avec discrétion sa chevelure cuivrée et son teint coloré.

Elles arrivèrent à point nommé, après les gens venus rendre hommage au défunt par devoir, des parlementaires et leurs épouses. Elles descendirent de l'attelage dans Prince's Road et marchèrent lentement jusqu'à l'église St. Mary. En entrant dans la sacristie, Vespasia chuchota à l'oreille de Charlotte que l'homme qui les précédait était Charles Verdun, l'associé de Lockwood Hamilton.

On les conduisit jusqu'à leur banc d'où elles virent arriver Lady Hamilton, droite et digne, suivie de son frère Sir Garnet Royce, dont elle refusa le bras; derrière eux, le haut-de-forme à la main, Jasper Royce arborait une expression de circonstance. Il paraissait harassé. Une femme blonde, qui devait être son épouse, l'accompagnait. Charlotte les suivit des yeux tandis que le placeur leur indiquait leurs sièges, trois rangs devant elle, de l'autre côté de la travée centrale; elle ne pourrait donc observer leur visage pendant la cérémonie. Sir Garnet était un bel homme au nez puissant et au front haut. Un bref rayon de soleil filtré par les vitraux éclaira sa chevelure argentée. Charlotte remarqua que de nombreux regards se tournaient vers lui et vit qu'il hochait la tête, de temps à autre, en signe de reconnaissance; mais toute son attention se portait sur sa sœur qui paraissait ne tenir aucun compte de sa sollicitude. Jasper, silencieux, tripotait nerveusement son livre de cantiques.

Il y eut une vague de murmures lorsqu'un membre bien connu du cabinet du Premier ministre fit son apparition; c'était bien la moindre des choses qu'un représentant du gouvernement vînt rendre hommage au défunt, puisque la police de Sa Majesté était incapable d'appréhender le criminel.

Micah Drummond avait pris place sur le dernier

banc au fond de l'église pour observer l'assistance. Pitt se trouvait là, lui aussi, mais Charlotte et Vespasia ne le virent pas. Debout derrière un pilier, il pouvait passer pour un placeur ; il était arrivé sous l'averse et sa redingote dégouttait sur le sol dallé.

Parmi les nombreux députés installés sur les bancs, elle aperçut le visage plein d'humour, aux grands sourcils arqués, de Somerset Carlisle. Leurs regards se croisèrent, puis Carlisle aperçut Lady Vespasia et lui adressa un imperceptible sourire, en inclinant la tête.

Les Carfax arrivèrent ensuite ; James, pâle et élégant dans son habit de deuil, gardait les yeux baissés, sans chercher à se faire reconnaître. Il semblait avoir perdu sa désinvolte assurance. Helen, calme et digne, marchait à son bras ; elle retira sa main avant qu'il ne l'ait dégagée et s'assit immédiatement à la droite de Charlotte.

Lady Mary arriva enfin, souveraine dans une robe... de satin fleurdelisé gris ardoise moiré de bleu et coiffée d'un chapeau cabriolet noir crânement incliné sur le sommet de sa tête ! Elle parcourut du regard le rang où étaient assises Vespasia, Charlotte et Zenobia et blêmit en voyant la toilette de sa vieille rivale. Sa main gantée de noir se crispa sur le pommeau de son parapluie.

Avec beaucoup de déférence, le placeur lui chuchota de s'asseoir. Tremblante de fureur, Lady Mary ne put qu'obéir. Zenobia fouilla son réticule à la recherche d'un mouchoir, mais ne le trouva pas. Vespasia, qui n'avait rien perdu de la scène, lui tendit le sien avec un sourire complice. Zenobia porta le mouchoir à sa bouche, tentant d'étouffer le rire qui la gagnait dans une grande quinte de toux.

Tandis que l'orgue entamait un morceau funèbre en sourdine, Parthenope Sheridan pénétra dans l'église, coiffée d'un long voile, suivie de ses enfants au visage triste accompagnés de leur gouvernante. Celle-ci s'agenouilla sur un banc, derrière eux.

Le pasteur commença son service en psalmodiant la litanie rituelle d'une voix monocorde. Charlotte prêtait peu d'attention à tout ce cérémonial, préférant épier les Carfax, dissimulée derrière son livre de prières. Lady Mary gardait les yeux rivés devant elle, pour éviter de regarder Zenobia, assise à sa gauche. Elle aurait voulu ôter sa capeline, mais cela ne se faisait pas dans un lieu de culte; et si elle essayait de la ramener sur son front, tout le monde s'en apercevrait.

James Carfax suivait docilement les mouvements de l'assistance, se levant, s'agenouillant, tête baissée, pour murmurer les prières; lorsque le pasteur monta en chaire, il s'assit avec dignité. Mais son expression tendue, ses traits tirés n'étaient pas à mettre sur le compte de la mort de Sheridan. Rien ne laissait supposer qu'il le connaissait et Zenobia, qui l'avait rencontré peu de temps auparavant, l'avait trouvé fort enjoué, autant que l'on puisse l'être en période de deuil. Il lui avait paru de bonne humeur et plutôt confiant dans le sort que l'avenir lui réservait. Charlotte reprenait les hymnes d'un ton machinal, sans cesser de l'observer : oui, décidément, James Carfax avait perdu en quelques jours son entrain et sa vitalité.

Quand débuta l'oraison funèbre, Charlotte se dit que Pitt devait l'écouter avec le maigre espoir d'apprendre du nouveau sur la victime. La voix du pasteur montait et descendait, ronronnante, se perdant dans des paroles indistinctes à la fin des phrases, ce qui ôtait toute sincérité à l'éloge qu'il faisait du défunt. Mais il y avait dans cette monotonie quelque chose de rituel et de familier qui devait réconforter sa famille et ses proches.

Charlotte reporta son attention sur Helen Carfax. Celle-ci regardait droit devant elle, la tête haute, serrant entre ses mains son livre de cantiques, récitant ses prières en silence. Elle participait à la cérémonie avec ferveur. Ses traits exprimaient une résolution sans rapport avec l'inquiétude et l'angoisse que Pitt et Zenobia avaient observées chez elle précédemment. Sans avoir oublié ses craintes, elle paraissait soulagée d'avoir pris une décision et offrait l'image d'une femme courageuse, mais loin d'être heureuse. Helen était-elle certaine à présent que son époux n'avait pris aucune part dans le meurtre de son père ? Ou bien se rendait-elle compte qu'il ne l'aimerait jamais comme elle l'espérait ? Maintenant qu'elle reconnaissait les faiblesses de cet être veule et égoïste, elle recouvrait sa propre estime, sa dignité et redevenait enfin elle-même.

Par trois fois, Charlotte vit James s'adresser à elle ; Helen lui répondait poliment, avec la patiente lassitude d'une mère devant un enfant exaspérant. C'était au tour de James de paraître surpris et confus ; pour un homme qui avait toujours été l'objet des attentions de son épouse, le changement devait être fort désagréable.

Charlotte sourit et s'imagina debout au fond de l'église, aux côtés de Pitt, sa main dans la sienne.

À la fin du service, une partie de l'assistance quitta l'église. La veuve et la famille proche suivirent les porteurs du cercueil jusqu'au cimetière. L'inhumation est toujours une scène pénible, éloignée de l'apparat et des grandes orgues. Là, plus d'espoir de résurrection ; c'est un coffre de bois contenant les restes d'un simple mortel qui disparaît. À cet instant crucial, une expression, un geste peuvent trahir les véritables sentiments cachés sous les voilettes, les chapeaux et les beaux vêtements de deuil.

Dehors, le soleil brillait, illuminant les murs de l'église et l'herbe qui poussait dru entre les pierres tombales, gravées au nom des défunts. Charlotte se demanda si parmi les gens qui reposaient là, certains avaient été assassinés. Rien ne le laissait deviner.

La terre était humide ; de gros nuages gris passaient dans le ciel, poussés par un vent froid ; une averse pouvait éclater à tout moment. Les porteurs du cercueil avançaient à pas lents et réguliers ; le vent faisait voleter le crêpe noir de leur chapeau. Ils gardaient la tête baissée, les yeux rivés sur le sol, sans doute par crainte de faire un faux pas plutôt que par excès de piété.

Charlotte suivit le cortège à bonne distance et s'arrangea pour s'approcher d'Amethyst Hamilton et de ses frères. Un cimetière n'étant pas un endroit où l'on peut renouer connaissance, elle lui adressa un bref sourire amical et marcha à ses côtés jusqu'au grand trou noir oblong creusé dans la terre fraîche ; on n'en voyait pas le fond. L'assistance se regroupa sur trois côtés tandis que les porteurs posaient le cercueil ; durant toute la cérémonie, un vent violent souleva le bas des jupes et agita les rubans de crêpe noir. Les femmes tentaient de maintenir leur chapeau de leurs mains gantées. Une bourrasque souleva au même moment les capelines de Lady Mary et de Zenobia, qui se retrouvèrent bizarrement inclinées sur l'arrière de leur tête. L'effet fut si comique que quelqu'un étouffa un gloussement nerveux dans une quinte de toux. Lady Mary chercha en vain le coupable des yeux. Furieuse, elle planta la pointe ferrée de son parapluie dans la terre, releva le menton et regarda droit devant elle.

Charlotte observa Jasper Royce et son épouse, une femme élégante et effacée qui était manifestement venue là par obligation. Lui ressemblait à son frère, quoique plus petit et plus discret : même front haut, mais plus dégagé, sourcils épais légèrement moins arqués, bouche mobile avec une lèvre inférieure plus sensuelle ; un homme à la personnalité moins affirmée, mais certainement beaucoup plus facile à vivre que Sir Garnet. Il paraissait s'ennuyer ; son regard se posait sur les personnes debout de l'autre côté de la tombe, sans s'arrêter sur aucune en particulier. Il pensait peut-être à son dîner, ou aux patients qu'il devait visiter, bref à tout sauf à la cérémonie qui se déroulait devant lui.

Sir Garnet, en revanche, était sur le qui-vive, scrutant tous les visages avec le même intérêt que Charlotte ; elle prit grand soin d'éviter son regard, car s'il la surprenait à l'observer, il ne manquerait pas d'exiger d'elle des explications.

Alors que le cercueil descendait en terre, de grosses gouttes de pluie commencèrent à s'écraser sur les chapeaux des dames et les têtes nues des messieurs. On tripota nerveusement les parapluies, sans oser les ouvrir. Seule une personne leva le nez vers le ciel d'un air agacé. Le pasteur accéléra le rythme de son oraison.

Garnet Royce paraissait plus tendu et inquiet qu'après le décès de Sir Hamilton. Il bougeait d'un pied sur l'autre, aux aguets, comme si le moindre geste d'une personne de l'assistance pouvait avoir de l'importance, ou si l'examen détaillé des visages pouvait apporter une réponse aux interrogations qui l'obsédaient.

Savait-il quelque chose que Charlotte ignorait ? Son intelligence aiguë le rendait-il plus conscient de l'horreur de la situation que les personnes venues rendre hommage au défunt par amitié, ou par respect, ou parce qu'elles aussi avaient vécu de leur côté des moments aussi pénibles ? Que pensaient les députés présents ? Ils ne pouvaient ignorer que les journaux réclamaient à cor et à cri l'arrestation du coupable, que la population exigeait une présence accrue de la police et des contrôles d'identité dans les rues afin de protéger l'honnête citoyen se rendant sur ses lieux de travail ou de distraction. On parlait de complots, d'attroupements séditieux ; on critiquait le gouvernement, l'aristocratie, même la reine ! On craignait la révolution sociale, l'anarchie. Le trône était en péril, si l'on en croyait les rumeurs les plus alarmistes.

Royce était-il au courant d'un accord conclu entre trois personnes pouvant tirer profit de ces meurtres et qui auraient décidé de s'allier afin de faire passer leurs crimes pour l'œuvre d'un seul et dangereux maniaque ? Amethyst Hamilton, par exemple, était-elle à l'origine de la mort de son époux ?

Une fois la cérémonie terminée, au moment où tout le monde retournait vers la sacristie, une averse soudaine s'abattit, scintillante et argentée dans les rayons du soleil. Il était indécent de hâter le pas. En voulant ouvrir son parapluie, Lady Mary le fit tourner en tous sens. La virole se prit dans les ruches de la robe de Zenobia, arrachant un morceau de soie.

— Je vous demande pardon, dit-elle avec un petit sourire ravi.

— Ce n'est rien, répondit Zenobia en inclinant la tête. Je peux vous recommander un excellent oculiste.

— Ma vue est excellente, merci ! répliqua Mary d'un ton cassant.

Zenobia sourit.

— Une canne peut-être... pour garder l'équilibre ?

Apercevant l'épouse d'un ministre, Lady Carfax s'éloigna à grands pas et marcha dans une flaque d'eau, éclaboussant Zenobia au passage.

Les femmes, tête baissée, relevèrent le bas de leurs jupes pour ne pas les salir dans l'herbe mouillée, et allèrent trouver refuge sous le porche de l'église ; les hommes faisaient le gros dos en essayant de garder un air digne.

Charlotte s'aperçut qu'elle avait laissé tomber son mouchoir dans le cimetière. Elle s'en était servi de temps en temps pour observer Garnet Royce sans être vue. Elle y tenait beaucoup car c'était l'un des derniers mouchoirs en dentelle qui lui restaient. Tant pis, elle préférait se faire mouiller plutôt que de le perdre. Elle s'excusa auprès de Vespasia, contourna l'église et remonta l'allée qui menait à la tombe. Alors qu'elle passait derrière un monumental tombeau de style rococo, elle vit deux silhouettes, immobiles, se faisant face, figées dans l'attitude de deux personnes qui viennent juste de se rencontrer : Lady Hamilton et son beau-fils. Ce dernier était très pâle, les cheveux plaqués par la pluie. À la lumière du jour, on voyait clairement que ce garçon souffrait de quelque maladie.

Amethyst rougit et pâlit tour à tour, leva les mains vers lui pour le repousser puis laissa retomber ses bras, comme épuisée par un geste inutile.

— J'ai... j'ai pensé qu'il fallait que je vienne, murmura-t-elle sans le regarder.

— Vous avez bien fait, acquiesça-t-il. Par respect pour la famille du défunt.

Elle se mordilla la lèvre, les yeux fixés sur les boutons du manteau de Barclay.

— Oui, je... je suppose que cela ne sert à rien, mais...

Il scrutait intensément son visage, comme s'il voulait s'imprégner de ses traits.

— Qu'en savez-vous ? Plus tard, Mrs. Sheridan se souviendra avec émotion de tous ceux qui sont venus rendre hommage à son époux.

— Oui. Je suis heureuse qu'il y ait eu du monde à...

Elle essayait de retenir les larmes qui brillaient dans ses yeux.

— À l'enterrement de Lockwood.

Elle prit une profonde inspiration et enfin se décida à le regarder.

— Je l'aimais, vous savez.

— Je le sais, murmura-t-il. Je n'en ai jamais douté.

Amethyst fit un dernier effort pour retenir ses larmes, mais des années d'émotions refoulées la submergèrent et elle éclata en sanglots.

Avec une tendresse si profonde que le cœur de Charlotte se serra, Barclay prit Amethyst dans ses bras et la retint contre lui, la joue appuyée contre sa chevelure, avant d'y déposer un baiser furtif.

Charlotte, honteuse de les avoir surpris, se fit toute petite derrière la pierre tombale qui la cachait et s'enfuit comme une voleuse. Elle comprenait enfin l'échange de politesses glacées, la tension qui régnait entre ces deux êtres. Leur sens de l'honneur les empêchait de s'aimer; ils continuaient de montrer une loyauté sans faille vis-à-vis de Lockwood Hamilton, leurs père et mari respectifs. Sa mort ne leur apportait pas la liberté, car les liens familiaux qui les unissaient ne pouvaient être brisés. Ils étaient perdus l'un pour l'autre, à jamais.

Pendant le service funèbre, Pitt s'était tenu en retrait au fond de l'église de façon à observer l'assistance. Il avait vu Charlotte en compagnie de Vespasia et d'une femme au visage saisissant qu'il supposa être Zenobia Gunne, dont Charlotte lui avait tant parlé. Il fut étonné de la voir aussi élégamment habillée. Peut-être était-il encore moins au fait des derniers jabots, bustiers et tournures en vogue qu'il ne le croyait.

Puis il vit entrer Lady Carfax, vêtue d'une toilette strictement identique à celle de Miss Gunne, et il se dit qu'il ne s'était pas trompé sur l'élégance de la tenue de cette dernière.

Il remarqua lui aussi qu'Helen Carfax avait recouvré sa sérénité, tandis que son époux semblait avoir perdu la sienne. Il se souvint de ce que Charlotte lui avait dit de la seconde visite de Zenobia chez Lady Carfax et de sa promenade avec Helen. Un jour, si c'était possible, il aimerait rencontrer cette fameuse Miss Gunne !

Il avait noté, parmi les premiers arrivants, la présence de Charles Verdun, l'associé de Lockwood Hamilton, un gentleman fort sympathique. Pourtant, une rivalité d'affaires entre les deux hommes n'était pas à exclure... Pourquoi diable ne voyait-on pas se tisser le moindre lien entre ces trois affaires ? Il ne possédait que des éléments isolés : passion, injustice, haine, possibilité d'erreur dans la nuit, avec, en arrière-plan, les échos d'un complot anarchiste se tramant dans les bas-fonds de Limehouse, de Whitechapel ou de St. Giles. Ou la folie. La folie qui rôde, partout et toujours.

Hamilton et Etheridge avaient à peu près le même âge, la même carrure et la même chevelure ; Sheridan était plus jeune, blond, mais sensiblement de la même taille. Sur le pont, entre les petits îlots ronds de lumière des réverbères perdus entre le ciel et le fleuve d'encre, quelle différence y avait-il entre des cheveux gris et des cheveux blonds ?

Sheridan avait-il aussi été victime d'un fou furieux, ou égorgé de sang-froid ? Il se pouvait qu'il y ait une explication à laquelle personne n'avait encore pensé.

Pitt considérait avec attention les différents protagonistes de l'affaire tandis qu'ils écoutaient pieusement l'interminable service funèbre. Il remarqua la présence de Somerset Carlisle, homme passionné et cynique, à la conduite parfois exempte de moralité ; il se souvint des circonstances étranges de leur rencontre, quelques années plus tôt[1]. À la vue de Parthenope Sheridan, il ne songea pas à mettre en doute son chagrin. Son regard s'arrêta ensuite sur Jasper et Garnet Royce, ainsi que leur sœur Amethyst. Barclay Hamilton était là, lui aussi, assis à distance de sa belle-famille.

À la fin du service, Pitt ne suivit pas le cortège jusqu'au cimetière ; au grand jour, il ne pouvait passer inaperçu. Personne ne le prendrait pour un proche ou un associé du défunt. Sa présence serait considérée comme une intrusion inopportune.

Il resta donc à l'entrée de la sacristie, en observateur. Il vit Charlotte revenir du cimetière, fouiller dans son réticule et repartir en courant sous la pluie. Micah Drummond apparut quelques instants plus tard, s'ébrouant pour chasser la pluie de son manteau et de son chapeau. Il paraissait transi et anxieux. Pitt imaginait sans peine tout ce que son supérieur avait dû affronter, les regards accusateurs des parlementaires, les coups d'œil obliques des membres du cabinet, leurs commentaires méprisants sur l'inefficacité de la police.

Il lui adressa un sourire triste. Ils savaient tous deux que l'enquête piétinait. S'ils commençaient à bavarder, l'« invisibilité » de Pitt serait compromise ; on ne le prendrait plus pour un placeur. Quelques instants plus tard, Garnet Royce entra dans la sacristie, sans se soucier de la pluie qui ruisselait sur son visage et dégouttait des basques de son manteau. Il ne vit pas Pitt, dissimulé dans l'ombre, mais s'approcha de Micah Drummond, sourcils froncés, l'air sombre.

— Pauvre Sheridan, dit-il très vite, d'une voix hachée. Quelle tragédie — pour tout le monde ! Ce

1. Voir *Resurrection Row, op. cit.*

doit être terrible pour sa veuve. Quelle mort affreuse ! Ma sœur est encore sous le choc.

Drummond hocha la tête.

— C'est bien normal.

Il avait honte de son impuissance, mais ne voulait pas mentir et n'osait avouer que l'enquête n'avançait pas.

— Croyez-vous vraiment à l'œuvre d'anarchistes ou de révolutionnaires ? reprit Royce, devant le silence du commissaire. Dieu sait qu'il y en a partout ! Je n'ai jamais autant entendu parler de rumeurs d'agitation factieuse et de l'effondrement prochain de la royauté. Je sais que Sa Majesté n'est plus toute jeune[1] et que la mort du roi Albert l'a cruellement frappée, mais le peuple attend de ses gouvernants qu'ils remplissent leurs devoirs, quels que soient leurs malheurs personnels. Les frasques du prince de Galles ont défrayé la chronique et terni l'éclat de la Couronne, et voilà qu'aujourd'hui le duc de Clarence fait parler de lui par ses mœurs dissolues et ses actes irresponsables[2]. Tout ce que nous avons construit en un demi-millénaire semble en grand péril. Nous ne sommes même plus capables de mettre un terme à des assassinats insensés en plein centre de Londres !

Son inquiétude n'était pas celle d'un lâche cédant à la panique, mais d'un homme lucide et en colère, résolu à se battre tout en sachant la victoire incertaine.

Micah Drummond lui donna la seule réponse qu'il pouvait lui fournir, sans satisfaction particulière.

— Nous avons surveillé et infiltré les milieux sédi-

1. En 1888, la reine Victoria avait soixante-neuf ans. *(N.d.T.)*

2. Le duc de Clarence, fils du prince de Galles, fut même soupçonné cette année-là d'être Jack l'Éventreur en personne. *(N.d.T.)*

tieux, anarchistes ou prétendument révolutionnaires connus de la police. À l'évidence, aucun n'est l'allié de l'égorgeur. Ses actes auraient plutôt tendance à les déranger. Ils veulent rallier à leurs idées les petites gens que la société rejette, les hommes écrasés de travail et sous-payés. Ces crimes déments n'arrangent personne, pas même les fenians.

Le visage de Royce se crispa, comme si la peur qu'il éprouvait se matérialisait.

— Vous ne croyez donc pas à un soudain déchaînement de violence anarchiste ?

Drummond regarda pensivement la pointe de ses bottes trempées, puis releva la tête.

— Non, Sir Garnet, tout nous en éloigne, au contraire... Mais j'ignore toujours la véritable cause de ces meurtres.

Royce ferma les yeux.

— Mon Dieu, c'est épouvantable. Nous sommes tous là, le gouvernement, la police, la justice, incapables de protéger des hommes qui travaillent au cœur de la capitale. Qui sera le suivant ?

Il rouvrit les yeux et observa Drummond de son regard gris acier.

— Vous ? Moi ? Rien au monde, je vous le dis, ne me persuadera de traverser Westminster Bridge seul le soir ! Et je me sens coupable, Mr. Drummond. Toute ma vie, je me suis efforcé de prendre de sages décisions, d'endurcir mon caractère et de développer mes facultés d'analyse, de façon à pouvoir m'occuper des plus faibles que Dieu et la nature m'ont chargé de protéger. Or aujourd'hui je suis dans l'impossibilité de remplir les obligations que me confèrent ces privilèges, parce qu'un malade rôde dans les rues et égorge les gens quand l'envie lui en prend !

Bien qu'impressionné par cette diatribe, Drummond ne broncha pas. Il ouvrit la bouche pour répondre, mais Royce poursuivit, avant qu'il ait trouvé ses mots :

— Ne faites pas cette tête, mon vieux ! Je ne vous tiens pas pour responsable ! À la lumière du jour, le tueur ressemble à n'importe qui, à vous, à moi ou à un clochard en guenilles recroquevillé sous un porche entre Mile End et Woolwich. Il y a quatre millions d'habitants dans cette ville. Mais nous devons l'empêcher de recommencer. Vous n'avez donc pas la plus petite piste ?

Drummond exhala un léger soupir.

— Nous savons qu'il choisit son heure avec soin, car malgré le monde qui se trouve encore sur l'Embankment et devant le Parlement vers minuit, vendeurs de rues, prostituées, cochers, personne ne l'a vu.

— Ou alors quelqu'un ment ! Il a peut-être un complice qui l'accompagne !

Drummond l'observa d'un air dubitatif.

— Cela suppose que l'un des deux hommes est sain d'esprit. Pourquoi aiderait-on quelqu'un à commettre un acte aussi absurde et stérile, sauf à se faire payer ?

— Je l'ignore, admit Royce. Le complice est peut-être le véritable commanditaire. Il paie un fou pour exécuter la besogne à sa place.

Drummond frissonna.

— Supposition abominable, mais sait-on jamais ? Imaginons que notre homme se mette aux rênes d'un cab pour traverser Westminster Bridge à minuit ; l'assassin en descend subrepticement, commet son horrible forfait, puis remonte dans le cab aussitôt. Ils s'enfuient tous deux par l'Embankment ou vers le sud, par Waterloo Road, et s'éloignent rapidement sans se faire remarquer. Comment différencier un fiacre d'un autre parmi les centaines qui sillonnent la capitale ? Lorsque le cadavre est découvert, les assassins sont déjà loin. C'est épouvantable.

— Épouvantable, en effet, fit Royce d'une voix rauque.

Ils demeurèrent silencieux. Ils entendaient l'eau couler des gouttières et voyaient passer devant la porte de la sacristie les ombres de ceux qui s'apprêtaient à regagner leur domicile après l'enterrement.

— Si je peux faire quelque chose pour vous aider, reprit enfin Royce, faites-moi signe. Je suis prêt à tout pour appréhender ce monstre avant qu'il ne recommence à tuer.

— Merci, répondit Drummond à voix basse. Je vous promets de faire appel à vous en cas de besoin.

11

Pitt quitta le cimetière et marcha sous la pluie vers Albert Embankment. Il trouva un cab au milieu de Lambeth Bridge, qui le ramena au commissariat de Bow Street. Il avait besoin de réfléchir avant de revoir Micah Drummond. La thèse évoquée par Garnet Royce était terrible, mais ne pouvait être écartée. Il était possible que quelqu'un ait utilisé, pour mener à bien son projet, les services d'un malade mental, en le conduisant jusqu'au pont, en lui désignant la victime et en s'enfuyant rapidement avec lui. La police avait interrogé tous les cochers de la capitale possédant un permis de conduire un attelage, sans succès. Au début, on avait pu concevoir que l'un d'eux ait menti, par peur ou parce qu'il avait été grassement payé, mais après trois meurtres, cette hypothèse n'avait plus grand sens.

Malgré tous leurs efforts, Pitt et Drummond n'étaient pas parvenus à imaginer, et encore moins à trouver, une explication logique à chacun des trois crimes. Aucun problème, qu'il soit d'ordre financier, politique ou privé, ne reliait les victimes. Même Charlotte, d'habitude si perspicace, n'avait d'autre hypothèse à avancer que celle de la culpabilité de

Florence Ivory, qui aurait eu le courage de mettre ses idées à exécution.

Mais s'étant vengée d'Etheridge, quelles raisons aurait-elle eu de tuer Sheridan ? Le fait qu'elle n'en ait aucune lui permettait, précisément, de s'innocenter. Avait-elle assassiné Hamilton par erreur, en le confondant avec Etheridge, puis égorgé Sheridan pour écarter les soupçons ? Il lui aurait fallu un incroyable sang-froid. Or c'était un être impulsif que Pitt, dans sa générosité, refusait encore de croire coupable. Il comprenait la souffrance d'une femme qui avait perdu ce qu'elle avait de plus cher.

Il ne lui restait plus qu'à recommencer son travail de routine : vérifier à nouveau des emplois du temps et chercher des témoins qui se souviendraient peut-être enfin d'un détail significatif.

Il alla directement frapper à la porte du bureau de son supérieur. Celui-ci était arrivé avant lui.

Debout devant la cheminée, Micah Drummond se chauffait les mains et faisait sécher ses habits mouillés. Ses bottes étaient trempées et le bas de son pantalon fumait. Il fit un pas de côté pour laisser de la place à son subordonné. Simple geste amical, mais Pitt lui en fut bien plus reconnaissant que s'il lui avait adressé des paroles de louanges ou de réconfort.

— Eh bien ? s'enquit le commissaire.

— Retour à la case départ : interroger les agents qui font leur ronde dans le quartier, retrouver les cochers et les passants qui ont traversé le pont ou longé l'Embankment une heure avant ou après les crimes, questionner à nouveau les vendeurs de rues et les parlementaires présents aux séances de nuit.

— Escomptez-vous un résultat ? demanda Drummond avec une lueur d'espoir.

Pitt n'osa pas faire preuve de trop d'optimisme.

— Je l'ignore. De toute façon, nous n'avons rien de mieux à faire.

— Bien. Vous aurez six hommes supplémentaires à votre disposition. C'est tout ce que je peux vous proposer. Que dois-je leur dire ?

— D'interroger les cochers, les policiers en service autour du pont, de retrouver des témoins. De mon côté, je commence dès maintenant ; dans la soirée, j'irai voir les vendeurs de rues.

— Je verrai moi-même certains députés, dit Drummond en quittant à regret la chaleur de la cheminée pour aller décrocher le manteau encore mouillé qui pendait à la patère. Où allons-nous, dans un premier temps ?

Cet interminable après-midi d'interrogatoires ne leur apporta rien de nouveau. En rentrant chez lui, Pitt apprit par la bouche de Charlotte que le sentiment qui unissait Barclay Hamilton et sa belle-mère, loin d'être la jalousie haineuse qu'on leur prêtait, s'était révélé un amour profond et sans espoir. Pitt n'en tira aucune satisfaction, excepté un certain respect mêlé de compassion pour ces amoureux que le sens de l'honneur séparait depuis tant d'années. Il bénit sa chance d'être aussi heureux.

Le lendemain soir, Pitt retrouva Maisie Willis, la bouquetière de Westminster Bridge, une femme aux hanches généreuses et au visage tanné par le grand air. Il était impossible de lui donner un âge : elle aurait pu avoir la cinquantaine florissante ou la trentaine fatiguée. Elle portait une corbeille de violettes toutes fraîches, bleues, pourpres et blanches ; elle le regarda s'approcher avec un sourire engageant, puis, reconnaissant le policier qui l'avait déjà interrogée, sa mine s'allongea.

— Je vous ai déjà dit tout ce que je savais, le prévint-elle avant même qu'il ait ouvert la bouche. Moi, je vends des fleurs et j'échange deux ou trois mots aimables avec mes clients, c'est tout. J'ai remarqué personne en particulier la nuit où ces beaux messieurs ont été assassinés — Dieu ait leur âme —, sauf mes clients habituels et les filles qui travaillent dans le quartier. J'ai pas vu de cab s'arrêter sur le pont. Freddie et Bert vendaient leurs feuilletés et leurs sandwiches, comme tous les soirs.

Pitt fouilla dans sa poche, en sortit quelques pennies et les lui tendit.

— Un bouquet de violettes bleues, s'il vous plaît. Non, attendez, je préfère les blanches.

— Vous avez raison, elles ont un parfum plus sucré. Elles sont plus odorantes que les violettes de Parme. Peut-être pour remplacer la couleur qui leur manque ?

— Eh bien, donnez-moi un bouquet de chaque, s'il vous plaît.

— Tenez, mon chou. Je vous répète que j'ai rien vu. Je peux pas vous aider. Désolée !

— Vous vous souvenez tout de même d'avoir vendu des fleurs à Sir Lockwood Hamilton ?

— Évidemment ! Il m'en achetait souvent. Un homme bien gentil, qui marchandait jamais. Pas comme certains que je préfère pas nommer. Des riches qui chipotent pour un quart de penny, on aura tout vu !

Maisie poussa un profond soupir. Pitt savait que pour elle, perdre un quart de penny sur un bouquet de violettes était très important ; rien d'étonnant à ce qu'elle reprochât — et encore, sans trop de virulence — à des gens qui s'attablaient chaque jour devant des dîners comportant jusqu'à neufs plats consécutifs de chicaner pour l'équivalent d'une tranche de pain !

— Vous souvenez-vous de ce soir-là ? La séance s'était terminée très tard.

— Entre nous, y a séance et séance, remarqua-t-elle avec une petite grimace. À quoi ils ont passé leur temps, d'après vous ? À discutailler de nouvelles lois pour nous, les pauvres, ou à siroter une bonne bouteille de porto ?

— Il faisait beau, poursuivit Pitt. Un temps agréable pour rentrer chez soi à pied. Essayez de vous souvenir du moindre détail, je vous en prie. Par exemple, qu'aviez-vous mangé ? Aviez-vous acheté quelque chose à un marchand ambulant ?

Le visage de la bouquetière s'éclaira.

— Ah, ça, je m'en souviens ! J'ai acheté des anguilles marinées à Jacko, qui vend sur l'Embankment.

— Quelle heure était-il ?

— Sais pas, mon chou.

— Mais si, vous le savez. Vous avez dû entendre l'horloge de Big Ben. Réfléchissez ! Vous attendiez que les députés sortent de la Chambre.

Maisie fronça les sourcils.

— J'ai entendu sonner dix heures, mais c'était avant que j'aille acheter les anguilles.

— Et où étiez-vous quand onze heures ont sonné ?

Un passant s'arrêta pour acheter des violettes. La bouquetière les lui tendit, empocha l'argent, puis reprit :

— Je parlais avec Jacko. Il disait que c'était une bonne nuit pour les affaires, parce qu'il faisait doux et que les gens allaient traîner dans les rues. Il avait raison. J'avais amené un carton supplémentaire de fleurs, et je les ai toutes vendues.

— En quittant Jacko, vous êtes remontée sur le pont et vous avez attendu la sortie du Parlement ? insista Pitt.

— Ma foi, non, répondit-elle après réflexion. J'ai pas fait ça. J'en avais assez d'attendre le client. Je suis remontée sur le Strand et j'ai fait le tour des théâtres. J'ai vendu tout mon stock.

— Impossible, la contredit Pitt. Vous devez confondre avec un autre soir. Vous avez vendu des fleurs à Sir Hamilton. Des primevères. Il portait des primevères à la boutonnière quand on l'a trouvé. Or il ne les avait pas en sortant du Parlement, quelques minutes avant de traverser le pont.

— Des primevères ? J'en vends pas en cette saison. Plus tard, oui. En ce moment, je vends que des violettes.

— Êtes-vous prête à le jurer ? demanda Pitt, prudent, alors qu'une petite idée commençait à germer dans son cerveau.

— Non mais, vous me prenez pour qui ? Je vends des fleurs depuis l'âge de six ans et je ferais pas la différence entre une violette et une primevère ?

— Alors qui a vendu des fleurs à Sir Lockwood ?

— Ben, y en a qu'ont du culot de prendre la place des autres ! s'exclama-t-elle d'un ton amer.

Puis elle se radoucit aussitôt.

— Faut dire que pendant ce temps, j'étais sur le Strand. C'est pas exactement l'endroit où je vends d'habitude.

Elle haussa les épaules.

— Désolée, mon mignon.

— Donc, je suppose que vous n'avez pas non plus vendu de primevères à Mr. Etheridge ni à Mr. Sheridan ?

— Je vous répète que je vends pas de primevères !

Pitt fouilla encore ses poches à la recherche de quelques pièces et lui acheta deux autres bouquets.

— Dans ce cas, je me demande qui les leur a vendues.

Maisie émit un grognement incrédule, puis roula soudain des yeux effarés.

— Bon sang ! C'est l'égorgeur ! Évidemment ! Oh, là, là ! Ça vous donne pas la chair de poule ? À moi, si !

— Merci pour le renseignement, dit Pitt en tournant les talons.

Il s'éloigna rapidement puis se mit à courir en agitant les bras en direction d'un cab.

— Une marchande de fleurs ? répéta Drummond, le front plissé par la surprise.

— Au moins, cela me donne un début de piste, ajouta Pitt devant l'expression pensive de son supérieur. Les marchandes de fleurs sont quasiment invisibles. Mais lorsque vous savez ce que vous cherchez, vous vous apercevez qu'elles existent et qu'elles ont un territoire bien défini. Dans une même rue, deux bouquetières ne vendent pas les mêmes fleurs. Maisie Willis, par exemple, a l'extrémité de Westminster Bridge, côté Parlement ; le soir de la mort d'Hamilton, elle a changé de secteur et est allée vendre sur le Strand. Notre égorgeur ne pouvait le savoir à l'avance. Il — ou peut-être devrais-je dire *elle* — a profité de l'opportunité, et de même quand Etheridge et Sheridan ont été assassinés. Il a dû attendre, guettant l'occasion, et cela sans doute plusieurs soirs, jusqu'à ce qu'une nuit, à la sortie de la Chambre des communes, Maisie soit absente, et que l'homme qu'il voulait tuer soit seul sur le pont. Celui-ci s'est sans doute arrêté pour lui acheter des fleurs, mais dans la pénombre, il n'a pas vu son visage. Évidemment, il ne s'attendait pas à voir quelqu'un de sa connaissance vêtu de vieilles frusques et portant un plateau de fleurs !

Au fur et à mesure qu'il parlait, la scène se dessi nait devant ses yeux.

— Notre marchande encaisse l'argent, lève le bouquet pour l'accrocher à la boutonnière...

Pitt mima le geste, refermant son poing comme s'il tenait un rasoir.

— ... et égorge sa victime en un éclair. Celle-ci s'effondre ; elle la retient, la redresse et l'attache au réverbère à l'aide de son écharpe, en prenant soin de mettre les fleurs dans la boutonnière. Elle cache le rasoir dans sa corbeille et s'éloigne, ni vu ni connu. Ce n'est qu'une bouquetière qui a accroché les fleurs à la boutonnière de son client avant de s'en aller.

Drummond eut un frisson de dégoût.

— S'il s'agit d'une femme, elle doit être particulièrement robuste ! Mais les nuits étant encore fraîches, un homme peut s'emmitoufler dans de vieilles nippes, jeter un châle sur ses épaules et un fichu sur sa tête et le tour est joué. Comment diable allons-nous mettre la main dessus, Pitt ?

— Désormais, nous pouvons interroger les témoins avec plus de précision. Nous commencerons par les parlementaires. Cette marchande a dû vendre plusieurs bouquets de primevères. Il se peut que quelqu'un se souvienne d'un détail la concernant, puisque d'habitude, c'est Maisie qui vend des fleurs sur le pont ; or en cette saison, elle ne propose que des violettes. Nous pourrions avoir une idée de sa taille ; c'est ce qu'il y a de plus difficile à modifier ; une personne voûtée ne passe pas inaperçue. Il en va de même pour le poids. Une personne mince peut se grossir avec des vêtements, mais quelqu'un de fort ne peut dissimuler son embonpoint. Un homme adulte arrive à se faire passer pour une vieille femme, mais plus difficilement pour une jeune. La marchande devait porter des mitaines ; or un homme corpulent n'a pas des mains de jeune fille.

Drummond fixa sur Pitt un regard attristé. Il avait les traits tirés, l'air fatigué.

— Et si l'assassin avait un complice ? La bouquetière pouvait simplement détourner l'attention de la victime pendant que l'autre l'attaquait par-derrière.

Pitt savait à quoi pensait Drummond : Africa Dowell, déguisée en marchande de fleurs, tendant un bouquet, tandis que Florence Ivory se glisse derrière sa proie avec un rasoir... Celle-ci se retourne au dernier moment — d'après le médecin légiste, les plaies provenaient d'une attaque frontale et avaient été portées par une main gauche. Puis toutes deux attachent leur victime au réverbère. Entreprise risquée ; deux personnes se font remarquer plus facilement qu'une seule. Mais l'hypothèse demeurait plausible.

— Passons aux vêtements, poursuivit Pitt, s'efforçant d'imaginer la scène. Une marchande de fleurs vêtue d'une belle robe et d'un manteau aurait tout de suite été remarquée par les députés. Or leurs témoignages ne mentionnent pas ce détail. Il devait donc s'agir d'une personne de taille moyenne, robuste, aux épaules carrées, à la poitrine et aux hanches généreuses, portant des habits ordinaires, corsage, blouse, plusieurs épaisseurs de jupons, un châle passant sur un chapeau plat et noué sous le menton pour protéger les oreilles du vent. Ah, le plus important, les fleurs ! Il a bien fallu qu'elle s'en procure, pas trop, quatre ou cinq bouquets, pour passer pour une marchande qui finit sa journée.

— Ne m'avez-vous pas dit que Florence Ivory avait un jardin ? demanda Drummond en s'approchant de la cheminée pour la recharger en charbon.

Le temps s'était rafraîchi et une pluie fine glissait sur les carreaux.

— Oui, mais un jardin privé ne peut fournir une quantité suffisante de fleurs pour confectionner des bouquets plusieurs jours de suite...

Drummond, accroupi devant l'âtre, leva les yeux vers lui.

— Qu'en savez-vous ? Avez-vous un jardin ? Vous n'auriez pas le temps de vous en occuper ! Cela dit, vous aurez davantage de loisirs, après votre promotion.

Pitt eut un sourire tendu.

— Oui... oui, c'est vrai. En fait, nous avons un jardinet ; c'est Charlotte qui en prend soin. Mais j'ai été élevé à la campagne.

Drummond haussa les sourcils.

— Ah ? Je l'ignorais. Je pensais que vous étiez citadin. Curieux comme nous savons peu de la vie des gens, même si nous les côtoyons tous les jours. Donc, d'après vous, où a-t-elle acheté les primevères ?

— Comme toutes les marchandes, j'imagine. À la halle aux fleurs. C'est facile à vérifier.

— Bon. Je vous charge de vous en occuper. Nous retournerons ensemble questionner les parlementaires. Parmi tous les protagonistes de l'affaire, qui pourrait se faire passer pour une marchande de fleurs ? Lady Hamilton ?

— J'en doute. Et Barclay Hamilton peut difficilement faire semblant d'être une femme. Il est très grand.

— Mrs. Sheridan ?

— Pourquoi pas ?

— Helen Carfax ?

Pitt haussa les épaules. Il ne parvenait pas a imaginer cette pâle et malheureuse jeune femme allant hardiment acheter des fleurs aux halles avant de se poster au coin d'une rue pour les vendre à des passants, en attendant l'heure d'égorger son propre père ! La grosse voix éraillée de Maisie Willis résonna dans sa mémoire.

— Pour être franc, je ne vois pas Mrs. Carfax en train de vendre des fleurs à minuit sur Westminster Bridge, répondit-il. Et son mari est lui aussi bien trop grand pour se déguiser en femme.

— Florence Ivory ?

— J'ignore quel métier elle a pu exercer pour gagner sa vie, après avoir quitté son foyer et avant de rencontrer Africa Dowell, mais en effet, elle est tout à fait capable de le faire.

Drummond se pencha en avant.

— Dans ce cas, Pitt, il faut l'arrêter. Nous avons assez de motifs pour lancer un mandat de perquisition. Il se peut que nous retrouvions des vêtements ; si elle a l'intention de recommencer, elle a dû les garder. Mon Dieu, cette femme doit être folle !

— Oui, acquiesça Pitt avec une grande tristesse. Pauvre femme !

Une fouille approfondie au domicile d'Africa Dowell ne donna aucun résultat : des vêtements de travail raccommodés, des gants, quelques corbeilles de jardinier, des tabliers de cuisine, rien qui puisse constituer le costume d'une marchande de fleurs.

Le troisième interrogatoire des parlementaires s'avéra un peu plus fructueux. Plusieurs d'entre eux, pressés de questions, finirent par se souvenir d'une bouquetière qui n'était pas Maisie Willis ; mais ils ne purent en donner qu'une description imprécise : plus grande et plus forte que Maisie, c'était tout. En revanche, ils se souvenaient qu'elle vendait bien des primevères et non des violettes.

Était-elle emmitouflée dans des écharpes et des châles ? Non, pas spécialement. Était-elle jeune, vieille, blonde, brune ? Plus toute jeune, c'était certain, mais pas très âgée non plus. La quarantaine, ou la cinquantaine. Un député ne perd pas son temps à estimer l'âge d'une marchande de fleurs !

Une forte femme, donc, plus carrée que Maisie. Il ne pouvait s'agir de Florence Ivory. Africa Dowell, alors, avec des habits rembourrés, le visage grimé pour se vieillir et dissimuler son ravissant teint de blonde, les cheveux dissimulés sous un chapeau poussiéreux ?

Pitt retourna à Bow Street pour faire part à son supérieur des dernières avancées de l'enquête. Drummond paraissait toujours aussi harassé et défait. Le bas de son pantalon était humide, ses pieds glacés ; il avait la gorge sèche d'avoir réitéré, le plus poliment possible, des questions auxquelles on lui avait déjà répondu par la négative. Il était épuisé d'avoir soupesé, mesuré, filtré des fragments de souvenirs, réels ou suggérés, sans en savoir plus qu'avant.

— Pensez-vous qu'elle va encore frapper ?

— Dieu seul le sait, répondit Pitt, sincère. Mais dans ce cas, nous saurons qui chercher.

Drummond s'assit sur le coin de son bureau, après avoir repoussé le papier buvard et l'encrier.

— Il faudra peut-être attendre des semaines, des mois. Si cela se trouve, il ne se passera rien.

Les deux policiers se regardèrent. Ils venaient de penser précisément à la même chose. Le premier, Drummond prit la parole.

— Il faut la provoquer. Nous devons trouver quelqu'un qui puisse servir d'appât et qui traversera le pont après chaque séance de nuit. Bien sûr, des agents se tiendront prêts à intervenir, déguisés en cochers ou en vendeurs de rues.

— Lequel de nos hommes pourrait passer pour un député à la Chambre ? ironisa Pitt.

Drummond fit la grimace.

— Aucun. À part moi.

Aussi, pendant huit nuits consécutives, le commissaire Drummond se rendit au Parlement et se glissa dans la tribune réservée au public ; il y restait jusqu'à la fin de chaque séance, puis se mêlait à la foule des députés, bavardant avec quelques-uns d'entre eux. Ensuite, il quittait la Chambre, passait devant la statue de Boudicca et empruntait le pont de Westminster. Par deux fois, il acheta des violettes à Maisie Willis et une fois un feuilleté chaud à Freddie, sur l'Embankment. Jamais il ne vit une vendeuse de primevères, et personne ne chercha à l'approcher.

Le neuvième soir, alors que, découragé, il remontait le col de son manteau, prêt à affronter le froid de la nuit et les tourbillons de brouillard qui montaient de la Tamise, il fut abordé par Sir Garnet Royce.

— Bonsoir, Mr. Drummond.

— Oh... bonsoir, Sir Garnet.

Royce paraissait tendu. La lumière du réverbère éclairait son grand front et se reflétait dans ses yeux gris.

— Je sais ce que vous faites, Drummond, dit-il d'une voix entrecoupée. Vous voyez bien que cela ne sert à rien.

Il se reprit très vite, en homme habitué à se dominer et à commander les autres.

— Vous ne parviendrez pas à l'appréhender de cette manière. Souvenez-vous, je vous ai offert mon aide. L'offre tient toujours. Laissez-moi traverser ce pont. Si ce fou tient à frapper à nouveau, il trouvera sa cible légitime : un vrai député...

Il s'interrompit, s'éclaircit la gorge et s'efforça d'articuler d'une voix claire :

— Un vrai député habitant sur la rive sud et qui rentre chez lui par une belle nuit de printemps.

Drummond hésita. Les risques étaient évidents, sans compter le sentiment de culpabilité qui le rongerait si quelque chose arrivait à Royce. On le tiendrait pour responsable; on l'accuserait de lâcheté. Cependant depuis huit jours qu'il quittait le palais de Westminster pour traverser ce maudit pont, rien ne s'était produit. Royce avait raison : l'égorgeur était peut-être un malade mental, mais il — ou elle — ne se laissait pas duper.

Il savait que Royce avait peur ; il le voyait dans ses yeux, dans son expression farouche, dans le tremblement nerveux de sa lèvre inférieure, dans la raideur de sa nuque ; il semblait indifférent au froid et au brouhaha de la foule à quelques mètres de là, comme s'il était le seul être humain au milieu des pigeons de Trafalgar Square.

— Vous êtes courageux, Sir Garnet. Je suis bien obligé d'accepter votre offre. J'aurais préféré me passer de votre aide, mais je ne vois guère d'autre solution.

Il vit Royce relever le menton, les muscles de sa gorge se tendre. Les dés étaient jetés.

— Nous nous trouverons en permanence à quelques mètres de vous, déguisés en cochers, en vendeurs, en ivrognes. Je vous donne ma parole que personne ne touchera à un seul de vos cheveux !

Dieu fasse qu'il puisse tenir cette promesse !

Le lendemain matin, Drummond parla à Pitt de sa rencontre avec Royce. Les deux policiers avaient pris place devant la cheminée où ronflait un beau feu vif. La vue des flammes léchant le conduit, les lueurs tremblotantes et les crépitements procuraient au commissaire un intense sentiment de sécurité, après la soirée de la veille. En quittant Royce, il avait traversé le pont en marchant à pas mesurés dans les ténèbres qui séparaient chaque réverbère. Ses pas résonnaient, lugubres, sur le tablier mouillé du pont ; des voiles de brume montaient de l'eau noire ; les lumières et les voix venant des berges lui semblaient lointaines et distordues.

Pitt l'observait en silence.

— Avez-vous une autre idée ? lança Drummond, abattu. Il faut l'arrêter !

— Je le sais. En effet, je ne vois pas d'autre solution.

— Je serai là, ajouta Drummond. Je me ferai passer pour un ivrogne venant de..

Pitt secoua la tête.

— Il n'en est pas question.

En d'autres circonstances, la phrase aurait paru impertinente, face à un supérieur.

— Nous avons besoin de Royce parce que l'égorgeur sait que vous n'êtes pas député. Pour que l'opération réussisse, Sir Garnet doit paraître seul et vulnérable. Une vraie victime, pas un leurre. Vous ne pouvez vous approcher plus près que Victoria Embankment. Nous mettrons trois agents au bout du pont, de manière à empêcher le tueur de s'échapper par là, et nous préviendrons la police fluviale de se tenir prête à intervenir au cas — improbable — où il enjamberait le parapet pour sauter à l'eau. Deux agents vêtus en vendeurs de rues se tiendront à l'autre extrémité, côté Parlement, et moi, je conduirai un cab qui traversera le pont à peu près en même temps que Royce. Si je parviens à rester un peu en arrière, je pourrai l'observer ; j'essaierai de m'approcher de lui le plus possible sans effrayer personne. Il est normal qu'un cocher guette le client.

— Ne pourrions-nous pas poster un homme sur le pont ? Déguisé en mendiant ou en poivrot ?

Drummond était pâle, les narines pincées.

Pitt n'hésita pas.

— Non. Une présence à cet endroit l'effraierait.

— Mais j'ai promis à Royce que nous le couvririons ! insista Drummond.

Pitt ne répondit pas. Ils connaissaient les dangers encourus et savaient qu'ils ne pouvaient faire davantage pour sa protection.

Les trois jours suivants, les séances du Parlement s'achevèrent tôt dans la soirée. La police surveillait les alentours du pont, mais rien ne se produisit. Au soir du quatrième jour, le ciel était lourd de gros nuages noirs; la nuit tomba très tôt. Les lampes des réverbères faisaient penser à une guirlande de petites lunes jaunes. L'air était chargé d'humidité; les ombres fantomatiques des péniches glissaient sur le fleuve, fendant la surface moirée de l'eau.

Sous la statue de Boudicca, dont les valeureux coursiers, figés pour l'éternité, sabots au vent, entraînaient le char vers un combat héroïque contre les Romains, un agent battait la semelle devant une charrette remplie de sandwichs; emmitouflé dans un gros cache-col, les doigts bleuis par le froid en dépit de ses mitaines, il guettait le passage de Sir Garnet, prêt à le suivre à distance dès que quelqu'un s'approcherait de lui. Sa matraque était dissimulée dans les plis de son grand manteau.

À l'entrée de la Chambre des communes, un agent en livrée de valet se tenait très droit, feignant d'attendre un message de son maître, mais en réalité cherchant des yeux la silhouette de Royce et celle d'une marchande de fleurs.

À l'autre extrémité du pont, sur la rive sud, deux policiers déambulaient déguisés en gentlemen légèrement pris de boisson, cherchant la bagatelle; un troisième était aux rênes d'un fiacre garé à une vingtaine de mètres du bout du pont, devant la première maison de Belvedere Road, attendant un client supposé être en visite.

Micah Drummond se tenait dans la pénombre de Victoria Embankment, le regard tourné vers New Palace Yard, épiant la sortie des députés dont il ne pouvait, de loin, reconnaître distinctement les silhouettes. Il gardait son visage dans l'ombre, le haut-de-forme incliné en avant, l'écharpe masquant le bas de son visage. Un passant l'aurait pris pour un gentleman sortant d'une soirée un peu trop arrosée, qui se serait arrêté pour respirer un peu d'air frais avant de regagner son domicile. Personne ne lui accorda la moindre attention.

Au loin, venant des docks, s'élevait le mugissement assourdi des sirènes de brume des bateaux remontant la Tamise.

Sur la rive nord, Pitt était aux rênes d'un cab stationné sur Victoria Embankment, juste au-dessus des marches qui descendaient vers le fleuve. La hauteur du siège du cocher lui permettait d'embrasser toute la scène et le rendait presque invisible aux yeux des passants. Il tenait les rênes relâchées sur l'encolure du cheval qui s'impatientait.

Il s'entendit héler par un piéton et répondit aussitôt :

— Désolé, chef, j'attends un client.

L'homme marmonna qu'il n'y avait personne en vue, mais poursuivit son chemin.

Les minutes s'égrenaient. Les parlementaires commençaient à se disperser L'agent déguisé en vendeur de sandwichs en vendit quelques-uns. Pitt espéra qu'il ne les écoulerait pas tous, car il attirerait les soupçons à rester là les bras ballants devant une charrette vide.

Où était Royce ? Que diable faisait-il ? Pitt ne pouvait le blâmer d'avoir senti son courage l'abandonner au dernier moment; il fallait avoir les nerfs solides pour oser s'aventurer sur le pont.

Big Ben sonna onze heures moins le quart.

Pitt se demandait s'il n'allait pas descendre de son perchoir pour se lancer à la recherche de Royce. Si celui-ci était parti dans une autre direction, en empruntant Lambeth Bridge, par exemple, ils allaient tous faire le pied de grue inutilement.

Un homme d'âge moyen, le cheveu grisonnant, s'approcha à grands pas du cab.

— Cocher ! 25, Great Peter Street. Allons, mon vieux, vous dormez !

— Désolé, monsieur. J'ai déjà un client.

— Vous vous moquez de moi ! s'exclama l'homme, irrité, la main sur la poignée de la portière. Je ne vois personne. Allons, réveillez-vous et démarrez.

— Je vous répète que j'attends quelqu'un, monsieur, répondit sèchement Pitt, les nerfs à vif. Il est entré là-bas, ajouta-t-il en pointant sa main gantée en direction d'une façade d'immeuble, sur l'Embankment. Je dois l'attendre.

L'homme jura dans sa barbe et tourna les talons. C'était un député dont Pitt se souvenait d'avoir vu la photographie dans l'*Illustrated London News* ; un homme au visage singulier, élégamment vêtu, avec des fleurs à la boutonnière... Pitt sentit son sang se glacer dans ses veines. Un bouquet jaune pâle. Des primevères !

Ses mains se crispèrent sur les rênes si violemment que le cheval releva la tête et fit un pas en avant, agitant son harnais avec bruit.

Dans l'ombre d'un porche, Micah Drummond frissonna. Il ne voyait que la silhouette de Pitt, raide sur son siège.

Une sirène de brume mugit dans le lointain. Les lumières des réverbères se reflétaient en dansant dans l'eau noire.

Garnet Royce s'avançait dans la rue. Il interpella un collègue d'une voix forte et rauque qui trahissait sa peur. Il passa d'une démarche mal assurée à côté du faux vendeur de sandwichs et entreprit la traversée du pont, menton relevé, épaules raidies, sans un coup d'œil en arrière.

Pitt fit claquer ses rênes et le cab s'ébranla. Un homme portant un parapluie passa entre lui et Royce, le cachant à sa vue. Le vendeur de sandwiches abandonna sa charrette ; le valet en livrée cessa de regarder en direction de New Palace Yard et se mit à marcher vers le pont, comme s'il avait soudain décidé de ne plus attendre son maître.

De l'ombre de la statue de Boudicca surgit une silhouette trapue, portant une corbeille de fleurs, les épaules enveloppées d'un châle épais. Elle ne fit pas cas du valet — un domestique n'achète pas de fleurs — et s'engagea avec rapidité sur le pont, derrière Royce. Celui-ci marchait d'un pas régulier, sans regarder à droite ni à gauche, concentrant son attention sur les îlots de lumière de chaque réverbère. Il se trouvait maintenant au milieu du pont.

Micah Drummond émergea de la pénombre.

Pitt pressa le cheval et tourna à gauche sur le pont. Il se trouvait à deux ou trois mètres seulement de la marchande de fleurs dont la silhouette se découpait dans la brume. Elle marchait d'un pas léger derrière Royce, qui ne semblait pas l'avoir entendue. Celui-ci quitta la flaque de lumière laiteuse d'un réverbère à trois branches et se hâta dans les ténèbres vers le suivant. Autour des globes des lampadaires, les gouttelettes de brume formaient un étrange halo argenté et scintillant. La large carrure du député était éclairée, ainsi que le bord de son haut-de-forme, tandis que son visage disparaissait dans l'obscurité.

Pitt tenait les rênes si serrées que ses ongles entraient dans ses paumes, en dépit de ses mitaines. Il sentait une sueur glacée couler dans son dos.

— Des fleurs, monsieur ? Des primevères parfumées ?

La voix était à peine audible, comme celle d'une petite fille.

Garnet se retourna d'un seul coup. Il était encore assez près du réverbère pour que l'on pût distinguer ses traits ; ses cheveux gris étaient masqués par son chapeau, mais on voyait son grand front, l'éclat d'acier de son regard, la solide ossature de son visage. Il vit la femme, un bouquet de primevères d'une main, saisir quelque chose dans sa corbeille. Sa bouche s'ouvrit dans une exclamation de terreur triomphante.

Pitt lâcha les rênes et sauta du siège, atterrissant brutalement sur le pavé glissant. La femme leva le bras, brandissant un rasoir dont la lame étincela à la lumière.

— Je te tiens ! hurla-t-elle, en lançant la corbeille de fleurs qui s'éparpillèrent sur le trottoir. Je te tiens enfin, Royce !

Pitt se jeta sur elle et abattit sa matraque sur son épaule ; la douleur stoppa net le geste de l'assaillante, qui fit volte-face, blême de surprise.

Pendant une fraction de seconde, ils restèrent tous trois immobiles : la femme, bouche ouverte, yeux écarquillés, le rasoir étincelant à la main, Pitt, la matraque serrée dans son poing, et Royce, à trois mètres en retrait.

Soudain, celui-ci plongea la main dans sa poche et, avant que la femme ait pu faire un geste, sortit un pistolet et fit feu. Elle fit un pas vers Pitt en trébuchant. Un deuxième coup retentit, puis un troisième. Le rasoir rebondit sur le sol avec un cliquetis métallique. La femme tomba en avant sur la chaussée et resta allongée dans le caniveau au milieu des pétales de fleurs ; une large tache rouge s'élargissait sur son châle.

Pitt se pencha sur elle : il n'y avait plus rien à faire. Une balle l'avait touchée en plein cœur ; les deux autres avaient frappé l'épaule et la poitrine.

Il se releva lentement et regarda Royce, livide et impassible, qui tenait toujours son arme, un pistolet noir et brillant.

— Vous avez failli y rester, mon vieux, dit celui-ci d'une voix rauque.

Il passa la main sur son front et cligna des yeux, comme si la tête lui tournait.

— Est-elle morte ?

— Oui.

— Désolé.

Il s'avança, s'arrêta à environ un mètre du corps et tendit le pistolet à Pitt, qui le prit avec répugnance.

— Au fond, cela vaut peut-être mieux pour elle que la corde, dit Royce en regardant le cadavre. Qu'elle repose en paix.

Pitt ne trouva rien à dire. La pendaison était une peine monstrueuse. À quoi aurait servi de juger une créature à l'esprit manifestement dérangé ?

— Merci, Sir Garnet, dit-il en lui tendant la main. Sans votre courage, nous serions encore en train de courir après l'assassin.

Royce lui rendit une vigoureuse poignée de main.

Les cinq agents ayant participé à l'opération s'approchaient du cercle de lumière. Micah Drummond, arrivé le dernier, regarda Pitt et Royce, puis s'agenouilla près du cadavre. Il écarta les pans du châle ensanglanté, à la recherche d'un élément permettant de l'identifier.

— La connaissez-vous, monsieur ? demanda-t-il à Royce.

— Moi ? Grand Dieu, non !

Drummond examina le corps avec soin, puis se releva et déclara d'une voix calme où se mêlaient horreur et compassion :

— À voir ses vêtements, on peut supposer qu'elle sortait de l'asile de Bedlam.

Pitt se souvint soudain des derniers mots de la malheureuse et regarda Royce

— Elle vous connaissait, Sir Garnet. Elle vous a appelé par votre nom.

Royce demeura un instant immobile, l'air absent. Puis il s'approcha du corps et l'observa. Tout le monde se tut. Une sirène de brume résonna, vers les docks.

— Je... je ne peux l'affirmer avec certitude, mais si elle vient vraiment de Bedlam, il pourrait s'agir d'Elsie Draper. C'était la cadériste de mon épouse, il y a dix-sept ans Une femme de la campagne, qui avait suivi Naomi lorsque nous nous sommes mariés. Elsie lui était totalement dévouée. À sa mort, elle a complètement perdu l'esprit, au point que nous avons dû la faire interner. J'ignorais qu'elle avait des pulsions criminelles. Je me demande comment elle a pu se retrouver en liberté.

— L'asile ne nous a pas signalé d'évasion, remarqua Drummond. Ils ont dû la relâcher, pensant qu'au bout de dix-sept ans elle était inoffensive.

— Inoffensive ! haleta Royce.

Le mot se perdit dans la brume qui s'élevait en volutes autour du lampadaire.

Drummond se leva.

— Bien. Il faut prévenir la morgue, pour que l'on vienne enlever le corps. Pitt, prenez le cab et raccompagnez Sir Garnet à son domicile.

— Bethlehem Road, précisa celui-ci. Merci. J'avoue que je me sens soudain très fatigué. J'ai froid..

— Nous vous sommes tous reconnaissants, Sir Garnet, dit Drummond en lui tendant la main. La population de Londres vous est très redevable.

— Je préférerais que mon nom ne soit pas mentionné dans les journaux Cela paraîtrait...

Royce n'acheva pas sa phrase et ajouta :

— Je... j'aimerais offrir à cette femme un enterrement décent. C'était une excellente domestique, avant... avant qu'elle ne perde la raison.

Drummond ouvrit la portière du cab. Garnet Royce s'y engouffra. Pitt remonta sur le siège du cocher et fit claquer les rênes sur l'encolure du cheval.

Quand Pitt rentra chez lui, Charlotte était endormie, et il ne la réveilla pas. Il n'éprouvait pas le relâchement euphorique qui suivait en général la conclusion d'une enquête longue et difficile, mais seulement une extrême lassitude. Il sombra dans un profond sommeil et s'éveilla si tard le lendemain matin qu'il dut quitter la maison sans prendre le temps de déjeuner.

Il ne dit rien à Charlotte. Il voulait d'abord s'assurer que ce qui s'était passé la veille confirmerait qu'Elsie Draper était bien l'égorgeur de Westminster Bridge. Il serait temps ensuite de faire parvenir un message à Charlotte afin qu'elle prévienne tante Vespasia que Florence Ivory était à l'abri de tout soupçon désormais. Il lui précisa simplement que l'affaire était presque close, l'embrassa et partit très vite, alors qu'elle commençait à lui réclamer des explications.

Micah Drummond était arrivé avant lui au commissariat. Pour la première fois depuis des semaines, il donnait l'impression d'avoir dormi sans cauchemar ni insomnie.

— Bonjour, Pitt, dit-il en lui tendant la main. L'affaire est close. Cette pauvre femme est bien la meurtrière. Il y avait de vieilles taches de sang sur les poignets de son corsage et son tablier, datant sans doute des premiers crimes, ainsi que sur le manche et la lame du rasoir. Nous avons vérifié son identité auprès du médecin-chef de Bedlam ; il s'agit en effet d'Elsie Draper, internée il y a dix-sept ans pour neurasthénie aiguë ; elle est sortie de l'asile deux semaines avant la mort de Sir Lockwood Hamilton. Pendant toute la durée de son internement elle n'a jamais présenté de signes d'agitation ou de violence. On la trouvait un peu simplette. Grave erreur de la part des services de santé, mais nous n'y pouvons rien. Le ministre de l'Intérieur nous a envoyé un message de félicitations. Les journaux du matin ont sorti une édition spéciale. Vous pouvez rentrer chez vous et prendre quelques jours d'un repos bien mérité, ajouta-t-il en souriant. La semaine prochaine, vous entrerez en fonction dans votre nouveau bureau, au premier étage, inspecteur principal Pitt.

— Merci, monsieur, répondit ce dernier en lui serrant la main.

Mais au fond de lui-même, ce n'était pas ce qu'il désirait.

12

Pitt rentra chez lui soulagé, sans toutefois pouvoir chasser un sentiment de malaise indéfinissable. Pourtant, l'affaire était classée. Elsie Draper, animée d'une folie meurtrière, avait assassiné trois hommes et tenté d'en égorger un quatrième. Seuls le courage de Royce et le sang-froid des policiers chargés d'assurer sa protection l'avaient empêchée d'exécuter ce dernier crime.

Pitt allait pouvoir savourer quelques jours de congé en compagnie de Charlotte et des enfants. Ils s'occuperaient du jardin, tous ensemble : lui prendrait la bêche, Jemima arracherait des mauvaises herbes, Daniel en ferait des petits tas et Charlotte superviserait le tout; elle seule savait ce qu'il fallait semer et planter pour obtenir de jolis massifs. Il sourit à cette pensée, sentant déjà ses doigts s'enfoncer dans la terre fraîchement retournée, le dos au soleil, toute sa petite famille riant et bavardant autour de lui.

Tout d'abord Charlotte irait annoncer la nouvelle à tante Vespasia : Florence Ivory et Africa Dowell étaient innocentées. Au fond, sa seule véritable satisfaction dans cette affaire serait de voir la peur disparaître du visage de ces deux femmes, de savoir qu'elles pourraient recommencer à mener une vie normale et panser leurs plaies — si toutefois Florence décidait de laisser sa rage de côté.

Il trouva Charlotte dans la cuisine, manches retroussées, en train de pétrir la pâte à pain. Gracie, à quatre pattes, lavait le parquet. La pièce sentait bon le pain cru. Daniel jouait au cerceau dans le jardin et, par la fenêtre ouverte, on l'entendait pousser de petits cris joyeux.

Ignorant Gracie, Pitt prit Charlotte dans ses bras, déposa de légers baisers sur ses joues, sa nuque et sa gorge.

— Enfin, l'égorgeur, ou plutôt l'égorgeuse, est hors d'état de nuire, annonça-t-il. Hier soir, nous lui avons tendu un piège et l'avons prise sur le fait. Garnet Royce nous servait d'appât. Elle s'est jetée sur lui avec un rasoir. Moi j'ai sauté du cab pour la désarmer, et Royce a fait feu. Il m'a peut-être sauvé la vie.

Sentant Charlotte se raidir dans ses bras, inquiète, il corrigea précipitamment :

— Non, j'exagère. Elle n'aurait pas pu retourner son arme contre moi. Je lui avais assené un coup de matraque sur l'épaule, et les renforts arrivaient. Mais Royce s'est cru en état de légitime défense. Une pauvre folle qui sortait de l'asile de Bedlam. Mieux vaut qu'elle soit morte sur le coup, plutôt que d'être jugée et pendue. Voilà, tout est fini. Et je suis nommé inspecteur principal.

Charlotte le repoussa gentiment, leva les yeux vers lui, les joues rosies, l'air interrogateur.

— Je suis fière de vous, Thomas. Vous méritez cette promotion. Mais est-ce bien ce que vous désirez, au fond de vous-même ?

— Comment ?

Pitt était certain de lui avoir caché son manque d'enthousiasme à l'idée d'abandonner le travail de terrain.

— Vous pouvez apprécier l'honneur d'une promotion et cependant la refuser, remarqua-t-elle avec douceur. Personne ne vous oblige à accepter de l'avancement, si ce nouveau travail vous contraint à passer vos journées enfermé dans un bureau.

Elle le dévisageait sans ciller, sans trace d'hésitation ni de regret.

— Nous n'avons pas besoin de cet argent. Gardez votre poste et faites le métier que vous aimez. Si vous aviez donné des ordres à vos hommes, au lieu d'enquêter vous-même dans la rue, cette affaire serait-elle résolue ?

Pitt pensa à Maisie Willis et à ses violettes, aux interminables minutes passées à attendre perché sur le cab, et revit l'instant précis où il s'était rendu compte que le député qui l'avait accosté portait des primevères à la boutonnière.

— Je ne sais pas, avoua-t-il. Peut-être que oui.

— Ou peut-être que non ! Thomas, ajouta-t-elle en souriant, je veux que vous fassiez le métier que vous aimez, sur le terrain, domaine où vous excellez. Le reste est trop cher payé pour un peu d'argent dont nous n'avons pas vraiment besoin. Nous arrivons à couvrir nos dépenses, c'est le principal. Y a-t-il quelque chose de plus précieux que de faire ce qui vous plaît ?

— J'ai accepté cette promotion, dit-il avec lenteur.

— Eh bien, vous avez le droit de changer d'avis ! Allez le leur dire, Thomas, je vous en prie.

Il ne discuta pas, se contentant de la serrer très fort contre lui. Son cœur chantait de joie. Il avait l'impression de respirer plus librement.

Gracie se releva et sortit de la cuisine en fredonnant, le seau à la main, pour aller le vider dans le caniveau.

— Vite, racontez-moi tout ! s'exclama Charlotte,

sitôt la jeune fille partie. Comment l'avez-vous repérée ? Qui était-ce ? Pourquoi s'en prenait-elle à des députés ? Avez-vous prévenu Florence Ivory ? Tante Vespasia ?

— Non. J'ai pensé que vous aimeriez vous en charger.

— Oh, oui ! Quel dommage que nous n'ayons pas le téléphone ! Si nous prenions l'omnibus pour aller chez tante Vespasia ? Mais voulez-vous d'abord une tasse de thé ? Avez-vous faim ? Voulez-vous déjeuner ?

— Oui, oui, non, il est trop tôt, répondit-il en riant.

— Pardon ?

— Oui, nous irons voir tante Vespasia, oui, j'ai envie d'une tasse de thé, non merci, je n'ai pas faim, et il est trop tôt pour déjeuner. Regardez, la pâte à pain va déborder.

— Oh, en effet ! Occupez-vous du thé, pendant que je finis de pétrir. Pendant ce temps, vous me raconterez tout en détail.

Elle alla se laver les mains dans l'évier, puis étala un peu de farine sur sa planche et se remit à pétrir avec vigueur. Pitt emplit la bouilloire, la fit chauffer puis lui raconta l'histoire de la proposition de Royce et expliqua comment ils avaient mis leur plan à exécution. Charlotte savait déjà que la stratégie de Drummond s'était soldée par un échec.

— Donc, cette femme ne frappait pas à l'aveuglette, conclut-elle lorsqu'il eut terminé son récit. Je veux dire par là qu'elle ne visait pas les parlementaires au hasard. Elle connaissait Sir Garnet. puisqu'elle a crié son nom.

Pitt se souvint du hurlement de haine proféré par Elsie Draper. « Je te tiens enfin, Royce ! » s'était-elle exclamée, triomphante, sans se soucier du cab qui fonçait sur elle. Elle n'avait pas jeté son rasoir lorsqu'il avait bondi sur elle pour la maîtriser. Dans sa folie destructrice subsistait une part de raisonnement logique.

La voix de Charlotte interrompit ses pensées.

— Selon vous, Royce était-il son unique cible? Elle aurait tué les trois autres par erreur, parce qu'ils vivaient sur la rive sud, rentraient chez eux à pied et avaient des cheveux gris ou blonds?

— Et ils ont été tous trois secrétaires parlementaires du ministre de l'Intérieur à un moment ou à un autre de leur carrière, renchérit Pitt. Royce aussi, peut-être. En fait, je n'en sais rien. Je vais me renseigner sur le poste qu'il occupait il y a dix-sept ans.

Charlotte sépara la pâte à pain en trois boules qu'elle plaça dans des moules en fer afin qu'elles continuent à lever.

— Pourquoi vouait-elle une telle haine à Royce? Parce qu'il l'avait fait enfermer à Bedlam?

— C'est possible, répondit Pitt, pensif.

Quelque chose dans cette affaire le laissait insatisfait. Elsie Draper s'en était prise à Garnet Royce et non à son frère Jasper, le médecin. Pour quelle raison? Parce qu'il était l'aîné ou parce qu'il était le maître de la maison où elle servait? Pourquoi l'état mélancolique dans lequel l'avait plongée la mort de sa maîtresse s'était-il transformé en rage meurtrière?

Il termina sa tasse de thé et se leva.

— Charlotte, j'ai changé d'avis. Allez seule chez tante Vespasia. De mon côté, je retourne voir Drummond.

— Pour lui parler d'Elsie Draper?

— Oui, je crois.

Sur le chemin de Bow Street, Pitt vit les petits vendeurs de journaux porter des panneaux annonçant le tirage d'une édition spéciale :

L'ÉGORGEUR ABATTU SUR WESTMINSTER BRIDGE !
LE PARLEMENT PEUT ENFIN RESPIRER !

Il acheta le journal avant d'entrer dans le commissariat. Sous l'éditorial imprimé en gros caractères, un article expliquait que la menace anarchiste avait été jugulée et que la loi prévalait à nouveau, grâce à l'habileté et au dévouement de la police métropolitaine et au courage d'un membre du Parlement désireux de garder l'anonymat. Toute la population se réjouissait du retour au calme et à la sécurité dans les rues de la capitale.

Micah Drummond fut surpris de voir son subordonné, censé être en train de jardiner au soleil.

— Que se passe-t-il ? demanda-t-il, un peu inquiet.

Pitt referma la porte derrière lui.

— Tout d'abord, monsieur, je tenais à vous remercier de l'avancement que vous m'offrez, mais je préférerais conserver mon poste plutôt que de superviser le travail des autres. Je crois que c'est sur le terrain que je peux donner le meilleur de moi-même.

Drummond sourit. Dans son regard passa un mélange de regret et de soulagement. S'était-il attendu à ce que Pitt lui annonçât une mauvaise nouvelle, ou bien comprenait-il secrètement les désirs de son subordonné ?

— Je ne suis pas surpris, avoua-t-il avec franchise, et plutôt content, au fond. Vous auriez fait un excellent inspecteur principal, mais nous aurions perdu un excellent homme de terrain. Il faut toujours réfléchir avant de prendre une décision. Je vous admire d'assumer votre choix. Il n'est pas facile de refuser une promotion.

Pitt se sentit rougir. L'admiration d'un homme qu'il aimait et respectait était chose précieuse. Il aurait bien voulu remercier Drummond et quitter son bureau, mais il était venu lui parler d'Elsie Draper.

Trop de questions demeuraient sans réponse dans cette affaire et il n'aurait de cesse de les élucider.

— Encore merci, monsieur.

Il prit une profonde inspiration

— Voilà, je... j'aimerais pousser plus loin l'enquête sur Elsie Draper. Quelque chose me chiffonne. Elle s'est jetée sur Royce en hurlant son nom. Elle ne tuait pas au hasard ; elle le haïssait personnellement. Je voudrais savoir pourquoi.

Drummond ne bougea pas, les yeux fixés sur son porte-plume et son encrier.

— Moi aussi, Pitt. Désirait-elle uniquement la mort de Royce ? Nous savons qu'Hamilton, Etheridge et Sheridan avaient peu de points communs, si ce n'est d'habiter sur la rive sud et de se ressembler vaguement. Ils ne partageaient pas les mêmes opinions politiques, mais une femme enfermée dans un asile depuis si longtemps devait se moquer de leur appartenance à tel ou tel parti. J'ai pris la peine de vérifier quel était le travail de Royce il y a dix-sept ans...

Il s'interrompit, un sourire triste et crispé aux lèvres, et regarda Pitt bien en face.

— Secrétaire parlementaire auprès du ministre de l'Intérieur.

— Donc, ils avaient tous les quatre occupé le même poste ! s'exclama Pitt. C'est peut-être la cause de leur mort. Elsie Draper cherchait Royce et, dans son esprit, il était toujours secrétaire parlementaire, comme lorsqu'elle travaillait à son service. Elle a dû se renseigner et le malheur a voulu qu'elle croise sur son passage trois hommes habitant le même quartier et ayant exercé la même fonction. Mais pourquoi diable haïssait-elle autant Royce ?

— Tout simplement parce qu'il l'a fait interner !

— Pour neurasthénie ? Peut-être. Me donnez-vous

l'autorisation de me rendre à Bedlam, pour en savoir plus sur Elsie Draper ?

— Oui, bien entendu. Et revenez me voir aussitôt.

L'hôpital royal de Bethlehem, communément appelé Bedlam, était une énorme bâtisse située sur la rive sud, dans Lambeth Road, une rue qui part de la Tamise et rejoint Westminster Bridge Road, non loin des jardins de Lambeth Palace, résidence officielle de l'archevêque de Cantorbéry, primat de l'Église anglicane.

L'asile était un monde à part, cauchemardesque, complètement refermé sur lui-même ; à l'intérieur de ses murs, tout n'était que folie et désespoir. Pendant des siècles[1], cet hôpital avait été le seul endroit à accueillir les hommes que la raison avait désertés. Autrefois, les malades y étaient entravés, de jour comme de nuit, et soumis à différentes tortures, en vue d'exorciser leurs démons. Les gens aux goûts morbides et pervers venaient les voir et les exciter, comme s'il s'agissait de bêtes de cirque derrière des barreaux. Plus tard les descendants de ces tristes individus se moqueraient des animaux enfermés dans les zoos et assisteraient aux pendaisons publiques.

Depuis, les traitements s'étaient améliorés. Les appareils de contention avaient disparu, sauf pour les malades les plus violents ; mais les tortures morales subsistaient encore, et ces pauvres diables étaient en proie à la terreur, aux hallucinations et au désespoir de se voir enfermés à vie.

Pitt connaissait les maisons d'arrêt de Newgate et de Coldbath Fields ; malgré la présence d'un directeur en redingote, de médecins et d'un personnel infirmier,

1. Bedlam a été la première institution de ce genre à avoir été créée en Europe, au XIVe siècle. *(N.d.T.)*

il ne voyait aucune différence entre la prison et cet hôpital. Les murs suintaient tout autant, et l'atmosphère y était aussi irrespirable.

Le directeur examina ses papiers avant même de lui dire bonjour.

— Elsie Draper ? s'enquit-il avec froideur. Il faut que je consulte mes dossiers. Que désirez-vous savoir, au juste ? Nous l'avons relâchée parce qu'elle se tenait tranquille depuis une dizaine d'années. Elle n'a jamais montré le moindre signe de violence.

Il se raidit, prêt à défendre son institution.

— Nous ne pouvons garder les gens indéfiniment, s'ils n'ont plus besoin d'être soignés. Le nombre de lits est limité !

— Pour quel motif a-t-elle été internée ?

— Quel motif ? répéta le directeur, prêt à réagir à la moindre critique.

— De quelle maladie mentale souffrait-elle, pour avoir été admise ici ?

— Neurasthénie aiguë. Une femme simple, venue de la campagne, qui avait suivi sa maîtresse lorsque celle-ci s'était mariée. D'après ce que j'ai compris, cette dernière est décédée des suites d'une fièvre scarlatine. Elsie Draper, folle de chagrin, a dû être internée à la demande de son maître. Une bonne action de sa part, étant donné les circonstances. Il aurait pu tout bonnement la jeter à la rue.

— Neurasthénie ?

— C'est ce que je viens de vous dire, brigadier...

— Inspecteur Pitt.

— Très bien... inspecteur ! Je ne vois rien d'autre à vous dire. Nous nous sommes occupés d'elle pendant dix-sept ans, sans qu'elle donne le moindre signe de folie meurtrière. Nous l'avons relâchée, car elle était tout à fait capable de subvenir à ses besoins ; son état ne nécessitait plus de soins ; nous n'avions aucune raison de penser qu'elle représenterait une menace pour la société.

Pitt ne chercha pas à argumenter. Le point de vue du directeur était discutable, mais là n'était pas le fond du problème.

— M'autorisez-vous à interroger le personnel soignant ? Parmi vos patients, il doit bien y avoir quelqu'un qui la connaissait bien.

— Je ne vois pas ce qu'ils pourraient vous apprendre de plus. C'est facile de juger, avec du recul, vous savez !

— Je ne cherche pas des preuves de ses pulsions criminelles, monsieur, corrigea Pitt, mais je voudrais comprendre les raisons qui l'ont poussée à agir de la sorte.

— Quelle importance, à présent ?

— Je ne remets pas en question votre compétence, monsieur, dit Pitt, légèrement agacé. Ne vous mêlez pas de mes méthodes de travail. Si je pensais que ce complément d'enquête était inutile, je ne serais pas ici, mais avec ma famille, dans mon jardin.

Le directeur pinça les lèvres.

— Très bien, faites comme vous l'entendez. Si vous voulez bien me suivre...

Il tourna les talons et précéda Pitt dans un corridor glacial, monta un escalier, emprunta un autre couloir qui donnait sur une porte s'ouvrant sur une vaste salle occupée par une dizaine de lits. Des chaises étaient disposées un peu partout dans la pièce. C'était la première fois que Pitt entrait dans un asile d'aliénés ; il ressentit toutefois un certain soulagement en remarquant des bouquets de fleurs dans des pots en fer émaillé, un coussin ou une couverture colorée n'appartenant pas à l'administration. L'une des tables était recouverte d'une nappe jaune vif.

Il embrassa la salle du regard : un pâle rayon de

soleil filtrant à travers les barreaux éclairait la robe grise de la surveillante en chef debout à côté de la fenêtre. Elle portait un bonnet et un tablier blanc ; une grosse clé suspendue à une chaîne était accrochée à sa ceinture. Elle avait des traits tendus, un regard dénué d'expression, de grandes mains aux articulations rougies.

Assise à sa gauche, une femme d'un âge indéterminé, les genoux ramenés sous le menton, se balançait d'avant en arrière en marmonnant des paroles incompréhensibles. Ses mèches sales et emmêlées pendaient sur son visage. Plus loin une autre patiente, au visage au teint couperosé, les cheveux tirés en chignon serré, fixait le vide, perdue dans des visions intérieures qui l'excluaient du monde. Elle ne prêtait aucune attention à celles qui lui parlaient.

Trois femmes plus âgées jouaient aux cartes avec animation ; mais chaque fois qu'elles les abattaient sur la table, elles annonçaient le trois de trèfle.

Une autre lisait un vieux journal, qu'elle tenait à l'envers, en répétant :

— Je n'arrive pas à le trouver, je n'arrive pas à le trouver !

Le directeur lança d'un ton brusque à la surveillante :

— L'inspecteur désire parler à une patiente qui connaissait Elsie Draper. Si vous voulez bien vous charger de trouver quelqu'un.

— Seigneur ! Et pour quoi faire ? s'étonna-t-elle d'un ton rogue. J'aimerais bien savoir à quoi ça pourrait servir !

— L'une de ces personnes s'était-elle liée d'amitié avec elle ? intervint Pitt. J'ai besoin de le savoir !

Il s'efforçait de prendre un air aimable, mais l'atmosphère de désespoir qui régnait dans la salle commençait à le gagner, il sentait sa voix le trahir.

Sur les visages hagards des malades passait parfois une lueur qui montrait qu'elles avaient conscience de leur folie. La surveillante, elle, connaissait toutes les horreurs qui pouvaient exister dans ce monde ; rien ne la touchait, désormais ; toute compassion l'avait quittée depuis longtemps.

— Polly Tallboys, peut-être... Hé, Polly ! Viens un peu par ici. Ce gentleman veut te parler. Il ne faut pas avoir peur. Il ne te fera pas de mal. Réponds simplement à ses questions.

Polly s'avança, docile, en tortillant le tissu gris de sa robe ; c'était un petit bout de femme aux yeux pâles et aux paupières tombantes.

— J'ai rien fait ! J'vous jure que j'ai rien fait !

Pitt s'assit sur une chaise et lui fit signe de prendre place en face de lui.

— Je sais que vous n'avez rien fait, Polly, dit-il gentiment. Je vous crois.

— C'est vrai ? releva-t-elle d'un air incrédule.

— Asseyez-vous, Polly. J'ai besoin de votre aide.

— De mon aide ?

— Oui, s'il vous plaît. Vous connaissiez Elsie, n'est-ce pas ? Étiez-vous amies ?

— Elsie ? Oui, je la connais. Elle est rentrée chez elle.

— Oui, c'est vrai, fit Pitt, bouleversé par la simplicité directe de cette phrase.

— Elsie était bien employée de maison ?

— Oh oui !

Le visage inexpressif de Polly s'éclaira.

— Elle était femme de chambre, chez des riches. Elle disait que sa maîtresse était une grande dame très gentille.

Lentement, la lumière qui avait éclairé son regard s'éteignit. Ses yeux s'emplirent de larmes qui rou lèrent sur ses joues pâles. Elle ne chercha pas à les essuyer.

Pitt prit son mouchoir et se pencha pour tamponner ses yeux ; bien inutilement, car elle continuait à pleurer, mais son geste lui donna l'impression d'avoir affaire à un être humain et non à un pantin disloqué enfermé dans un placard.

— Sa maîtresse est morte il y a longtemps, souffla-t-il. Elsie était très triste.

— Morte de faim, la pauvre, dit Polly en hochant la tête. Pour l'amour de Jésus.

Pitt, interloqué, se demanda si finalement il avait bien fait de venir là chercher auprès d'une malade mentale la réponse à une question qu'il ne connaissait même pas.

— Morte de faim ? Je croyais qu'elle avait été emportée par la fièvre scarlatine.

— Morte-de-faim, répéta Polly avec soin, d'une voix creuse, comme si elle ne comprenait pas le sens de ces mots.

— C'est ce qu'Elsie vous a dit ?

— C'est ce qu'Elsie m'a dit. Pour Jésus.

— Vous a-t-elle dit pourquoi ?

La question était bien optimiste. Cette pauvre créature ne faisait que lui rapporter les propos incohérents d'une autre malade mentale.

— Pour Jésus, s'obstina Polly en le dévisageant de ses yeux clairs et vides.

— Comment cela, pour Jésus ? s'entêta Pitt, tout en se demandant si la question valait la peine d'être posée.

Polly cligna des yeux. Elle était déjà ailleurs.

Pitt patienta, lui sourit, puis réitéra sa question.

— Mourir de faim pour Jésus ? Pourriez-vous m expliquer ?

— L'église, dit-elle avec un soudain regain d'intérêt. Ils se réunissaient dans une salle de Bethlehem Road. Des étrangers. Un homme qui avait vu Dieu et

Jésus. Elle savait qu'ils disaient la vérité, et lui ne voulait pas la laisser sortir. C'est ce que disait toujours Elsie.

— Qui étaient ces gens, Polly ?

— Je sais pas.

— Comment s'appelaient-ils ?

— Elsie m'a pas dit. Enfin, je l'ai jamais entendue.

— Mais ils se retrouvaient dans une salle de Bethlehem Road, vous en êtes sûre ?

Elle parut réfléchir intensément, les sourcils froncés, les mains crispées sur ses genoux.

— Non, dit-elle enfin. Je sais pas.

Il lui effleura gentiment le bras.

— Ce n'est pas grave. Votre aide m'a été précieuse. Merci, Polly.

Elle eut un petit sourire, qui s'élargit lorsqu'elle comprit qu'il était content.

— Oppression. C'est le mot que répétait Elsie. Oppression... méchanceté, très grande méchanceté...

Elle scruta son visage pour s'assurer qu'il la comprenait.

— Merci, Polly. Maintenant je dois aller vérifier tout ce que vous m'avez dit. Au revoir.

Elle hocha la tête.

— Au revoir, Mr...

— Thomas Pitt.

— Au revoir, Thomas Pitt, répondit-elle en écho.

Il remercia la surveillante en chef ; une jeune gardienne le raccompagna jusqu'à la porte qu'elle déverrouilla et referma derrière lui.

Il s'éloigna dans la rue ensoleillée, submergé par un sentiment de pitié si profond qu'il faillit courir pour fuir cet endroit maudit et oublier tout ce qu'il y avait vu. Pourtant, il marchait d'un pas lourd, comme si ses semelles étaient de plomb, tant les visages de ces pauvres femmes l'avaient marqué d'une empreinte indélébile.

Moins d'un quart d'heure plus tard, il déboucha dans Bethlehem Road, espérant y trouver une personne ayant entendu parler d'un ordre religieux qui se réunissait là dix-sept ans plus tôt. Quelqu'un se souviendrait peut-être de Mrs. Royce. Il ignorait ce qu'il pourrait découvrir. Pour tout renseignement, il n'avait que le témoignage d'une simple d'esprit qui se souvenait des obsessions d'une malade mentale.

Il y avait encore une petite salle paroissiale dans la rue ; un panneau indiquait qu'elle était à louer au public. Pitt nota le nom et l'adresse du gardien et, dix minutes plus tard, s'assit dans un salon glacial donnant sur la rue, en face d'un homme d'un certain âge, trapu, au nez chaussé de besicles. Il tenait à la main un grand mouchoir.

— En quoi puis-je vous être utile, Mr Pitt ? demanda-t-il entre deux éternuements.

— Étiez-vous le gardien de la salle de Bethlehem Road, il y a dix-sept ans, Mr. Plunkett ?

— En effet, monsieur.

— Était-elle louée régulièrement à une congrégation religieuse ?

— Oui, monsieur. Des gens aux idées un peu bizarres. Par exemple, ils ne baptisaient pas les enfants, car ils pensaient que les bébés, innocents comme l'agneau qui vient de naître, n'étaient point capables de commettre un péché avant l'âge de huit ans. Moi, je ne suis pas d'accord. L'homme vient au monde en état de péché. J'ai fait baptiser mes enfants à l'âge de deux mois, comme tout chrétien est tenu de le faire. Mais c'étaient des gens très aimables, tempérants, vêtus avec modestie, qui travaillaient dur et pratiquaient l'entraide.

— Continuent-ils à se rencontrer ici ?

— Oh, non, monsieur ! J'ignore où ils sont allés. Ils étaient de moins en moins nombreux. Le dernier a disparu il y a environ cinq ans.

— Vous souvenez-vous d'une certaine Mrs. Royce ?

— Royce ? Non, monsieur, ce nom ne me dit rien. Il y avait en effet quelques jolies dames aux belles manières. Mais elles sont toutes parties je ne sais où. Mariées sans doute, et bien installées. Elles auront oublié toutes ces billevesées.

— Vous souvenez-vous du nom d'une de ces femmes, Mr. Plunkett ? insista Pitt.

— Mon bon monsieur, si j'arrivais à m'en souvenir, je vous en ferais part avec plaisir. À quoi ressemblait cette Mrs. Royce ?

— Hélas, je l'ignore. Elle est morte à cette époque, de fièvre scarlatine, je crois.

— Ah... Oh, mon Dieu ! C'était peut-être l'amie de Miss Forrester ? Lizzie Forrester. Sa meilleure amie était décédée...

Pitt se retint de montrer son intérêt. Il tenait peut-être là un début de piste, un fil ténu qui pouvait casser à tout moment.

— Où puis-je trouver Miss Forrester ?

— Ah, ça... je l'ignore. Mais je crois que ses parents vivent encore dans Tower Street. Au numéro 23, il me semble. Vous pouvez toujours aller vous renseigner.

Pitt se leva et le remercia chaleureusement.

Il ne songea même pas à s'arrêter pour déjeuner. Il passa devant un pub, sans se laisser tenter par la bonne odeur qui s'en échappait, tant il avait hâte de retrouver Lizzie Forrester. Grâce à elle, il comprendrait peut-être enfin ce qui avait semé dans l'esprit d'Elsie Draper les germes de la folie.

Trouver Tower Street fut un jeu d'enfant ; il s'enquit de son chemin auprès d'un ou deux passants et s'arrêta bientôt devant le numéro 23, une maison assez cossue devant appartenir à un commerçant. Il actionna le heurtoir en cuivre représentant une tête de cheval, recula d'un pas et attendit. Quelques minutes plus tard une servante proprette, aux habits démodés vint lui ouvrir.

— Monsieur? fit-elle d'un air surpris.

— Bonjour. Suis-je bien chez Mr. ou Mrs. Forrester?

— Oui, monsieur.

— Inspecteur Pitt, du commissariat de police de Bow Street.

La voyant pâlir, il maudit sa maladresse.

— Soyez sans crainte, il n'y a pas eu d'accident. Ma visite ne concerne pas directement les occupants de cette maison. Je souhaite rencontrer une personne ayant connu une dame sur laquelle nous aimerions avoir de plus amples informations, cela afin d'éclaircir certains événements qui, je peux vous l'assurer, n'ont aucun rapport avec la famille Forrester.

La bonne paraissait toujours sceptique. Les gens respectables n'aiment pas voir la police faire irruption chez eux, quelle qu'en soit la raison.

— Une dame très distinguée, poursuivit-il, décédée il y a de nombreuses années, aussi ne pouvons-nous pas l'interroger.

— Bon, eh bien... entrez. Je vais voir mes patrons. Restez ici ! le somma-t-elle en désignant du doigt un point précis sur le tapis turc d'un rouge passé, au côté duquel voisinaient un porte-parapluies et un aspidistra en pot.

Tandis qu'elle se précipitait dans le couloir recouvert de linoléum, Pitt examina le vestibule : au fond s'élevait un escalier aux balustres cirés. Sur les murs étaient accrochés un portrait de la reine Victoria et des tableautins en tapisserie au petit point sur lesquels on pouvait lire : DIEU VOIT TOUT et À TOUT OISEAU SON NID EST BEAU. Il entendit la servante frapper à une porte dont le loquet se souleva puis retomba. On parlait de lui dans le petit salon.

Cinq bonnes minutes plus tard, un couple d'un certain âge apparut, tous deux vêtus d'habits vieillots. L'homme portait une chaîne de montre à son gilet et son épouse avait jeté sur ses épaules un châle de dentelle retenu par une jolie broche en perles de jais.

— Mr. Forrester ? s'enquit Pitt aimablement.

— En effet, Jonas Forrester, à votre service. Et mon épouse, Mrs. Forrester. Martha nous a dit que vous enquêtiez sur une dame décédée il y a plusieurs années.

— En effet. Je crois savoir que c'était une amie de votre fille Elizabeth.

Les traits de Forrester se durcirent ; ses joues roses, rasées de près, perdirent de leur couleur. La main de son épouse se crispa sur son bras.

— Nous n'avons pas de fille prénommée Elizabeth, dit-il d'une voix blanche. Nous avons trois filles, Catherine, Margaret et Anabelle. Navré, mais nous ne pouvons rien pour vous.

Pitt observa ces gens ordinaires figés côte à côte dans leur vestibule, leurs mains soignées, leurs cheveux bien peignés, fervents chrétiens, comme en témoignaient les canevas sur les murs ; pourquoi lui mentaient-ils ? Qu'avait bien pu faire leur fille Lizzie pour qu'ils nient son existence ? Cherchaient-ils à la protéger ou l'avaient-ils chassée de leur mémoire ?

Il prit le risque de mentir.

— Pourtant, les registres paroissiaux font bien état de la naissance d'Elizabeth Forrester.

Jonas Forrester blêmit. Sa femme porta sa main à sa bouche pour étouffer un cri.

— Il serait moins douloureux pour vous de me dire la vérité. Je l'apprendrai de toute façon un jour ou l'autre, reprit Pitt avec douceur. Qu'en pensez-vous ?

Forrester le dévisagea avec animosité.

— Très bien, si vous insistez. Nous n'avons rien fait pour mériter cela ! Mary, ma chère, vous n'avez pas besoin d'endurer ce supplice. Allez donc m'attendre dans le petit salon. Je vous rejoindrai dès que j'en aurai fini avec ce monsieur.

Elle fit un pas en avant.

— Mais je pense que...

— Faites ce que je vous dis, ma chère, fit-il d'un ton aimable mais qui ne tolérait aucune réplique.

— Vraiment, je crois que je pourrais...

— Je ne le répéterai pas deux fois, Mary.

— Bon, puisque c'est ce que vous désirez...

Elle se retira, en épouse docile, non sans avoir adressé un misérable hochement de tête à Pitt. On entendit dans le couloir le bruit de ses pas qui s'éloignaient, puis, à nouveau, celui du loquet qu'elle actionnait.

— Inutile de la faire souffrir, expliqua Forrester d'un ton cassant, en fixant sur le policier un regard dur. Elle a déjà supporté assez de misères. Que voulez-vous savoir ? Nous n'avons pas revu notre fille depuis dix-sept ans, et il est peu probable que nous la revoyions un jour. Elle a cessé d'être notre enfant. Quoi que dise la loi, elle ne fait plus partie de notre famille. Je ne vois pas en quoi cela vous concerne !

D'un geste brusque, il tourna la poignée de la porte du grand salon et introduisit Pitt dans une pièce glaciale, d'une extrême propreté. Les guéridons étaient encombrés de photographies, de bibelots en porcelaine, de boîtes en laque du Japon et de plantes vertes ; une belette et deux oiseaux empaillés, figés pour l'éternité dans des vitrines, fixaient le visiteur. Forrester ne s'assit pas, et ne proposa pas à Pitt de s'asseoir, bien qu'il y eût plusieurs fauteuils aux dossiers recouverts de têtières brodées.

— Non, je ne vois vraiment pas pourquoi ! répéta-t-il d'un ton accusateur.

— Je pourrais peut-être interroger Elizabeth, risqua Pitt.

— Oh, que non ! Elle est partie aux États-Unis, il y , dix-sept ans. Grand bien lui fasse. Nous ne savons pas ce qu'elle est devenue. Elle pourrait tout autant être morte !

Il dit cela en relevant le menton, les yeux brillants. Pitt nota une légère trémulation dans sa voix, signe que sa colère devait s'accompagner d'une réelle souffrance.

— J'ai cru comprendre qu'elle appartenait à une secte religieuse... hasarda-t-il.

— Des suppôts de Satan ! s'exclama Forrester d'une voix vibrante d'indignation. Des blasphémateurs !

Il secoua la tête avec vigueur.

— Pourquoi les autorise-t-on à pénétrer dans un pays de croyants afin de pervertir des innocents ? C'est le travail de la police, d'empêcher le mal de se propager. À propos, quel est le but de votre visite, monsieur ? Au bout de dix-sept ans ? Qu'est-ce que cela peut nous apporter, à nous ou à notre Lizzie ? Elle est partie rejoindre ces adeptes du Malin et depuis nous n'avons plus jamais eu de ses nouvelles. Nous sommes de bons chrétiens ; nous lui avons dit qu'elle ne ferait plus partie de notre famille tant qu'elle n'aurait pas renoncé à l'esprit du mal pour revenir au sein de notre Église.

— Mais quelle est donc cette religion à laquelle croit votre fille, Mr. Forrester ?

— Des blasphémateurs, vous dis-je ! s'écria celui-ci avec passion. Inspirés par je ne sais quel charlatan qui prétend avoir vu Dieu, vous rendez-vous compte ! Dieu et Jésus-Christ, séparément ! Dans cette maison, comme dans tout foyer honorable, nous croyons en un Dieu unique. Et ce n'est pas un imposteur prétendant amener la bonne parole et faire des miracles qui nous gagnera à sa cause. Nous avions interdit à Elizabeth d'assister à ces réunions ; nous l'avions prévenue des éventuelles conséquences. Sa pauvre mère a passé des heures à tenter de la convaincre. Croyez-vous qu'elle nous aurait écoutés ? Pensez donc ! Elle a fini par s'embarquer pour l'Amérique avec ces bandits, ces escrocs, ces propres à rien, tous les pauvres idiots qui s'étaient laissé embrigader comme elle, et ceux qui voyaient là un moyen de profiter de femmes crédules. Vous élevez vos enfants dans la religion et la crainte de Dieu, et voilà comme ils vous remercient ! Vous comprenez maintenant pourquoi Elizabeth n'existe plus à nos yeux ?

Pitt comprenait la colère d'un homme blessé, perdu, qui se sentait trahi par son propre sang et qui, en dépit de ses imprécations véhémentes, souffrait encore. Néanmoins, il poursuivit :

— Savez-vous si votre fille connaissait une certaine Mrs. Royce ?

— C'est possible. Oui, le nom me dit quelque chose. Encore une victime de ces charlatans, qui n'a pas écouté les conseils de gens avisés. Si je me souviens bien, elle est morte de fièvre typhoïde ou de diphtérie.

— Scarlatine, précisa Pitt. Il y a dix-sept ans.

— Ah ? Pauvre âme, morte sans avoir eu le temps de se repentir ! Quelle tragédie ! Que soient damnés ceux qui l'ont bernée, qui l'ont poussée à l'idolâtrie et au blasphème !

— Que savez vous de Mrs. Royce, monsieur ?

— Rien. Je ne l'ai jamais vue. Pour rien au monde, je n'aurais permis à ces gens-là de franchir ma porte. C'est déjà assez de perdre une fille ! Mais Elizabeth parlait souvent d'elle. Une jeune femme de bonne famille...

Il soupira.

— Mais d'une santé délicate, et très influençable. Les femmes ont besoin que l'on s'occupe d'elles. Il faut les préserver des imposteurs.

— Quelqu'un ici pourrait-il me parler de Mrs. Royce ? Écrivait-elle à votre fille ? Avaient-elles des amies communes ? Où pourrais-je trouver des gens qui auraient gardé la foi en cette Église si particulière ?

— S'ils existent, je ne veux pas en entendre parler ! Des émissaires envoyés par le diable pour achever son œuvre !

— C'est important, Mr. Forrester.

« L'est-ce vraiment, après toutes ces années ? » se demanda Pitt. Ou était-ce la vérité seulement pour lui, qui voulait à tout prix savoir pourquoi Elsie Draper avait, des années durant, ruminé sa haine envers Royce ?

Forrester paraissait mal à l'aise ; son regard évitait celui du policier.

— Eh bien... Après le départ de Lizzie, Mrs. Royce lui a écrit quelques lettres. Nous ne les avons pas fait suivre. Nous ne savions pas où les envoyer ! Et puis Lizzie n'existait plus pour nous. Mais ces lettres ne nous appartenant pas, nous n'avions pas le droit de les détruire. Elles sont toujours là, quelque part, dans un débarras.

Pitt sentit un frisson d'excitation le parcourir.

— Puis-je les voir, monsieur ?

— Si vous y tenez. Mais à deux conditions : vous n'en parlerez pas à ma femme et vous les lirez sur place, au grenier.

Visiblement, il se demandait s'il avait le droit d'imposer ses conditions à un policier, mais il était résolu à essayer Ses yeux pâles défiaient Pitt.

— C'est promis, concéda Pitt, désireux de ne pas ajouter à sa détresse. Pourriez-vous me montrer le chemin ?

Un quart d'heure plus tard, il était accroupi sous les poutres du toit, dans un petit débarras glacial où s'empilaient de vieilles malles emplies de capes, de manteaux et de chapeaux. Il avait étalé devant lui six lettres, cachetées et scellées à la cire, adressées à Miss Lizzie Forrester, envoyées entre le 28 avril et le 2 juin 1871.

Il glissa la lame de son couteau sous le rabat de la première enveloppe. Le texte, rédigé d'une main féminine, semblait avoir été écrit à la hâte, comme si l'auteur craignait d'être interrompu.

19 Bethlehem Road
Le 28 avril 1871

Très chère Lizzie,

J'ai tout essayé, la ruse ou les supplications, mais sans succès. Garnet demeure intraitable. Il refuse de m'écouter. Chaque fois que je mentionne le nom de notre Église, il m'interdit de parler. Par trois fois durant ces deux derniers jours, il m'a renvoyée dans ma chambre en m'ordonnant de n'en sortir que lorsque j'aurais repris mes esprits.

Mais comment pourrais-je oublier la seule chose au monde qui me soit douce ? J'essaie de me souvenir de chaque mot prononcé par notre frère et je n'y vois aucun péché. Bien sûr, certaines de ses paroles peuvent sembler étranges et éloignées de l'éducation religieuse que j'ai reçue, mais quand j'écoute mon cœur, elles me paraissent bonnes et justes.

J'espère encore pouvoir convaincre Garnet de me laisser assister à nos réunions ; c'est un homme droit qui ne désire que mon bien. Je sais depuis nos fiançailles qu'il a toujours souhaité me protéger du mal.

Prie pour moi, ma petite Lizzie, afin que je trouve

les mots qui atteindront son cœur et qui me permettront de rejoindre la compagnie de mes sœurs et de recevoir le juste enseignement du Sauveur de toute l'Humanité.

Ton amie très chère,
Naomi Royce.

La lettre suivante avait été écrite une semaine plus tard.

Très chère Lizzie,

Mon Dieu, je ne sais par où commencer ! Garnet et moi avons eu une terrible dispute. Il m'a interdit de retourner à notre église et même de mentionner le mot Évangile à la maison. Je ne dois pas lui parler de l'enseignement de notre frère, ni lui expliquer pourquoi je pense qu'il a raison.

Je sais que c'est très difficile pour lui ! Moi aussi, j'ai été élevée selon les préceptes de l'Église anglicane. Mais, à dix-huit ans, je me suis rendu compte que cette doctrine ne répondait pas à toutes les questions que je me posais.

Si Dieu est une entité aussi sainte et merveilleuse que l'on nous l'enseigne — et je crois qu'Il l'est — et s'Il est notre Père, alors pourquoi sommes-nous des créatures aussi imperfectibles, des êtres spirituellement balbutiants ? Je veux croire qu'il y a un espoir pour nous, si nous nous efforçons d'apprendre à nous connaître et à nous tenir debout, d'entendre la bonne parole, de rechercher la connaissance et la sagesse, en écoutant nos leçons avec humilité. Ainsi par la grâce de Notre-Seigneur, nous obtiendrons un jour le droit d'être appelés Ses enfants.

Garnet dit que je blasphème. Il m'a ordonné de me repentir et de l'accompagner chaque dimanche à l'église où il est de mon devoir de me rendre avec lui.

C'est impossible ! Lizzie, comment parjurer ma

foi ? Il ne veut pas m'entendre ! Prie pour que je garde courage !

Que le Seigneur te bénisse et te protège,

Ta chère amie,
Naomi Royce.

La troisième lettre avait été rédigée seulement trois jours après la précédente.

Très chère Lizzie,

Nous sommes dimanche. Garnet est parti à son église, après m'avoir enfermée à double tour dans ma chambre. Il m'a dit que tant que je n'irais pas à l'église en bonne chrétienne, je n'en sortirais pas.

Je dois me contenter de cela. Si je ne peux obtenir la liberté de choisir ma façon d'adorer le Seigneur, comme tout être humain a le droit de le faire, je suis résolue à demeurer ici. Non, je n'irai pas à son église, je ne trahirai pas ma conscience.

Elsie, ma femme de chambre, m'est très dévouée. Elle me monte mes repas. J'ignore comment je pourrais me débrouiller sans elle, qui m'a suivie à Londres quand je me suis mariée. Elle ne paraît pas craindre Garnet. Je sais qu'elle postera cette lettre ; il ne me reste que trois timbres, mais Elsie m'a promis qu'ensuite elle s'éclipserait à la barbe du majordome et qu'elle t'apporterait directement mon courrier.

J'espère que ma prochaine lettre t'annoncera de meilleures nouvelles.

Entre-temps, garde courage et crois en Dieu. Personne n'a jamais cru en Lui en vain. Il nous voit et ne nous enverra pas plus de souffrances que nous n'en pouvons supporter.

Ton amie toujours dévouée,
Naomi.

Aucune date ne figurait sur la missive suivante, rédigée d'une main maladroite et hésitante

Très chère Lizzie,

Je suis sur le point de prendre la décision la plus importante de ma vie. Hier, j'ai passé la journée à prier et à m'interroger, en tentant de comprendre le point de vue de Garnet qui prétend que notre foi est blasphématoire, contraire à la nature et fondée sur les divagations d'un charlatan. Selon lui, la Bible répond à l'espérance de tous les chrétiens; celui qui cherche à y ajouter quelque chose est une créature malfaisante ou fourvoyée qu'il convient de dénoncer. L'homme ne doit pas attendre d'autre révélation.

Mais plus je prie, plus je suis convaincue que c'est faux! Dieu n'a pas fermé les cieux, la Vérité a été restaurée et je ne peux le dénier, même au risque de perdre mon âme.

Si tu savais les souffrances que j'endure! Oh, Lizzie, si seulement tu étais là, je me sentirais moins seule! Je n'ai que ma chère Elsie, Dieu la bénisse; même si elle ne comprend pas les raisons de mon tourment, elle m'aime et me sera toujours loyale et je lui en suis infiniment reconnaissante.

J'ai encore eu une terrible dispute avec Garnet. Il a décrété que tant que je ne parjurerais pas ma foi, je resterais enfermée dans ma chambre. Je lui ai répondu que je lui obéirais, mais que je cesserais de m'alimenter jusqu'à ce qu'il m'autorise à choisir, en mon âme et conscience, la religion que ie désire embrasser.

Il est entré dans une colère épouvantable. Il croit peut-être sincèrement agir pour mon bien; mais, Lizzie, je suis une personne à part entière, j'ai le droit d'avoir mes idées! Nul ne peut décider pour moi le chemin que mon cœur désire suivre! Qui le ferait ne ressentirait pas ma peine, ni ma joie, et ne serait pas responsable de mes péchés. Mon âme est aussi précieuse que celle d'un autre. Je n'ai qu'une vie et JE CHOISIRAI *la voie qui me convient.*

Si Garnet ne me permet plus de quitter ma chambre, je ne m'alimenterai plus. Il finira bien par m'accorder ma liberté de conscience. Je serai alors une épouse obéissante et aimante qui remplira tous ses devoirs domestiques et mondains. Je serai modeste et courtoise et je ferai tout ce qu'il voudra. Mais je ne renierai pas ma foi.

Ta sœur dans l'Évangile du Christ,
Naomi.

La lettre suivante était beaucoup plus courte. Pitt l'ouvrit d'une main tremblante, indifférent au froid et au pénible engourdissement de ses jambes dû à sa position accroupie.

Très chère Lizzie,

Au début, j'ai cru que je n'arriverais jamais à tenir ma promesse, tant j'étais affamée. J'avais l'impression que tous les livres que je lisais parlaient de nourriture. J'avais sans cesse des migraines et je grelottais

Une semaine s'est écoulée. Je me sens faible et fatiguée, mais la sensation de faim a disparu. En revanche, j'ai très froid. Elsie me couvre de couvertures de laine et d'édredons, comme si j'étais une enfant malade. Mais je ne céderai pas.

Prie pour moi et garde ta foi !

Naomi

La dernière lettre ne faisait que deux lignes, griffonnées à la hâte et quasiment illisibles.

Très chère Lizzie,

Je crains qu'il ne soit trop tard, même si Garnet cède à mes prières. Mes forces m'abandonnent. C'est la fin.

Naomi

Pitt, toujours à croupetons sous les poutres du toit, avait oublié le froid et la maison silencieuse au-dessous de lui. Ainsi Elsie Draper avait raison : Naomi Royce n'était pas morte de la fièvre scarlatine ; elle avait préféré se laisser mourir de faim plutôt que de renier sa foi en un ordre religieux que la bonne société ne pouvait tolérer. Une nouvelle croyance qui aurait scandalisé toute la circonscription d'un député, il se serait couvert de ridicule.

Royce avait donc enfermé sa femme en attendant qu'elle revienne à de meilleures dispositions. Mais il avait sous-estimé l'intensité de sa croyance et la fermeté de sa résolution. Quel scandale si l'on avait appris qu'il avait laissé son épouse mourir de faim ! Il aurait perdu son siège à la Chambre, et sa réputation. Il avait donc fait appel à son frère Jasper pour rédiger le constat de décès : fièvre scarlatine. Mais la fidèle Elsie savait. S'ils l'avaient laissée en liberté, la vérité aurait fini par se savoir. Enfermée à Bedlam, en revanche, elle serait à jamais réduite au silence. Il ne restait à Jasper qu'à remplir le formulaire d'internement et le problème était réglé le soir même : neurasthénie aiguë causée par le décès de sa maîtresse. Elsie ne manquerait à personne. Tout ce qu'elle dirait serait mis sur le compte de sa folie.

Pitt glissa les six lettres dans la poche intérieure de sa veste. Puis il se leva, en réprimant un cri de douleur ; il avait des crampes dans les jambes à force d'être resté accroupi. Il faillit dégringoler de l'échelle qui menait au palier du premier étage.

La bonne l'attendait dans le hall, l'air tendu et

apeurė. La police l'avait toujours terrifiée; une mai son respectable n'a pas à avoir la police sous son toit.

— Avez-vous trouvé ce que vous vouliez, monsieur?

— Oui, merci. Pourrez-vous remercier Mr. Forrester de ma part et lui dire que j'ai emporté les lettres?

— Bien, monsieur.

Elle lui ouvrit la porte et le regarda s'éloigner dans le soleil couchant, avec un soupir de soulagement

Micah Drummond observa Pitt, très pâle.

— Que faire? Il n'y a pas eu homicide! Qui accuser? Et de quoi? Garnet Royce a fait ce qu'il croyait juste, pensant qu'elle n'irait pas jusqu'au bout. Il s'est trompé. Son épouse s'est laissée mourir de faim, croyant qu'il finirait par céder; ils se sont mépris tous deux. Ensuite Royce a fait ce qu'il a cru bon pour sauver sa réputation.

— Laquelle? La sienne! Pas celle de son épouse!

— En effet. Pitt, si nous arrêtions tous les hommes qui cherchent à préserver leur réputation, la moitié de la bonne société londonienne serait en prison.

— Ainsi que la moitié des classes moyennes qui aspirent à la distinction! Mais au nom du ciel, ces gens-là n'enferment pas leur femme à clé jusqu'à ce que mort s'ensuive pour les empêcher d'assister aux réunions de je ne sais quelle secte religieuse! Et comment un homme peut-il en conscience décider de faire interner un être humain jusqu'à la fin de ses jours?

— Il faut bien enfermer les malades mentaux, Pitt.

Celui-ci abattit rageusement son poing sur le bureau.

— Elsie Draper n'était pas folle! Du moins avant d'être internée. Qui ne perdrait pas l'esprit, enfermé dix-sept ans durant dans un asile? Êtes-vous jamais allé dans un endroit pareil? Vous imaginez-vous une seule seconde à quoi ressemble Bedlam ? Pensez à ce que Royce a fait subir à cette femme ! Nous ne devrions pas tolérer pareille monstruosité Pas étonnant après cela qu'elle ait essayé de l'assassiner ! Mourir égorgé est une belle mort en comparaison de la lente torture à laquelle il l'a soumise !

— Je le sais, Pitt, fit Drummond d'une voix vibrante d'émotion. Mais Naomi Royce et Elsie Draper ne sont plus de ce monde et nous n'avons aucun chef d'accusation. Royce s'est contenté d'exercer le droit que tout homme a sur son épouse. Devant la loi, un couple est indivisible : le mari vote pour sa femme, il est responsable d'elle financièrement et juridiquement ; il décide de la religion qu'elle embrassera et de son statut social. Légalement, Royce n'a pas tué son épouse.

Pitt, muet, s'enfonça dans son fauteuil.

— Quant à Jasper Royce, poursuivit Drummond, nous pouvons seulement l'accuser d'avoir falsifié le certificat de décès de sa belle-sœur. Au bout de dix-sept ans, ce sera difficile à prouver, et, quand bien même, aucun jury ne le reconnaîtra coupable.

— Et pour l'internement abusif d'Elsie Draper ?

Drummond le regarda d'un air peiné.

— Nous sommes seuls à savoir qu'elle était saine d'esprit lors de son enfermement ; ce sera notre parole contre celle d'un honorable médecin. Et elle était bel et bien folle au moment de sa mort.

Pitt posa sa main sur les lettres étalées sur le bureau.

— Et ces lettres ? Ce ne sont pas des preuves ?

— Des preuves ? Les écrits d'une femme membre d'une secte, qui a préféré mourir de faim plutôt que d'obéir à son mari et de revenir à une foi plus orthodoxe ? Qui voulez-vous convaincre avec ça ?

— Personne, soupira Pitt, soudain très las. Personne.

— Alors, que comptez-vous faire ?

— Je ne sais pas encore. Puis-je garder ces lettres ?

— Si vous voulez. Mais vous ne pourrez rien en faire. Il est hors de question d'accuser Royce.

Pitt replia les feuillets avec soin et les glissa dans sa poche.

— Je tiens quand même à les garder. Je ne veux pas oublier.

Drummond eut un sourire amer.

— Vous n'oublierez pas. Et moi non plus. Pauvre femme...

Charlotte releva la tête, les yeux écarquillés d'horreur. Elle tenait entre ses doigts tremblants les lettres de Naomi Royce ; de grosses larmes roulaient sur ses joues.

— Thomas ! Mais c'est horrible ! Comme elles ont dû souffrir ! D'abord Naomi, puis cette pauvre Elsie qui a vu sa maîtresse s'affaiblir chaque jour et pourtant refuser de trahir sa foi ! Vous imaginez-vous ce qu'elle a pu ressentir en la voyant sombrer dans l'inconscience et mourir, sans pouvoir la secourir ? Et le seul moyen de l'empêcher de parler a été de la déclarer folle et de la condamner à demeurer le restant de ses jours dans un asile ! C'est monstrueux !

Elle prit son mouchoir, se tamponna les yeux et se moucha.

— Thomas, qu'allons-nous faire ?

— Rien, répondit-il d'un air sombre.

— Comment cela, rien ? Mais c'est impensable !

— Il n'y a pas eu homicide, lui fit remarquer Pitt, qui lui raconta l'entretien qu'il venait d'avoir avec Micah Drummond.

Charlotte l'écouta, abasourdie, sachant qu'il avait raison et qu'il était inutile d'argumenter. De plus, elle se rendait compte que Pitt était aussi malheureux et furieux qu'elle.

— Je comprends, dit-elle enfin. Je suis certaine que vous arrêteriez Royce si vous aviez un chef d'accusation. C'est inutile de porter l'affaire devant les tribunaux, sur la seule foi de ces lettres. Cependant, si vous n'y voyez pas d'inconvénient, je les montrerai à tante Vespasia. Je suis sûre qu'elle aimerait connaître le fin mot de l'histoire. Puis-je les lui porter? ajouta-t-elle, sans s'imaginer une seconde qu'il puisse refuser.

— Si vous y tenez, dit-il un peu à contrecœur

Après tout, pourquoi ne pas les faire lire à tante Vespasia? Charlotte avait besoin de parler à quelqu'un et, ce soir-là, il était trop épuisé pour poursuivre cette conversation.

— Vous devez être fatigué, dit-elle en glissant les lettres dans la poche de son tablier. Allez donc vous réchauffer près du feu, pendant que je prépare le dîner. Que diriez-vous d'un bon plat de harengs? Je suis passée chez le poissonnier aujourd'hui.

Le lendemain après-midi, après avoir bien réfléchi, Charlotte décida de passer à l'action. Tante Vespasia accepterait de lui prêter main-forte, si elle savait lui présenter son plan de façon convaincante. Pitt avait passé la plus grande partie de la journée à jardiner; mais vers cinq heures, un vent froid venu de l'est se leva et le ciel se couvrit de gros nuages noirs, annonciateurs de brouillard givrant. Pitt, réfugié dans le salon, ne tarda pas à s'assoupir au coin du feu.

Charlotte ne voulut pas le réveiller. Elle laissa une tourte aux poireaux et aux pommes de terre dans le four, avec un petit mot sur la table de la cuisine lui précisant qu'elle était partie rendre visite à Lady Cumming-Gould. Comme il faisait très froid, elle prit un cab qui l'emmena jusqu'au domicile de sa vieille amie. Celle-ci l'accueillit avec plaisir, non sans dissimuler un certain étonnement.

— Quelque chose ne va pas, ma chère? Que se passe-t-il?

Charlotte sortit les lettres de son réticule et les lui tendit, tout en expliquant les circonstances de leur découverte.

Vespasia ajusta son pince-nez et les lut lentement, sans commentaire. Après avoir terminé la dernière, elle poussa un léger soupir.

— C'est terrible. Deux vies gâchées. Tant de souffrances causées par la domination d'une personne sur une autre. Jusqu'où les hommes iront-ils dans leur folie avant d'apprendre à se respecter mutuellement? Merci de m'avoir apporté ces missives, Charlotte. Je regretterai sans doute de les avoir lues si cette nuit je n'arrive pas à trouver le sommeil. La prochaine fois que je rencontrerai Somerset Carlisle, je lui conseillerai de faire réexaminer les lois concernant les internements psychiatriques. À mon âge, je ne peux pas enfourcher un nouveau cheval de bataille. Mon Dieu! Y a-t-il pire situation que d'être enfermé avec des malades mentaux lorsque l'on est sain d'esprit?

— Je... je suis désolée, balbutia Charlotte. Je n'aurais pas dû vous montrer ces lettres.

Vespasia posa sa main sur la sienne.

— Ne vous tracassez pas pour moi, ma chère petite. Vous avez bien fait de venir m'en parler. J'imagine que Thomas doit être bouleversé. Ces dernières semaines ont été rudes pour lui. Le connaissant, il doit rager de ne pouvoir intervenir.

— Oui, acquiesça Charlotte, pressée de lui faire part de la suite de son plan, car il était déjà six heures du soir. J'ai l'intention d'aller rendre visite à Sir Garnet Royce, pour lui montrer ces lettres. En un sens, elles lui appartiennent.

Vespasia se raidit.

— Balivernes! Vous êtes peut-être capable de

mentir à beaucoup de gens, mais vous ne me ferez jamais croire que vous pensez qu'elles puissent être à lui. Elles ont été écrites par son épouse à Miss Forrester et si elles ne peuvent parvenir à leur destinataire, elles sont désormais la propriété des Postes de Sa Majesté. Dites-moi plutôt ce que vous avez derrière la tête...

À quoi bon mentir, en effet ?

— Je veux l'obliger à reconnaître ses torts. Je lui dirai que je sais la vérité.

Il ne s'agissait là que de la première partie de son plan.

— Attention, c'est risqué, la prévint Vespasia.

— Non, si j'emprunte votre attelage. Sir Garnet se mettra peut-être en colère, mais il n'osera pas me toucher. Par précaution, je n'emporterai que deux lettres. Je vous confie les autres.

Elle attendit, guettant l'assentiment de la vieille dame. Celle-ci réfléchit, pesant intérieurement le pour et le contre.

— Il mérite de savoir ! insista Charlotte. Si la justice refuse de le juger, moi, je le ferai ! En souvenir de Naomi et d'Elsie Draper. Je me présenterai à sa porte accompagnée de votre valet ; ses domestiques me laisseront entrer. Il ne peut rien m'arriver ! Je vous en prie, Vespasia ! J'ai seulement besoin de votre voiture et d'un valet pour une heure ou deux.

Elle faillit ajouter qu'en cas de refus elle prendrait un cab, mais songea que Lady Cumming-Gould n'apprécierait pas cette forme de chantage.

— Très bien, soupira la vieille dame. Forbes, mon valet de pied, s'installera à côté du cocher

— Merci, tante Vespasia. Je partirai vers sept heures, si cela ne vous dérange pas. Ainsi, je serai sûre de le trouver chez lui ; on m'a dit qu'il n'y avait pas de séance à la Chambre, ce soir.

— Alors, il vaudrait mieux manger tout de suite. J'imagine que vous avez préparé le repas de ce pauvre Thomas ? ajouta Vespasia en haussant un sourcil.

— Bien entendu. Je lui ai laissé un mot disant que j'étais chez vous et que je rentrerai vers huit heures et demie ou neuf heures.

— Dans ce cas, je vais demander qu'on nous serve le dîner.

Une heure plus tard, quand Charlotte monta dans l'attelage qui s'ébranla lentement, il brouillassait. Le cocher passa dans Belgravia, longea le palais de Westminster, traversa le pont et, arrivé sur la rive sud, se dirigea vers Bethlehem Road. Il faisait un froid de loup et l'humidité de l'air se transformait en glace dès qu'elle touchait le pavé gelé. Charlotte redoutait le moment d'arriver chez Garnet Royce, mais sa décision était prise ; il n'était plus question de réfléchir ou d'atermoyer. Elle ne permettrait pas à Royce de rayer Naomi ou Elsie Draper de sa mémoire, ni même de se convaincre de la justesse de ses actes.

L'attelage s'arrêta ; le valet descendit du siège, lui ouvrit la portière et lui tendit la main. Le brouillard était si dense qu'elle entrevoyait à peine les réverbères sur le trottoir d'en face. Les maisons au bout de la rue formaient une masse indistincte, gris sombre, enveloppée de vapeur.

— Merci, Forbes. Pouvez-vous rester ici ? Je n'en aurai pas pour longtemps.

— Bien sûr, madame, répondit le valet presque invisible dans la pénombre. Lady Cumming-Gould nous a bien spécifié de vous attendre devant la porte.

Garnet Royce la reçut avec une politesse un peu distante. Manifestement, il ne se souvenait pas de leur rencontre chez sa sœur Amethyst, au lendemain du décès de Lockwood Hamilton. Cela n'avait rien d'étonnant. Charlotte ne perdit pas son temps en urbanités.

— Sir Garnet, je suis venue vous voir car j'ai le projet d'écrire un livre sur la secte religieuse à laquelle appartenait votre épouse avant sa mort.

Les traits de Garnet se durcirent.

— Ma femme appartenait à l'Église anglicane, madame. Vous devez faire erreur.

— Je ne le crois pas, répliqua Charlotte avec froideur. Elle a écrit plusieurs lettres à une certaine Lizzie Forrester, qui appartenait à la même congrégation. Miss Forrester, ayant émigré aux États-Unis, ne les a jamais reçues ; elles sont restées ici, à Londres, et il se trouve qu'elles sont en ma possession.

Garnet Royce demeura impassible, mais sa main se rapprocha du cordon de la sonnette. Charlotte devait se dépêcher avant qu'il ne la fasse mettre à la porte. Elle ouvrit son réticule, en sortit les missives et commença à lire à haute voix le récit de Naomi expliquant que son mari lui interdisait de pratiquer sa foi et qu'elle avait décidé de ne plus s'alimenter jusqu'à ce qu'il lui accorde sa liberté de conscience et de culte.

En terminant sa lecture, elle leva les yeux vers Royce. Les poings serrés, il dardait sur elle un regard brûlant de mépris.

— J'imagine que vous allez me menacer de révéler le contenu de ces lettres si je ne vous paie pas un bon prix. Le chantage est un procédé laid et dangereux. Un conseil : donnez-moi ces papiers et quittez ma maison avant de proférer des paroles qui vous mèneraient droit en enfer.

Charlotte lut la peur dans ses yeux et son dégoût ne fit qu'augmenter. Elle pensa à Elsie Draper qui avait passé dix-sept ans à Bedlam.

— Je ne veux pas d'argent, Sir Garnet, dit-elle d'une voix rauque. Je veux que vous sachiez ce que vous avez fait : vous avez dénié à votre femme le droit de chercher Dieu à sa façon et de suivre sa conscience de croyante. Pour le reste, elle vous aurait obéi en tout. Mais vous vouliez aussi posséder son esprit et son âme. Quel scandale, Mr. Royce, si les journaux avaient annoncé à la une que l'épouse d'un parlementaire était membre d'une secte religieuse! Vos amis politiques vous auraient abandonné, et les autres aussi. Alors vous l'avez enfermée dans sa chambre, en attendant qu'elle cède. Mais vous n'aviez pas conscience de l'intensité de sa foi, ni de la force de son caractère; elle préférait mourir que renoncer à sa religion — et elle est morte! Pris de panique, vous avez demandé à votre frère de rédiger un constat de décès certifiant qu'elle était décédée de la fièvre scarlatine... — non, ne m'interrompez pas! s'écria-t-elle en haussant la voix — et il a accepté, pour éviter le scandale : « L'épouse d'un parlementaire, enfermée à double tour dans sa chambre, se donne la mort! Son mari l'a-t-il poussée au suicide ou était-elle folle ? » Seule Elsie, la fidèle Elsie, savait la vérité — il fallait donc la faire enfermer! Dix-sept ans à l'asile, dix-sept ans enterrée vivante! Qui s'étonnerait qu'elle ait hanté les alentours du Parlement, un rasoir à la main, dans l'espoir de vous retrouver? Si elle était saine d'esprit en entrant à l'asile, elle était certainement folle le jour où on l'a laissée sortir!

Pendant les secondes de silence qui suivirent ils se dévisagèrent avec horreur. Puis l'expression de Royce changea. Il comprit ce qu'elle voulait dire, même si ces paroles hérétiques défiaient ses propres règles de conduite, renversaient ses convictions concernant les droits et les obligations des puissants vis-à-vis des faibles, consistant notamment à décider pour eux, sans tenir compte de leurs désirs. Puis, bien qu'il fût encore en proie à un terrible conflit intérieur, ses traits se recomposèrent lentement. La pendule de la cheminée égrenait les secondes. Quelque part, dans la cuisine peut-être, un domestique laissa tomber un plateau.

— Ma femme était de santé délicate et avait l'esprit fragile. Vous ne l'avez pas connue. Il lui prenait parfois des lubies ; c'était une proie facile pour les charlatans et les gens à l'imagination enfiévrée. Ils voulaient son argent. Cela n'apparaît peut-être pas dans ses lettres, mais c'est la vérité ; je craignais qu'ils ne cherchent à tirer profit de sa crédulité. Je leur ai interdit de franchir le seuil de ma maison, comme tout homme responsable l'aurait fait.

Il avala sa salive, tenta de se ressaisir, de chasser la vision d'horreur qui venait de le submerger, et s'efforça d'articuler clairement :

— C'est vrai, je l'ai mal jugée. Elle était bien plus vulnérable à leurs flatteries que je ne le supposais. Et sa santé fragile affectait son esprit. Je me rends compte à présent que j'aurais dû faire appel à des médecins plus tôt. J'imaginais qu'elle était obstinée, alors qu'en fait elle souffrait d'hallucinations dues à la fièvre. Ces charlatans avaient sur elle une influence désastreuse. Vous ne pouvez savoir à quel point je regrette ce que j'ai fait. Si vous saviez combien j'ai ressassé ce drame...

Charlotte sentit sa détermination faiblir. Royce déformait ses paroles.

— Mais vous ne deviez pas décider pour elle ! s'écria-t-elle. Personne n'a le droit de choisir pour autrui. Comment osez-vous juger des besoins des autres ? Ce n'est pas de la protection, c'est de... de la tyrannie ! Et c'est *injuste* !

— Il est du devoir des forts et des responsables de

protéger les faibles, madame, en particulier ceux dont ils ont la charge par naissance ou par alliance. Vous ne serez pas remerciée d'avoir cherché à tirer profit des malheurs de ma famille.

— Et Elsie Draper ? Y avez-vous pensé ? Enfermée à vie dans un asile d'aliénés !

Un léger sourire effleura la bouche de Royce.

— Vous prétendez qu'elle n'était pas folle ?

— Certainement pas à son arrivée à Bedlam !

Charlotte sentait qu'elle perdait du terrain ; elle le voyait sur le visage de Royce, l'entendait dans sa voix, à nouveau calme et posée.

— Vous feriez mieux de partir, madame. Vous n'avez rien à faire ici. Si vous écrivez ce livre et que vous mentionnez le nom d'un seul membre de ma famille, je vous intenterai un procès en diffamation. La société rejette les intrigantes de votre espèce.

Il tira sur le cordon de la sonnette.

— Bonsoir. Mon valet va vous raccompagner.

Cinq minutes plus tard, Charlotte était de nouveau assise dans l'attelage de Vespasia. Les chevaux prirent le chemin du retour, avançant pesamment dans le brouillard en direction de Westminster Bridge.

Son plan avait échoué. Elle n'avait fait qu'ébranler, un bref instant, les convictions de Royce, lorsqu'il avait paru s'apercevoir qu'il était coupable d'une monstrueuse oppression. Il s'était ensuite justifié en homme de pouvoir, suffisant et sûr de lui. Elle s'en voulut d'avoir eu si peur ! Il l'avait renvoyée, tout simplement, avec dégoût, sans même lui demander de lui remettre les lettres.

Charlotte traversait maintenant le pont ; elle le sentait au martèlement différent des sabots sur la travée. Elle risqua un œil à la vitre : le brouillard s'épaississait. De temps en temps, les chevaux dérapaient sur les pavés rendus glissants par le gel. Soudain, le véhicule s'immobilisa. Elle entendit toquer à la portière, le visage de Forbes apparut.

— Madame, il y a là un gentleman qui demande à vous parler.

— Un gentleman ?

— Oui. Il dit qu'il est impoli de monter dans une voiture où voyage une dame seule et vous demande de bien vouloir le rejoindre dehors, un court instant.

— Qui est-ce ?

— Je l'ignore, madame. Je ne l'ai jamais vu. À dire vrai, je ne reconnaîtrais pas mon propre frère par une nuit pareille. Mais je reste là, madame, à quelques mètres. Ah ! Il m'a dit qu'il voulait vous parler d'un projet de loi sur la liberté de conscience.

Liberté de conscience ? Garnet Royce s'était-il donc laissé fléchir par ses propos ?

Elle descendit du marchepied en s'accrochant au bras de Forbes pour ne pas glisser. À quelques mètres de là se tenait la haute silhouette de Royce, le bas du visage emmitouflé dans son cache-col.

Il était donc revenu sur sa décision juste après son départ et s'était aussitôt élancé derrière la voiture qui avançait au pas.

— Je m'excuse de vous avoir mal jugée. Vos motifs ne sont pas aussi égoïstes que je le supposais. Pouvez-vous m'accorder votre attention ?

Il s'éloigna de quelques pas, hors de portée de voix de Forbes et du cocher. Charlotte le suivit, comprenant son besoin d'intimité pour évoquer un sujet aussi délicat.

— C'est vrai, je le confesse, j'ai eu tort de traiter Naomi comme une enfant. Vous avez raison. Une femme majeure, célibataire ou mariée, devrait avoir le droit d'embrasser librement la religion de son choix.

— Pensez-vous qu'il serait possible de présenter une proposition de loi en ce sens ? demanda Charlotte pleine d'espoir.

Ainsi Naomi ne serait pas morte pour rien..

— Je ne sais pas encore, murmura-t-il, si bas qu'elle dut se rapprocher de lui pour l'entendre. Mais en tant que député, je peux essayer de soumettre un texte devant la Chambre. Auriez-vous l'obligeance de me donner votre point de vue sur la rédaction d'une telle proposition ? Toutes les femmes pourraient en bénéficier, mais il faudra veiller à maintenir l'ordre et à empêcher les esprits faibles et ignorants d'être dupés par les charlatans. Ce ne sera pas facile.

Charlotte réfléchissait à la réponse qu'elle pouvait lui donner. Elle n'avait jamais pensé que l'on puisse légiférer sur ce problème. Royce semblait très sérieux. Elle voyait étinceler son regard gris à la lumière du réverbère enveloppé dans un halo de brume. En revanche elle entrevoyait à peine les contours de l'attelage dans le brouillard.

Soudain, elle vit l'expression de Royce se transformer ; une étincelle démente passa dans son regard ; un rictus sardonique découvrit ses dents au moment où il se jetait sur elle, plaquant sa main gantée de noir sur sa bouche avant même qu'elle ne puisse crier. Il la poussait vers le parapet !

Elle se débattit, donna des coups de pied, tenta de le mordre, mais en vain. Elle sentait le bord du parapet s'enfoncer dans ses reins. D'une seconde à l'autre, il allait la soulever et la faire basculer dans le vide. Les flots sombres et glacés se refermeraient sur elle, ses poumons s'empliraient d'eau. Elle étoufferait. Personne ne pouvait en réchapper.

Elle fit un moulinet avec son bras et enfonça ses doigts dans les yeux de Royce, qui poussa un hurlement de douleur, étouffé par le brouillard. Il se pencha en avant pour la frapper, mais glissa sur le pavé gelé et demeura une fraction de seconde en équilibre, couché sur le parapet, battant l'air des jambes et des bras. Puis, tel un oiseau blessé, il bascula la tête la première et tomba. Un lourd silence s'ensuivit. Charlotte n'entendit même pas le bruit de son corps qui heurtait l'eau.

Appuyée contre la balustrade, elle se mit à trembler de tous ses membres. La nausée l'envahit. Une sueur glacée coulait sur son front; ses jambes étaient trop faibles pour la porter.

— Madame?

Charlotte, pétrifiée, ne parvenait plus à retrouver sa respiration.

— Madame? Tout va bien?

C'était la voix de Forbes, dont la silhouette émergea bientôt de l'ombre.

— Oui.

Elle ne reconnut pas le son de sa propre voix.

— Comment vous sentez-vous, madame? Vous êtes toute pâle. Ce gentleman vous a-t-il ennuyée?

— Non!

Elle avala sa salive avec difficulté. Elle craignait de ne pouvoir mettre un pied devant l'autre. Comment expliquer ce qui s'était passé? Penserait-on qu'elle avait fait tomber Royce? Si elle soutenait le contraire, qui la croirait? Était-elle coupable d'homicide? On s'imaginerait qu'elle avait cherché à le faire chanter; il aurait menacé de la dénoncer à la police et elle l'aurait poussé par-dessus le parapet pour l'en empêcher.

— Madame, si je peux me permettre... Vous devriez remonter dans la voiture. Je vous ramène chez Lady Cumming-Gould.

— Non, non merci, Forbes. Pourriez-vous me conduire au commissariat de police de Bow Street? J'ai une déclaration à faire.

— Volontiers, madame.

Elle s'appuya sur son bras, reconnaissante, et

avança avec maladresse, trébuchant sur les pavés inégaux, puis monta dans l'attelage et se laissa tomber sur la banquette ; elle resta là, à grelotter, tandis que les chevaux parcouraient le court trajet qui séparait Westminster Bridge de Bow Street, sur la rive nord.

Lorsqu'elle descendit de voiture, Forbes, très prévenant, l'accompagna à l'intérieur du commissariat ; ils passèrent devant le brigadier de service, puis montèrent jusqu'au bureau de Micah Drummond. Celui-ci regarda alternativement Charlotte puis Forbes.

— Allez chercher l'inspecteur Pitt ! lança-t-il à ce dernier. Plus vite que ça, mon vieux !

Forbes tourna les talons et dégringola l'escalier quatre à quatre.

Drummond fit le tour de son bureau pour venir aider Charlotte à s'asseoir dans un fauteuil.

— Racontez-moi ce qui s'est passé, Mrs. Pitt. Êtes-vous souffrante ?

Elle aurait donné n'importe quoi pour se trouver dans les bras de Pitt, pleurer sur son épaule et dormir. Mais il lui fallait d'abord expliquer à Drummond que tout était sa faute, et non celle de Thomas ; celui-ci ne devait surtout pas porter la responsabilité de ce qui venait de se passer. Elle voulait aussi lui épargner d'avoir à entendre ses explications.

Entre deux gorgées de brandy — breuvage qu'elle exécrait —, elle raconta dans les moindres détails les événements de la soirée. Drummond l'écoutait avec bienveillance, mais ses traits étaient tendus. Elle lut la peur et la colère dans ses yeux avant même qu'elle n'en arrive à la scène finale. Il ne pouvait non plus cacher une certaine admiration.

Les mots lui manquèrent quand il lui fallut raconter comment Royce avait glissé et basculé par-dessus le parapet du pont ; puis elle se ressaisit et peu à peu, les yeux fermés, elle trouva les mots, qui lui parurent bien faibles, pour décrire son sentiment de terreur et de culpabilité.

Enfin, elle rouvrit les yeux et le regarda. Comment allait-il réagir ? Avait-elle mis en danger le poste de Thomas ? Elle avait honte et ne pouvait cacher son inquiétude.

Drummond lui prit les mains.

— Il ne fait aucun doute que Sir Garnet est mort, dit-il avec douceur. Personne ne peut survivre dans la Tamise par ce temps. La police fluviale finira par le retrouver, demain ou plus tard, selon la force de la marée. Ils parviendront à trois conclusions : suicide, accident ou meurtre. Vous êtes la dernière personne à avoir vu Royce vivant, donc ils ne manqueront pas de vous poser des questions.

Elle voulut parler, mais la voix lui manqua.

La pression des mains de Drummond s'accentua.

— La chute est survenue au cours d'une tentative d'homicide sur votre personne. Il semble que sa peur du scandale était telle qu'il était prêt à tuer pour garder sa position sociale. Mais, comme nous ne pouvons le prouver de façon certaine, mieux vaut ne pas s'aventurer dans cette voie. Cela bouleverserait inutilement sa famille et ne servirait à rien. Je préfère aller voir la police fluviale ; j'expliquerai que la découverte des lettres écrites par sa défunte femme l'avait si profondément bouleversé qu'il en avait apparemment perdu l'esprit — ce qui est au fond la vérité. Ils en penseront ce qu'ils voudront, mais j'imagine qu'ils concluront au suicide. Inutile de salir son nom avec une accusation de tentative de meurtre qui ne peut être prouvée.

Charlotte observa attentivement son visage, mais n'y lut qu'une profonde bonté. Elle en ressentit un intense soulagement, à la fois délicieux et douloureux. Les larmes lui montèrent aux yeux ; elle enfouit son visage dans ses mains et se mit à sangloter, d'épuisement et d'émotion, submergée par une immense gratitude.

Elle ne vit même pas Pitt, très pâle, entrer dans la pièce, accompagné de Forbes. Elle sentit seulement des bras se refermer sur elle et respira l'odeur familière de son manteau.